Van dezelfde auteur

Het Kyoto-complot

Bezoek onze internetsite www.awbruna.nl
voor informatie over al onze boeken en dvd's.

GRAAN in

'**** Na enkele pagina's weet de leze
handen heeft. Ruben van Dijk demon
overzicht en de flair van e
– Hans Knegtm

'Michael Chrichtons milie
samenzweringst

'Een verbazend volwasse
Ruben van Dijk vormt een verrijkin
– DAGBLAD \

'Een fantastisch boek.
– Cabaretier Dolf Jan

'Ruben van Dijk verstaat zijn schr
geschreven met Amerikaanse a
neemt hij je mee op avontuur
Een regelrechte pageturner. Bij he
bedenk je dan ook dat je nu toch e
Maar eerst nog één

'Een volwaa

Ruben van Dijk

Graan

A.W. Bruna Uitgevers B.V., Utrecht

© 2010 Ruben van Dijk
Omslagbeeld
Fotolia
Omslagontwerp
Wil Immink Design
© 2010 A.W. Bruna Uitgevers B.V., Utrecht

ISBN 978 90 229 9513 6
NUR 332

Tweede druk, februari 2010

Verantwoording recepten
Het recept op pagina 48 is afkomstig van:
http://kookpunt.wereldsmaken.com/gevulde-duiven.
De recepten op pagina 213 en 244 zijn afkomstig uit:
Trouw, 'Groen genieten', 30 mei 2009.
Het recept op pagina 279 is afkomstig van:
http://tulseluper.hku.nl/suitcase-72.../72-FlowerBulbs.doc.

Dit boek is gedrukt op papier dat het keurmerk van de Forest Stewardship Council (FSC) mag dragen. Bij dit papier is het zeker dat de productie niet tot bosvernietiging heeft geleid. Een flink deel van de grondstof is afkomstig uit bossen en plantages die worden beheerd volgens de regels van FSC. Van het andere deel van de grondstof is vastgesteld dat hiervoor geen houtkap in de laatste resten waardevol bos heeft plaatsgevonden. Daarom mag dit papier het FSC Mixed Sources label dragen. Voor dit boek is het FSC-gecertificeerde Munkenprint gebruikt. Dit papier is 100% chloor- en zwavelvrij gebleekt en wordt geleverd door Arctic Paper Munkedals AB, Zweden.

'Honger is het meest onterende dat er is,
zeker als het door mensen is veroorzaakt.
Het kweekt woede en maatschappelijke ontwrichting.'

VN-secretaris-generaal
Ban Ki-moon,
3 juni 2008

Proloog

CIA-*headquarters*
Langley, Virginia
USA

De goudgele Chrysler Aspen Hybrid stopte keurig voor de slagboom. Omdat het nummerbord niet in de computer stond en het bezoek dus niet was aangemeld, sjokte Steve Millan vanuit zijn hokje naar de auto en sommeerde de bestuurder dat deze het raampje moest opendraaien.

'Naam?'

'Mijn naam is Sofie Jamesson en ik...'

'Uw ID, graag, *ma'am*.'

Het was duidelijk dat Steve niet op praatjes zat te wachten.

Sofie zuchtte en leunde door het raampje naar buiten om haar rijbewijs in zijn geopende hand te leggen. Daarna glimlachte ze haar grootvader geruststellend toe. 'Hij gaat het even controleren.'

De oude man knikte afwezig. Hij had zitten dommelen en was net wakker. Er liep wat kwijl uit zijn rechtermondhoek en ze boog zich naar hem toe om dat met een doekje af te deppen.

Geduldig wachtte ze tot de bewaker weer vanuit zijn hokje naar hen toe liep. Hij gaf haar het rijbewijs terug, maar maakte geen enkele aanstalten de slagboom te openen. Wijdbeens en met één hand losjes op zijn pistool keek hij Sofie aan.

'*I'm sorry, ma'am*. We kunnen geen afspraak vinden.'

'Dat klopt, eh, agent, we hebben ook geen afspraak. Maar ziet u, mijn grootvader hier is generaal b.d. Jamesson en hij wil graag een van jullie inlichtingenmensen spreken.'

'Breng me naar Gates, directeur Robert Gates,' zei haar grootvader met opvallend krachtig stemgeluid. 'Hij is een goede kerel.'

Vermoeid draaide Sofie zich naar hem toe. 'Nee, grootpa, die is geen directeur meer, dat heb ik je toch al verteld. Die is ook al met pensioen.' Ze koppelde haar veiligheidsgordel los en stapte uit.

Steve zorgde ervoor dat hij op minstens twee armlengten van haar af bleef staan. Ze zag er niet gevaarlijk uit met haar mantelpakje en haar hoge hakken, maar protocol was protocol.

'Zonder afspraak kan ik u helaas niet binnenlaten, mevrouw.'

'Daar heb ik alle begrip voor, agent. Werkelijk waar. Maar toch geloof ik dat u mij niet goed begrepen hebt. Deze man hier in de auto, die toevallig ook mijn grootvader is, is generaal W.L. Jamesson. In hoogsteigen persoon. Viersterrengeneraal Jamesson, agent. En als hij het nodig vindt om zich helemaal naar jullie hoofdkantoor te laten rijden om iemand van de inlichtingendienst te spreken, dan is het niet aan u om daar tegenin te gaan, agent. Dus ik stel voor dat u snel weer uw hokje in gaat en meldt dat de generaal hier staat te wachten en onmiddellijk ontvangen wenst te worden.'

Haar bevelende toon kwam aan. Steve salueerde. Zijn hakken klikten tegen elkaar voor hij zich omdraaide en met grote passen naar zijn wachthokje liep.

Luttele seconden later werd de slagboom voor hen geopend en kon Sofie het terrein op rijden. Eenmaal binnen, in een hoge, lege hal van marmer, met de Amerikaanse adelaar in brons prominent aan de muur, werden ze ontvangen door een piepjonge inlichtingenofficier. Sofie kon zich nauwelijks voorstellen dat hij zijn opleiding al voltooid had. Hij leidde hen door een gang naar een kamer die uitkeek op de parkeerplaats. De inlichtingenofficier wachtte tot de oude man en zijn kleindochter hadden plaatsgenomen, sloot zorgvuldig de deur en ging zitten.

'Generaal. Wat kunnen wij voor u doen?'

Sofie Jamesson schoof hem over het bureau een informatiemap toe. 'Officier, leest u dit even door, alstublieft.'

Jamesson, die stram maar kaarsrecht in zijn stoel zat, boog zich naar zijn kleindochter en begon driftig aan de mouw van haar mantelpakje te trekken. Het duurde even voor ze doorhad wat hij wilde. Ze viste een oud sigarendoosje uit haar tas en legde dat in zijn schoot. Met trillende handen maakte hij het doosje open en haalde er zijn Legion of Merit uit, een van Amerika's belangrijkste militaire onderscheidingen.

'Ik heb mijn sporen wel verdiend, jongeman. Ik wil dat je naar me luistert.'

Zijn stem klonk onvast, maar de ouderdom had zijn wilskracht niet gebroken. Hij spuugde zijn woorden de officier bijna in zijn gezicht.

'Generaal... Jamesson. Ik heb niet eerder het voorrecht gehad u te ontmoeten, maar ik verzeker u dat u mijn onverdeelde aandacht hebt.' De jonge officier was getraind om snel veel informatie in zich op te nemen. Hij scande de inhoud van de map die open voor hem op tafel lag. Ongeloof verscheen op zijn gezicht.

'*Holy shit*, u bent díé Jamesson. U bent de oprichter van ARPA,' zei hij, een beetje van zijn stuk gebracht.

'Precies,' zei Sofie, 'de Advanced Research Projects Agency. Een denktank van het Pentagon, opgericht tijdens de Spoetnikcrisis, eind jaren vijftig van de vorige eeuw. Mijn grootvader was oprichter en directeur. Dat had u moeten weten, als CIA-man.'

Enigszins verontschuldigend keek de jonge officier haar aan.

'Dat is allemaal vrij lang geleden, mevrouw.'

'De Spoetnik!' riep de generaal strijdlustig. 'Het was in 1957. De Koude Oorlog. De Russen lanceerden een raket, en wij maar denken dat we voorlagen op het gebied van ruimtevaart en rakettechniek. In gedachten zagen we Chroesjtsjovs nucleaire bommen al op ons afvliegen.'

Hij kneep zijn ogen toe bij de herinnering. 'Het Pentagon vond dat ik ook maar eens wat moest doen. Ze hadden groot gelijk. Ik was nog jong, maar ik wist van wanten.'

'Uw denktank heeft de geschiedenis van de mensheid meer beïnvloed dan welke andere organisatie dan ook,' zei de inlichtingenofficier met een half oog op het informatievel dat voor hem lag. 'Dit is klassiek, schoolboekenmaterie. Aan het eind van de jaren zestig bedacht u een manier waardoor Amerikaanse generaals overal ter wereld met elkaar in contact konden blijven, zonder dat ze konden worden afgeluisterd. Een revolutionaire uitvinding.'

'Niet een *uitvinding*, jongeman, maar het resultaat van hard werken en logisch nadenken door een team van briljante jonge geesten. Het was een voorrecht er de projectleider van te mogen zijn, de stuwende kracht.'

De officier leunde bewonderend achterover. 'ARPANET. Een netwerk waarlangs informatie, opgesplitst in kleine pakketjes, via verschillende routes naar een eindbestemming kon worden verzonden. Aan elkaar geschakelde computers, de voorloper van wat de wereld later zou leren kennen als internet. Briljant. ARPA heeft al in een vroeg stadium erkend dat zijn concept voor veel meer dan alleen militaire doeleinden gebruikt kon worden. U hebt indertijd twee universiteiten benaderd om aan de uitwerking van uw plannen mee te werken, de Universiteit van Californië en de Stanford University in Palo Alto. Een streng geselecteerd groepje studenten ging ermee aan de slag en er is niemand op de wereld die het resultaat niet kent. Uw onderscheidingen zijn welverdiend, generaal Jamesson. Als u mij tenminste toestaat dat te zeggen. Een man van uw statuur is hier altijd welkom.'

De oude man staarde door het kogelvrije raam alsof de geschiedenis daar buiten op de parkeerplaats opnieuw tot leven kwam.

'Het was de tijd van wat ze de flowerpower noemden,' kraste hij. 'U bent nog jong, maar u zult het muziekfestival van Woodstock wel kennen. Dat was net geweest. Overal op de campus lagen studenten met madeliefjes in hun haar te luieren in het gras. Maar wij hadden daar geen boodschap aan. Binnen werd hard gewerkt, aan twee computers die als 'doorgeefluik' zouden kunnen dienen. Internethosts worden zulke computers nu genoemd. Begrijpt u wat ik zeg? Twéé computers. Vandaag de dag zijn er wereldwijd meer dan een miljárd! Wij waren pioniers, de groep waar alles mee begon.'

Met priemende ogen keek hij de inlichtingenman aan.

'U kunt zich niet voorstellen hoe wij ons in die dagen voelden, officier. We waren niet gek, wij waren nuchtere wetenschapsmensen, maar het was al snel duidelijk dat we iets groots in handen hadden, en aan de koffietafel, in de kantine, wisselden we onze dromen uit. Het idee dat ooit miljarden mensen toegang zouden hebben tot internet en miljarden webpagina's met elkaar zouden kunnen delen, bood adembenemende mogelijkheden. Sommigen van ons, vooral de jongeren, hielden vol dat ze dit nog tijdens hun leven zouden meemaken. Op de universiteiten brainstormden wij over 'electronic mail' waardoor mensen hun brieven rechtstreeks per computer konden verzenden en dus niet meer op de postbode zouden hoeven te wachten. Eén student voorzag een samenleving waarin mensen per computer hun boodschappen konden bestellen. Een fantastisch idee, maar volstrekt onuitvoerbaar geacht. "Straks zoeken mensen zelfs hun partners via de computer uit," werd er gelachen. Pure sciencefiction! Zo ver zou het nooit komen, dachten we. Het waren de mooiste en de moeilijkste dagen van mijn bestaan en ik ben er nog steeds trots op, dat mag u gerust weten.'

'Dat kan ik me goed voorstellen, generaal,' zei de jonge inlichtingenman met het nodige ontzag.

Jamesson, vermoeid, viel even stil. Hij hijgde licht. Zijn kleindochter streek bezorgd over zijn rug. Maar de generaal was nog niet uitgesproken.

'Ik herinner me één dag. Het was september en snikheet, een ouderwetse Indian summer, eentje van vóór de global warming. We zaten in hemdsmouwen rond de tafel. Veel jonge jongens. De slimsten van de slimsten, ik had ze overal vandaan gehaald, zelfs van buiten Amerika. Er werd gewerkt, maar ook gelachen. Een van hen, een Nederlandse uitwisselingsstudent, was bezig met een project over internationaal geld- en handelsverkeer. Hij onderzocht de mogelijke invloed van internet op de handel in aandelen. Daar hadden we nooit eerder over nagedacht.

Mensen zouden dagelijks informatie over de beurskoersen en economische ontwikkelingen kunnen krijgen, fantaseerde dat joch. Thuis op hun computerscherm. We noemde hem Harry, Harry Roozendaal. Hij was de zoon van een rijke bankier uit Amsterdam. Jong en veelbelovend. En ook nog eens heel charmant; alle meisjes waren gek op hem. Hij voorspelde dat mensen online zouden kunnen handelen, vanuit hun eigen huis, en zo van dag tot dag met aandelen konden schuiven. Een nieuwe, adembenemende wereld van hit-and-run, van casinokapitalisme, gloorde aan de horizon.

Wij als informatietechnologen hadden een voorsprong op alle handelaren ter wereld, zei hij. Informatie was het sleutelwoord. Het enige wat we moesten doen om rijk te worden, was zorgen dat we cruciale data altijd net wat eerder en net wat sneller tot onze beschikking hadden dan de anderen: "We moeten ons er nú al op voorbereiden. We moeten het plannen. In de startblokken staan. En op de dag dat het kan, moeten we toeslaan, nog voordat anderen doorhebben wat er allemaal mogelijk is. Het eerste miljoen is het moeilijkst. Daarna is het een makkie."

Iedereen vond het hilarisch. Ze zaten natuurlijk gewoon wat te dollen, jongens onder elkaar. Ik begreep dat wel. Met die hitte, en die korte rokjes buiten, snapt u? En wij maar werken en werken. We maakten lange dagen. "Ook een Koude Oorlog is een oorlog," zei ik altijd. En hoe oud waren die *boys* nou helemaal, achttien, negentien?

Maar Harry ging een stapje verder. Snel van alles op de hoogte zijn, was hem niet goed genoeg, en hij begon hardop te fantaseren over de winst die we zouden kunnen maken als we zelf data gingen creëren. Pas achteraf zie ik dat Harry daarmee een levensgevaarlijk terrein betrad. Op het moment zelf hadden we niets door. We moesten allemaal hartelijk lachen om zijn woorden, het was iets uit een comic, en hoe waarschijnlijk was het nou helemaal?

Harry vond zijn eigen ideetje in elk geval reuze-amusant: "Stel je eens voor dat we eerder dan alle anderen weten waar en wanneer iets in de soep loopt, wanneer een opstand al het werk stillegt of een bedrijf simpelweg in de fik vliegt, omdat we zelf..."

Ik weet nog dat hij mij daarbij recht in de ogen keek.

"Dat internet van u, kolonel," – ik was toen nog geen generaal, begrijpt u, dat kwam pas later – "dat internet van u is een paradijs voor criminelen. Zoef... zoef... daar schieten ze over het web heen en weer, van hot naar her, van misdaad naar misdaad, en niemand die ze vindt."

Ik heb toen meteen gezegd dat ik dat niet grappig vond, wetenschappers onwaardig. Ik ben opgestaan en heb de groep de rest van de middag vrij gegeven. Einde oefening. Kwajongens!

Harry vertrok als laatste en bleef nog even in de deuropening staan. Hij ging er gewoon op door: "Denk er eens over na. Er zijn natuurlijk de gebruikelijke, voorspelbare morele standpunten tegen in te brengen, maar wij, als pioniers, staan daar ver boven. Waarom zouden we het niet doen? De kracht van dit idee ligt in de gegarandeerde anonimiteit die de huiscomputer ons biedt. Via internet betalen we wat *locals* om een fabrieksdirecteur te chanteren en via datzelfde internet kopen we dan de aandelen van die fabriek, omdat we weten wat die man gaat doen. En vervolgens doen we hetzelfde met zijn concurrent. Desnoods beginnen we hele burgeroorlogen, dan komt uw legerervaring ons nog van pas!"

Dat "zoef, zoef" achtervolgt me nog altijd in mijn dromen. Hij maakte er zo'n schuivende handbeweging bij. Dat joch zat niet in het leger, moet u weten, dus er was weinig wat ik ertegen kon beginnen. Allemaal flauwekul. Verdomde flowerpower.'

De generaal was uitgeput van het vele praten. Zwijgend keek hij voor zich uit.

De verbaasde inlichtingenman doorbrak de stilte. 'Mag ik u vragen, generaal, en vergeef me als ik wat traag van begrip ben, waarom u mij dit wilt vertellen?'

'Jij bent toch van de CIA,' snauwde Jamesson, plotseling wantrouwend. 'Een van Robert Gates z'n mannen? Nou, let dan een beetje op, soldaat. Ik ben hier gekomen om jullie te waarschuwen. De watersnoodramp in New Orleans in 2005... het gedoe met die ongedekte hypotheken in 2007 en die failliete banken daarna... en dan nu het graanvirus... het viel me op dat er een patroon in zit. Weet je wat ik ontdekt heb, soldaat? Het was geen grap. Hij heeft het echt gedaan!'

De generaal draaide zich naar zijn kleindochter, die al die tijd geduldig had zitten wachten. Ze reikte hem de grote bruine envelop aan die in haar handtas zat.

'Hier,' zei de generaal, terwijl hij de envelop over de tafel schoof. 'Ze handelen in honger. In de ellende van anderen. Ik heb alles voor jullie op een rij gezet. Roozendaal, dat is de belangrijkste. En twee vrienden van hem, Patrick Li, een halve Chinees, en Charles nog wat, ik ben zijn naam vergeten. Dat zoeken jullie maar uit. Ik wil dat jullie ze pakken. Ze zijn het laagste van het laagste. Ik heb er spijt van dat ik ze indertijd niet meteen de deur uit heb gezet, hoe slim ze ook waren. Meer dan veertig jaar heeft het geduurd voor ik het doorhad, maar nu zie ik het patroon. Als ik jonger was, zou ik ze zelf bij de kladden grijpen! Maar ik ben moe. Ik heb mijn dienst gedraaid, zogezegd. Tijd dat nieuwere lichtingen het stokje overnemen.'

'Generaal, we maken er werk van,' verklaarde de officier terwijl hij energiek opstond en Jamesson de hand reikte. 'Maakt u zich geen zorgen. We gaan erachteraan.'

Minuten later reden Sofie en de generaal door de poort naar buiten. De generaal had moeite om overeind te blijven zitten.

'Heeft hij het begrepen, Sofie? Maken ze er werk van?'

Ze glimlachte vermoeid. 'Het was een jonkie,' zei ze. 'In zijn ogen bent u een rare oude man, grootpa. Maar u hebt alles goed op papier gezet. De harde feiten. Daar kunnen ze niet omheen.'

'Ik dacht de afgelopen weken weleens dat ik het niet meer op kon brengen. Snap je?'

Sofie keek de generaal liefdevol aan. 'U hebt nooit opgegeven, grootpa. Ook deze keer niet. Daarom bent u altijd zo'n goede generaal geweest.'

De jonge inlichtingenofficier liep ondertussen zijn werkkamer in de westvleugel in.

'En?' vroegen zijn collega's nieuwsgierig. 'Had die ouwe Jamesson nog iets te melden?'

'Een seniele gek met heimwee,' zei de officier. 'Hij zag spoken. De volgende keer mogen jullie hem te woord staan.'

In de gang had hij de envelop al door de papierversnipperaar gegooid.

Het was 13 april 2012, 11.27 uur. Twee dagen voordat de generaal zou overlijden.

DEEL 1

1

Het kantoor van Arie Roozendaal bevond zich in de PC Hooftstraat, met zijn dure panden, chique winkels en door tralies afgeschermde etalages. Roozendaal & Partners was ondanks zijn geringe bedrijfsgrootte een van de machtigste en meest agressieve hedgefondsen van de wereld. De eerste verdieping van het pand werd vrijwel volledig in beslag genomen door computerschermen. Iedere medewerker had er vier voor zijn neus. Hier werden de internationale beurzen vierentwintig uur per dag in de gaten gehouden. Aandelenhandel kent geen pauzes. Elke mutatie in de indexen, van de Duitse DAX en de Australische S&P/ASX tot de Hang Seng in Hongkong en de KOSPI in Zuid-Korea, werd geregistreerd en geïnterpreteerd. De baas zelf kwam weinig in deze ruimte. Hij hield ervan om vanuit de gang in het trappenhuis, met zijn handen op zijn rug, het strijdtoneel te overzien. Opdrachten gaf hij nauwelijks zelf. Daar had hij zijn chefs d'equipe voor.

De nachtploeg bestond uit zeventien mensen, merendeels eind-twintigers, strak in het pak. Er werd nauwelijks gepraat, het enige hoorbare was het voortdurende getik van vingers op de toetsenborden. Links zaten de analisten. Zij beschreven de fluctuaties in de markt en voorspelden op basis van wetmatigheden en ervaring hoe de markt zich de komende uren zou ontwikkelen. Deze hyperintelligente mannen en vrouwen konden bij andere werkgevers een stuk meer verdienen, maar ze vertikten het om weg te gaan. Iedereen wilde Roozendaal als baas, Roozendaal de magiër, de man met de gouden intuïtie. Híj had de Irakoorlog voorspeld, eerder dan ieder ander. Híj had de ineenstorting van de huizenmarkt in Amerika en de dramatische kredietcrisis die daarop volgde, aan zien komen, en hij was ook nu weer de eerste geweest die had geanticipeerd op een naderende hongercrisis en de consequenties daarvan.

Alleen al in de laatste drie maanden had Roozendaal & Partners met *naked shorties* op graanaandelen miljoenen euro's verdiend. En de aandelen in soja en andere tuinbouwproducten, die de baas kort daarop massaal had laten inkopen, werden met de dag meer waard.

Een aantal analisten pleitte ervoor de winst te pakken voor hij weer zou verdampen, maar Roozendaal stak daar een stokje voor.

'Vasthouden,' zei hij. 'Nu nog niet.'

'Maar erger dan nu kan het toch niet worden,' bracht Sergio, een van zijn beste mensen, daartegen in. 'Nu heeft iedereen honger, mensen zitten met hun handen in het haar en de beurs is volledig uit het lood geslagen. Straks, als alles zich herstelt, zullen onze winsten een stuk minder zijn.'

Roozendaal wees de handelaar op de foto die hij nog niet zo lang geleden, fraai ingelijst, aan de muur had laten hangen. Het was een foto die iedere Nederlander inmiddels kende, die op de voorpagina van alle kranten had gestaan en keer op keer op televisie was getoond.

'Vertel me wat je ziet.'

'Een graanveld,' zei Sergio, wat verward. 'Ergens bij Lelystad.'

Een aantal van zijn collega's waren om hen heen gaan staan. Praktijklessen van de baas waren een zeldzaamheid; niemand wilde ze missen.

'En verder.'

'En de paarse uitslag op het graan, natuurlijk. Overal van die kleine blauwpaarse korreltjes. Door het virus. Het graan is giftig.'

'Dat klopt. Het graan staat er troosteloos bij, alsof de planten zich er bewust van zijn dat hun laatste uur geslagen heeft. Toch is het een mooie foto, vind je niet? Hij roept associaties op met traditionele foto's van tulpen, molens en vrouwen in klederdracht. Daarom spreekt het beeld me aan, juist omdat het er zo onschuldig uitziet. De foto is bij zonsondergang genomen, dat kun je zien. Het heeft er kennelijk geregend, er hangen grote druppels aan de halmen, waardoor de paarse uitslag er werkelijk prachtig uitziet. De dieprode lucht op de achtergrond maakt alles nog schilderachtiger. Zie je wat ik bedoel?'

'Ja, ik zie het.'

'Goed kijken is het begin,' stelde Roozendaal vast. 'En als je dat gedaan hebt, kijk je verder.'

Geen van zijn medewerkers kon hem volgen.

'Niemand weet hoe het graanvirus vanuit Canada en de Verenigde Staten Europa heeft bereikt. Via een vliegtuig, misschien, in een strootje dat onder de schoenzool van een passagier was blijven steken. Of aan de vleugelveren van een vogel, als een stofje in de wind... We weten het gewoon niet. Maar, hoe mooi de foto ook is, we weten inmiddels wel dat er niets idyllisch is aan de zieke graanvelden. Paars graan betekent paars brood. Giftig brood. Mensen die er een hap van nemen, moeten kokhalzend naar het ziekenhuis worden gebracht, om hun maag te laten leegpompen. Mensen voor wie hulp te laat komt, krijgen afschuwelijke buikkrampen en koorts. Vervolgens drogen ze in no time helemaal uit.

Hun huid verschrompelt. Hun adem stokt. Jullie weten dat allemaal, het staat dagelijks in de krant. Eén dom, onbekend virus, dat schijnbaar uit het niets is opgedoken, heeft het leven van miljoenen mensen overhoopgegooid. En jij denkt dat alles zich gewoon weer zal herstellen?'

Sergio was niet bang. 'Alles herstelt zich,' zei hij ferm. 'Dat is altijd zo gegaan.'

'Ja. Maar nu nog niet. Er zal nog heel wat water door de Rijn stromen voordat alles weer normaal is. En daarmee kunnen wij flink wat geld verdienen.'

Sergio en de anderen konden niet weten dat Roozendaal veel meer deed dan alleen maar kijken.

Op de tweede verdieping en hoger nog, buiten het zicht van zijn medewerkers, werden de echte zaken gedaan. Roozendaal woonde hier, in een ruim en smaakvol ingericht appartement met een indrukwekkende bibliotheek, waar hij de nouveaux riches van Nederland ontving om in alle rust een sigaar te roken, een goed glas cognac te drinken en hun geldzaken te regelen. Het paste bij zijn zorgvuldig opgebouwde imago van een succesvolle Amsterdamse bon-vivant, iemand die van geld verdienen en het goede leven hield.

In een hoek van de bibliotheek, zorgvuldig aan het oog van zijn bezoekers onttrokken, zat een draaibaar paneel, met daarachter de smalle wenteltrap naar een kleine zolderkamer. Hier, en hier alleen, toonde Roozendaal zijn ware gezicht. De man die baadde in luxe, voelde zich in deze ruimte het meest thuis. Er stonden een paar stoelen. Een leeslamp. Een computer. In de hoek, onder het schuine dak, stond een bedbank, waarop hij zich soms te rusten legde, al gebeurde dat hoogst zelden.

In een van de stoelen zat een oude man op Roozendaal te wachten. Hij zag er sjofel uit, je zou hem eerder in een kroeg in de Jordaan verwachten, of ergens aan de kade in de haven van Hamburg of Marseille, dan in de chique PC Hooftstraat. Toch was hij hier kind aan huis. 'Een rare, oude huisvriend,' mompelde Roozendaal tegen medewerkers die hem een keer onverhoeds naar binnen zagen gaan. 'Een maffe oom die niet goed spoort.'

In werkelijkheid was Thijs Timborg de beste relschopper en provocateur die Arie Roozendaal ooit in dienst genomen had. Hij had in 1981 de broodopstanden in Casablanca en andere Marokkaanse steden georganiseerd. Uit protest tegen het verlagen van de subsidie op een aantal eerste levensbehoeften, waren mensen massaal de straat op gegaan. Winkels werden geplunderd en overheidsgebouwen bestormd. Thijs had de boel behoorlijk opgehitst; tijdens gevechten met de politie kwamen tientallen mensen om het leven. In 2007 had hij hetzelfde kunststukje herhaald. Dat de couscous in de loop der jaren steeds duurder was geworden, werd niet meer geaccepteerd. Opnieuw was een enkel zetje voldoende om de vlam in de pan te doen slaan. Uit protest tegen de hoge voedselprijzen trokken duizenden demonstranten in Sefour, een klein stadje in de buurt van Fez, tijdens de ramadan vechtend en plunderend door de straten. Auto's werden in brand gestoken, de politie werd bekogeld en honderden mensen raakten gewond.

En nu in Amsterdam...

Roozendaal betrad de zolder en schonk zich meteen een groot glas whisky in. 'Vertel!'

'Ik bouw het langzaam op,' zei Timborg. 'Op dit moment heb ik drie straatbendes aan het werk. Ze plunderen voedselopslagplaatsen en verkopen hun buit vervolgens op de zwarte markt. Binnen een paar weken zullen andere jongeren mee gaan doen.'

'En in andere steden?'

'Derrick is naar Warschau, Praag en Bratislava. Bertus doet Rome, Lissabon en Barcelona. Het gaat allemaal volgens plan, we hoeven weinig te doen.'

Roozendaal had niet anders verwacht. Al ruim voor het graanvirus toesloeg, had hij begrepen dat er aan honger goed te verdienen viel. Honger leidde nu eenmaal altijd tot onrust. Dat leidde stelselmatig tot het faillissement van bepaalde bedrijven, terwijl andere bedrijfstakken juist kwamen opzetten, en als je zelf aan de knoppen zat, lag het goud bij wijze van spreken voor het oprapen.

Ze hadden het tij mee. De wereldbevolking bleef maar stijgen en de wereldwijde voedselproductie schoot steeds vaker tekort. Hij had alle getallen op een rijtje. Tussen 2005 en de zomer van 2008 was de prijs van tarwe en mais verdrievoudigd; rijst werd zelfs vijf keer zo duur. Slecht nieuws voor de één miljard mensen op de wereld die van minder dan één euro per dag moesten overleven. Een ideale voedingsbodem voor geweld.

De Verenigde Naties vreesden voor wereldwijd escalerende voedselrellen, en terecht.

'Als het overal op straat onrustig is, worden politici vanzelf zenuwachtig,' grinnikte de oude Timborg tevreden. 'Ministers naar de hoeren en hele landen die tegen elkaar kunnen worden uitgespeeld.'

Hij nam een grote slok whisky, rechtstreeks uit de fles. Roozendaal zou dat van niemand anders accepteren, maar Timborg had veel krediet. Zolang hij zijn gezicht hier maar niet te vaak vertoonde.

Buiten was het donker. Amsterdam stond in de slaapstand. De meeste toeristen, veelal mopperend op de hoge kosten van het nachtleven in de hoofdstad, hadden zich teruggetrokken in hun hotels. De Amsterdammers zelf lagen in hun bed. Maar een stad als Amsterdam slaapt nooit helemaal. Altijd waggelt er wel een zwerver langs de grachten, een hoerenloper langs de wallen, of een student op weg naar huis vanuit de sociëteit. Dit was het gebied waar Thijs Timborg zich thuis voelde. Hij hield van de biergeur in de kroegen, de warmte van de vrouwen van de nacht, van gefluister in de schaduw.

Zijn marionetten waren in de weer: de relschoppers, de bendeleden die niet eens wisten dat ze door hem werden aangestuurd. Ze joegen hun eigen doelen na en vroegen zich niet af wie degene was die hun, opnieuw, anoniem een gouden tip gegeven had.

Terwijl Timborg verslag deed aan zijn baas, arriveerde de bende van Nordin, honderden meters verderop, bij het distributiemagazijn van de ALDI. Hier lagen grote voorraden voedsel opgeslagen. Morgen zou de nachtelijke bewaking van alle voedselmagazijnen aan militairen worden overgedragen. Alleen vannacht zou het nog simpel zijn.

Het magazijn lag in een dwarsstraat vol met geparkeerde auto's. Dat gaf beschutting, maar maakte het ook moeilijk om te vluchten als de juten kwamen.

Nordin en Karel naderden het raam als eersten. De rest van de groep, een man of zes, wachtte op de straathoek verderop.

'Geef de doek maar even,' fluisterde Nordin.

Karel was stoned en had moeite een lachkick te onderdrukken. Grijnzend gaf hij zijn vriend de grote badhanddoek die ze speciaal voor deze gelegenheid in de Bijenkorf hadden gejat.

'Lijm!'

Nordin pakte de spuitbus aan en spoot het hele raam vol.

Samen streken ze de handdoek ertegenaan. Goed aanduwen en daarna een fikse tik. Je kon het geluid van brekend glas bijna niet horen en alle scherven bleven aan de doek hangen. Geen gekletter, geen gerinkel. En, na een paar seconden gespannen wachten, geen alarm.

Terwijl ze de doek met alle losse stukken glas uit de sponning verwijderden, kwam Lara aangelopen.

'Snel,' zei Karel. 'Ik geef je wel een zetje.'

In een soepele, katachtige beweging glipte Lara door het raampje het magazijn in. Ze was erop gekleed: een strak, zwart trainingspak dat nergens aan bleef haken, en haar lange zwarte haren onder een pet gestopt.

'Kan het kozijn open?' fluisterde Karel door het raam naar binnen.

'Moment.'

Met een klein zaklantaarntje controleerde Lara of er contactpunten van de alarminstallatie in het raamkozijn bevestigd waren. Het kozijn was smerig. De verf was grotendeels afgebladderd en er zaten spinnenwebben. Daartussen glinsterden de contactpuntjes die ze zocht. Helaas. Als het raam gewoon geopend had kunnen worden, was de raamopening een stuk groter geworden en had een van de jongens mee naar binnen kunnen gaan om haar te helpen sjouwen. Nu moest ze het alleen doen.

Een voor een reikte ze de kartonnen dozen vol bonen, vruchtensap en magnetronmaaltijden door het raam naar buiten. Nordin, Ibrahim en Karel pakten ze van haar over. Alles werd soepel achter in het volkswagenbusje gegooid.

Het was inmiddels een routineklus, zoals ze die sinds het uitbreken van de graancrisis al vaak hadden uitgevoerd. Nachtwerk, dat wel, maar makkelijk en winstgevend.

Tot er opeens een voorbijganger voor hun neus stond.

Het duurde even voordat de man doorhad wat er aan de hand was. Een opengebroken raam. Onzichtbare figuren die dozen door het raam naar buiten reikten. Een oud volkswagenbusje, half volgeladen.

'Hé, pak eens aan!'

Dringend gefluister van een meisjesstem klonk uit het magazijn. 'Nordin, schiet eens op, man!'

'Hou je kop,' siste een van de jongens terug.

Verbijsterd keek de man toe. Hij had hier vaak over vergaderd. Straatbendes. Jonge jochies en meiden die stijf stonden van de drank en drugs en zich aan God noch gebod hielden.

'Kijk naar de Verenigde Staten,' was hem verteld. 'Volgens de laatste cijfers zijn daar maar liefst 26.500 straatbendes actief, met gezamenlijk 785.000 leden. Het is onvermijdelijk dat dat hier navolging zal vinden. Als de honger doorzet, breekt de pleuris uit, daar kun je zeker van zijn.'

Ze hadden hem de straatrellen in Parijs in herinnering gebracht, toen daar van de ene op de andere dag de voorsteden in brand stonden. En, dichter bij huis, de avondklok die in 2007 in de Utrechtse wijk Ondiep moest worden ingesteld. De voortdurende rellen in Amsterdam-West. 'Het is niet de vraag of de vlam in de pan schiet, maar wanneer.'

En nu stond hij opeens oog in oog met zo'n groepje. Zij hadden hem inmiddels ook in de gaten.

Iedereen zweeg. Niemand wist goed wat te doen.

Thijs Timborg had de stad inmiddels al verlaten, en Arie Roozendaal, de grote baas, lag al in bed. Roozendaal had geen idee wat er op straat gebeurde. Het kon hem ook niets schelen. Hij was de man van de grote lijnen, van het grote geld. Hij dacht op wereldschaal en wenste zich zo min mogelijk te bemoeien met incidenten en details. Het zou hem snel te veel zijn, te veel namen, te veel mensen, te veel dingen die gebeuren. Alleen als iets echt belangrijk was, kwam hij in beeld. Liefst handelde hij achter de schermen, incognito, op internet.

De jongeren peilden het gevaar. Was de man een agent? Was hij gewapend, zou hij alarm slaan? Ze schatten hun kansen in en kwamen tot de conclusie dat hij er met zijn glimmend gepoetste schoenen en zijn dure pak te netjes, te goed gekleed uitzag om een serieuze bedreiging voor hen te vormen.

Met gebalde vuisten liep hij op hen toe. Hij graaide de dichtstbijzijnde jongen een doos uit handen en gooide die voor hun verbaasde blikken weer door het raam naar binnen. De jongen snapte niet goed wat er gaande was, hij stond waarschijnlijk stijf van de ecstasy.

'Niemand komt met zijn fikken aan dat eten zolang ik hier sta! Stelletje ordinaire plunderaars. Egoïsten. Terugleggen die dozen!'

De man draaide zich om naar de volgende jongen en wilde ook hem de doos uit zijn handen trekken. Maar deze was inmiddels van zijn verbazing bekomen. Hij gooide de doos naast zich neer en had als bij toverslag opeens een mes in zijn hand, dat hij als in trance voor het gezicht van de man heen en weer zwaaide. De doos was op de straat uit elkaar gespat; tientallen blikjes groenten rolden over de stoep.

'Wat zei je?'

De man was te boos om geïntimideerd te zijn. Ziedend stond hij voor hen. Alles wat hij op zijn werk had besproken, borrelde nu in hem op. Zijn collega's hadden gelijk gehad. Dit soort jongelui vormde de grootste bedreiging voor alles wat hij voorstond!

Twee van de jongens stapten langzaam achteruit en maakten zich klaar om weg te rennen. Maar de rest bleef gewoon staan.

De jongen met het mes begon aan een trage dans om het boze heerschap heen. Af en toe schoot zijn mes naar voren om hem sadistisch in zijn arm, rug of borst te prikken. In zijn opwinding had de man aanvankelijk nauwelijks door wat er gebeurde. Tot de eerste rode vlekken zich op zijn witte overhemd begonnen uit te spreiden.

Weer een prik, iets harder, iets dieper deze keer.

'Ah! Lafaard,' siste de man woedend. 'Durf je wel, met een mes.' Hij nam een soort vage bokshouding aan en haalde met zijn rechtervuist uit.

De jongen ontweek hem met gemak en legde, met een glimlach naar zijn vrienden, zijn mes naast zich op de grond. Een van zijn maten pakte een mobieltje om de vechtpartij te filmen. Kon ie later op YouTube zetten.

De man gilde het uit toen hij een keiharde trap in zijn buik kreeg. De straat tolde om hem heen, hij klapte dubbel en kreeg meteen een knietje recht in zijn gezicht.

Iemand trapte in de holte van zijn linkerknie, waardoor hij met een half draai-ende beweging op de grond viel. Pijn en angst spoelden zijn woede weg. In een reflex legde hij zijn armen beschermend om zijn hoofd.

De jongen met het mobieltje kwam op zijn hurken naast hem zitten, om het vervolg van dichtbij in beeld te krijgen.

De rest van de bende stortte zich nu ook wellustig op de kloppartij. De man incasseerde een reeks keiharde trappen in zijn nierstreek, op zijn benen en in zijn zij.

'Hou op,' smeekte hij, terwijl hij probeerde overeind te komen. Leunend op zijn ellebogen keek hij naar boven. Als hij zijn hoofd optilde, trokken de zwarte vlekken weg. In een waas van pijn en bloed kon hij vaag de jongens om hem heen zien draaien.

Weer kreeg hij een trap tegen zijn gezicht. Hij had geen schijn van kans. Van vloeken of schelden was geen sprake meer; hij kon het zelfs niet meer opbrengen om om hulp te roepen.

Vlak voor hij het bewustzijn verloor, zag hij een katachtig meisje in een donker trainingspak, dat door de raamopening naar buiten glipte en schreeuwend tus-sen hem en de jongens sprong.

'Kap ermee,' gilde de meid. 'Hij is van mij.'

2

Lara keek naar de kreunende en bloedende man aan haar voeten en hoopte dat ze zich niet vergist had. De anderen waren er met het half volgestouwde busje vandoor gegaan. Het ging nu alleen om hem en haar.

Ze boog zich voorover om zijn gezicht wat beter te kunnen bekijken. Het kon haast niet anders of dit was Peter Vink, de tweelingbroer van haar vriendin Carolien. Peter de politicus. Hij had dezelfde lichtblonde haren, dezelfde ietwat hoekige kaaklijn, met daarin – heel ontwapenend – hetzelfde gleufje in de kin. Beiden mochten ze er wezen. Een aantrekkelijke kop, al zag hij er door al dat bloed en vuil wel erg smoezelig uit.

Carolien was haar sportschoolmaatje. Ze had tijdens het spinnen vaak over haar broer verteld. Peter de praatjesmaker.

'Peet is een beetje een patsertje, met zijn Armani-pakken en Engelse schoenen. Eén brok ambitie. Altijd met zo'n smartphone in de weer, netwerken, lunchen in dure restaurants, politiek voor en politiek na. Maar stiekem is hij een heel lieve jongen, hoor.'

Met de punt van haar Nike gaf Lara hem een zetje in zijn zij, zodat hij iets meer op zijn rug kwam te liggen.

'Hoe heet je?'

De man spuugde een klodder bloed uit en keek giftig, met heldere, diepblauwe ogen naar haar op. Hij gaf geen antwoord.

'Hé, hallo... ik heb je wel een flink pak slaag bespaard, als ik dat even mag zeggen. Ben jij de broer van Carolien? Peter Vink?'

Verbaasd keek hij haar aan, iets minder vijandig nu. 'Help me even overeind.'

Ze sjorde aan zijn schouder tot hij half opgericht met zijn rug tegen de muur kon zitten. Zijn gezicht vertrok van de pijn.

'Dief,' siste hij. 'Ik zou de politie moeten bellen.'

'Ja, ja... Zeg eerst maar wie je bent. Anders zoek je het zelf maar uit.'

Hij probeerde om zich heen te kijken. De doek met scherven, naast hem op de grond. De auto's die stonden te slapen aan de straatrand. De flikkerende lantaarnpaal waar een kapotte fiets tegenaan geleund stond.

'En wie ben jij dan wel?'

'Lara.'

Ze had al spijt dat ze haar nek voor hem had uitgestoken. Een vriendendienst voor iemand die het niet verdiende. Voordat ze met hem ging sjouwen, wilde ze zeker weten dat hij het was.

'Waar woont Carolien?'

'Hier in Amsterdam-West, op een woonboot. De Da Costakade.'

'Hoeveel kinderen heeft ze?'

'Geen... één. Ze is zwanger.'

'Waar wonen haar ouders?'

'Rot op met je vragen. Help me of laat me met rust.'

'Nee, vertel!'

'Onze ouders leven niet meer, maar dat wist je ongetwijfeld al als jij Carolien zo goed kent.'

'Hoe zijn ze overleden?'

Het was een gemene vraag die hem, wist ze, waarschijnlijk veel pijn deed. Carolien had haar verteld dat hun ouders jaren geleden door het ijs waren gezakt, tijdens een alternatieve Elfstedentocht op het Kallavesimeer bij Kuopio in Finland. Een absurde, zinloze dood. In het rouwproces had haar broer, destijds net afgestudeerd in Wageningen, zich vastgebeten in werk en verantwoordelijkheid. Alles wat hij deed was doordacht. Gepland. Verstandig. Hij had er een gewoonte van gemaakt zes dagen per week keihard te werken. De enige vorm van ontspanning die hij zichzelf toestond, was het wekelijkse voetballen in zijn oude vriendenteam.

Dat moest hij natuurlijk zelf weten, had Carolien gezegd, maar het irritante was dat hij ook van zijn zus zo'n leefstijl verwachtte. Terwijl de zin van hard werken haar juist helemaal ontging. Hun vader had ook hard gewerkt. Zijn hele leven lang. Toch had hem dat niet van dat ene wak in het ijs kunnen redden dat in één klap aan alles een einde had gemaakt.

Ze had eindeloze preken van haar tweelingbroer moeten aanhoren. Omdat hij ouder was dan zij – hij was tenslotte vier minuten eerder geboren! – meende hij haar ongegeneerd op haar gedrag te kunnen aanspreken. Hij had het zelfs gewaagd Caroliens huwelijk ter discussie te stellen, omdat haar man een eenvoudige elektricien met weinig ambitie was.

'Ik vind gewoon dat jij beter verdient,' was hij koppig blijven herhalen.

Na haar trouwen had ze drie jaar lang geweigerd met hem te praten, maar de laatste tijd ging het weer wat beter. Ze hadden geleerd hun verschillen te accepteren en ingezien dat ze zonder ouders elkaars enige naaste familie waren.

Sinds kort was deze Peter Vink een nationale beroemdheid. Dat was ook de reden dat Carolien zo uitgebreid over hem verteld had aan Lara. Tijdens zijn indrukwekkend snelle carrièremars door diverse boerenorganisaties had Peter zich in de kijker gespeeld bij de strategen van de Algemene Bestuursdienst in Den Haag. Meteen bij het uitbreken van het graanvirus was hij aangesteld als kernlid en woordvoerder van het Nationaal Crisis Coördinatieteam, waarmee hij, piepjong als hij was, in één klap was gepromoveerd tot een soort ad-hocminister in oorlogstijd.

'Kom,' zei Lara, die inmiddels wel geloofde dat hij het was. Ze schoof zijn rechterarm over haar schouder en hielp hem heel voorzichtig overeind. 'We gaan een paar pleisters voor je regelen.'

Ze liepen vlak langs de PC Hooftstraat, waar de traders van Arie Roozendaal hun aandelen verhandelden, en daarna westwaarts, over de Eerste Constantijn Huygensstraat richting de Da Costakade.

Af en toe flitste er een lamp aan als ze langsliepen. De automatisch op beweging afgestelde portieklichten, vroeger zo'n bijzonder instrument van bewakingsdiensten, waren nu gemeengoed. In bijna elke straat waren er wel een paar mensen die zo'n ding boven hun voordeur hadden hangen. Er ging vannacht iets dreigends van uit.

Achter een voordeur blafte plots een hond, nog geen meter van hen af. Het dier gromde alsof het hun naar de keel wilde vliegen. Peter Vink schrok. Hij was versufd door bloedverlies en pijn en kon zich nauwelijks bewegen. De grommende hond paste in de nachtmerrie waarin hij was beland. Maar Lara keek niet op of om.

Vanuit verschillende huizen begonnen honden mee te blaffen. Een golf van agressie rolde door brievenbussen en kieren op hen af. Maar toen ze een kruising overstaken, hield het op. In de verte reed een fietser.

'Waar breng je me heen?'

'Naar je zus. Je moet verzorgd worden. Of weet je iets beters?'

'Hoe wist je wie ik ben?'

Lara had moeite hem overeind te houden. Bijna bij elke stap zakte hij wat van haar weg. Ze hield zijn arm over haar schouder geklemd en greep hem met haar andere hand onder zijn kapotgescheurde jasje bij de riem van zijn broek. Er kwam weer een fietser langs. Die keek hen over zijn schouder even na, maar stelde geen vragen. Een kroegloopster met haar dronken vriend, die kon je in Amsterdam elke nacht tegenkomen.

'Ik ken Carolien van de sportschool,' hijgde ze. 'We zagen je op televisie. Toen het virus was gevonden. Je stond me toch een partij belangrijk te doen! En je stelde iedereen gerust. Zei dat er geen enkele reden tot paniek was. Dat alles wel goed zou komen.' Ze hield stil om haar greep te verstevigen en even op adem te komen en sjokte toen door.

'Carolien dacht dat je loog. Dat kon ze zien, omdat je altijd aan je stropdas frummelt als je liegt. Zei ze.'

Ze had gelijk, besefte Peter, maar het leek hem niet nodig dit met de eerste de beste straatmeid te bespreken. Door deze gedachte besefte hij opeens hoe ongepast de hele situatie was. Hij hield stil en probeerde haar van zich af te duwen.

'Wat doe je?'

'Laat me los. Ik red mezelf wel.'

In een bijna nonchalante beweging stapte ze van hem weg, waardoor hij meteen als een slappe vaatdoek op de grond viel. 'Ook goed. Beter zo?'

Lara woonde in een oud, leegstaand schoenenfabriekje dat ze eigenhandig had gekraakt. Voor een alleenstaande, twintigjarige meid had ze haar leven tegenwoordig best op orde. Twee ochtenden in de week werk als receptioniste bij een uitzendbureau en verder vooral sport. Fitness, karate, rennen. 's Avonds was ze vooral op straat te vinden.

Lange tijd was het helemaal niet zo goed gegaan. Het had jaren geduurd voordat ze doorhad hoe ze zelfstandig besluiten moest nemen, en vooral hoe ze op haar eigen intuïtie kon vertrouwen. Nadat ze op haar zestiende van huis was weggelopen, had ze een hele reeks verkeerde keuzes gemaakt en keer op keer moest ze achteraf erkennen dat ze eigenlijk vanaf het begin al wist dat ze weer de fout in ging. Aanpappen met verkeerde mannen, bijvoorbeeld. Een eerste net iets te gluiperige glimlach, een opmerking die eigenlijk heel gemeen is of een veel te zelfvoldane grijns... na een paar woorden, een grapje of een drankje was ze die alweer vergeten, om er vele maanden later, na veel gedoe en ellende, achter te komen dat juist zo'n eerste moment doorslaggevend is.

Van de loverboys, pooiers en andere klootzakken die achter haar aan zaten had ze inmiddels geen last meer. Haar laatste vriendje, een gewelddadige dealer die niet van zijn eigen merchandise kon afblijven, was aan een overdosis overleden. Sindsdien zorgde ze voor zichzelf. Ze had karate geleerd en ontdekt dat vechten haar grote passie was. Liever een goede rel dan vies gehuichel. Zo had ze de bende van Karel, Ibrahim en Nordin leren kennen. Ze wist dat ze haar diepgewortelde wantrouwen tegen haar medemens nooit meer kwijt zou raken. En voor zo'n man als Vink, een politicus die belangrijkdoenerig het volk voorloog op tv, kon ze al helemaal niets dan minachting opbrengen. Hoewel hij er in het echt, ondanks zijn pijnlijk verkrampte gezicht en hooghartige gesnauw, eigenlijk best sympathiek uitzag.

Zo te zien zou hij het wel overleven. Ze kon niet goed beoordelen of hij onder al die scheuren en schrammen en beurse plekken ook inwendige verwondingen had. Waarschijnlijk had hij een paar ribben gebroken of, als hij geluk had, alleen gekneusd. En hij had natuurlijk een paar behoorlijk diepe snij- en steekwonden. Het bloeden zou nog wel een tijdje aanhouden. Nordin en de anderen hadden hem goed geraakt.

Lara keek om zich heen of er misschien andere mensen in de buurt waren die zich over hem konden ontfermen. Maar gewonde mensen zijn niet populair in Amsterdam. De sporadische nachtelijke wandelaars of fietsers die hen zagen, keken snel de andere kant op en gingen met een boog om hen heen.

Met een zucht liet ze zich op haar knieën zakken.

'Je bent gewond. Dus hou je gemak en werk even mee.'

Peter was doodmoe en had de grootste moeite om zich te concentreren. Hij volgde haar bewegingen met gefronste blik. Voor het eerst vroeg hij zich af wie ze eigenlijk was. Iemand van de straat. Een bendelid. Als hij haar onder normale omstandigheden was tegengekomen, zou hij straal langs haar heen zijn gelopen. Hooguit één vluchtige, goedkeurende blik, omdat ze er met haar slanke lichaam en haar lange zwarte haren wel lekker uitzag.

'Ik wilde je naar je zus brengen,' verzuchtte Lara. 'Maar als je te veel pijn hebt of gewoon de puf niet hebt, kunnen we ook naar mijn huis. Daar aan het eind van die straat, daar woon ik. In het oude schoenenfabriekje op de hoek. Het is niet ver meer.'

Hij liet zich traag overeind helpen, maar duwde haar van zich af zo gauw hij stond. 'Ik heb je nooit om hulp gevraagd!' Wankelend, steun zoekend bij een lantaarnpaal, keerde hij zich van haar af. Toen hij een paar meter van haar af was, besefte hij dat het wel erg onbeschoft was om haar zo de rug toe te keren. Duizelig keerde hij zich weer om. 'Ik kan je wat geld geven. Omdat je me geholpen hebt.'

'O ja, doe dat maar,' snauwde ze. Met haar handen in haar zij keek ze hem aan. Haar ogen waren donker van woede. 'Ga maar snel, geef het vrouwtje van de straat gewoon wat geld en dan is alles weer oké, dan is er niets gebeurd waar ze jou later op kunnen pakken! Dat is hoe jouw soort het altijd doet, toch?'

'Ik ben tenminste geen dief.'

'Natúúrlijk niet! Altijd jezelf indekken! Jij en die hele klotekliek in Den Haag, jullie zijn net zo corrupt en hebberig als ieder ander.' Lara kreeg een sluwe, treiterige blik in haar ogen terwijl ze vlak voor hem ging staan.

'Waarom denk je dat we vannacht op pad gingen? Omdat alle voedselmagazijnen vanaf morgenmiddag twaalf uur continu door militairen zullen worden bewaakt! Het was onze laatste kans om tijdens één kraak zoveel tegelijk binnen te halen. En hoe denk je dat we dat wisten? Zou het héél misschien kunnen dat er iemand van jouw soort, iemand die van belangrijke dingen op de hoogte is, zijn mondje voorbij heeft gepraat? Iemand van jouw kliekje, Peter, die buiten de pot heeft gepiest? Die stiekem een zakcentje wil bijverdienen? Iemand met een stropdas en een maatpak, net als jij?'

Haar woorden kwamen aan alsof ze hem een stomp in zijn maag gaf.

'Ga maar snel terug naar je belangrijke vrienden in Den Haag, meneer de politicus. Jij hebt mij niet nodig, je kent me niet en je hebt me nooit gezien. Vertel iedereen op televisie maar hoe het moet. Maar onthou één ding: als puntje bij paaltje komt, als het echt moeilijk wordt, sta jij met hangende pootjes weer bij mensen zoals ik. Omdat je onze hulp nodig hebt!'

Dat waren profetische woorden, al konden ze dat natuurlijk geen van tweeën weten.

Honderd meter verderop stopte een taxi. De bestuurder draaide het raampje open en keek hun kant op. Impulsief floot Lara op haar vingers en wenkte hem. Terwijl Peter zich moeizaam in de Mercedes wurmde, veegde ze haar bebloede handen aan haar broek af en liep zonder om te kijken de straat uit.

3

Peter Vink werd stipt om negen uur op de Bezuidenhoutseweg in Den Haag verwacht, waar het crisisteam bijna dagelijks bijeenkwam op de bovenste verdieping van het ministerie van Landbouw, Natuur en Voedselkwaliteit. De vergadering van deze ochtend stond in het teken van een oude wet die een van Peters medewerkers uit het archief had opgedoken: de Hamsterwet van 29 november 1962. Daarmee kon de regering mensen verbieden grote voorraden eten op te slaan, waardoor het voedsel eerlijker verdeeld kon worden.

Peter had gedoucht, zo goed en zo kwaad mogelijk zijn wonden verbonden en een handvol pijnstillers geslikt. Hij was er niet de persoon naar om zich ziek te melden. Zeker niet nu, in crisistijd.

Hij trok een stel schone kleren aan en bekeek zichzelf in de spiegel. Door alle pleisters en de blauw-paarse vlekken op zijn door pijn en vermoeidheid uitgemergelde gezicht zag hij er niet uit. Maar hij kon bewegen, praten en denken. Hij dwong zichzelf de afgelopen nacht van zich af te zetten en zich te concentreren op de dag die voor hem lag.

Die Hamsterwet, bedacht hij, dat was niets. Het was in theorie een bruikbaar instrument, maar het was duidelijk dat ze er in de praktijk niets mee konden. Want ze konden nog zoveel regels opstellen als ze wilden, als niemand wist hoe die regels gehandhaafd moesten worden, stelde het geen ene moer voor. Een papieren wet.

Als lid van het Nationaal Crisis Coördinatieteam, het zenuwcentrum vanwaar men de opkomende hongersnood het hoofd probeerde te bieden, was hij in feite direct verantwoordelijk voor wat er gebeurde. Vink en zijn collega's zouden eigenlijk alles onder controle moeten hebben. Maar in zijn nieuwe rol van hoogwaardigheidsbekleder had hij de afgelopen weken weinig anders kunnen doen dan de boel zo goed mogelijk sussen. Pappen en nathouden was het devies; elke dag dat paniek kon worden voorkomen, was een goede dag.

Hij herinnerde zich het televisie-interview waar dat meisje van vannacht, die vriendin van Carolien, het over had gehad. Het was de eerste keer geweest dat hij, geschminkt en al, in de Haagse Nieuwspoort voor draaiende camera's vragen van journalisten had beantwoord.

'In Canada en Amerika is de situatie toch heel anders,' had hij soepeltjes beweerd, hoewel het crisisteam daarover op dat moment nog volledig in het duister tastte. 'We hebben geen enkele indicatie dat de problemen hier in Nederland net zo erg zullen worden.' Pappen en nathouden, Vink.

Deskundige stond er in strakke letters onder in beeld. Vrienden zeiden dat hij het er goed van af had gebracht. 'Gezaghebbend en energiek,' had Angela, zijn secretaresse, gezegd. 'Je had precies de goede kleren aan en doordat je ogen mooi blauw oplichtten in het licht van de camera's had je sowieso alle vrouwen al aan je kant.'

Met name de parlementair verslaggever van de publieke omroep had het hem niet makkelijk gemaakt. 'Weken hebben we gehoopt dat het virus de oceaan niet zou kunnen oversteken en Nederland niet zou bereiken. Maar dat is nu toch gebeurd. We hebben allemaal de beelden gezien. Heel macaber. De akkers in de polder liggen er doods bij, het graan is giftig-paars gekleurd. Dan is de kans toch groot dat het virus zich ook hier uitspreidt, dat ook hier álle graanproducten worden aangetast?'

'Dat is absoluut niet zeker,' had hij als een volleerd politicus gepareerd. 'We zullen het virus dat nu in Lelystad is aangetroffen eerst grondig moeten laten onderzoeken voordat we daar verdere uitspraken over kunnen doen.'

Maar de vragen bleven komen. 'We hebben in Canada en in de Verenigde Staten gezien hoe snel het kan gaan met zo'n virus. Is er iets wat wij, als gewone burgers, kunnen doen om ons op eventuele problemen voor te bereiden?'

'Het is raadzaam om de berichtgeving de komende dagen af te wachten. Dat is voorlopig genoeg.'

'Dus, geen zorgen?'

'In armere landen, zoals de landen rond de Sahara, zal het moeilijk worden, maar Nederland heeft zijn zaken goed op orde. Wij produceren zelfs meer voedsel dan we zelf nodig hebben, dus er is echt geen enkele reden tot paniek.'

Het verwijt van die stomme straatmeid dat hij toen had gelogen, irriteerde hem. Natuurlijk had hij gelogen! Maar wel in het belang van het hele land.

En het had gewerkt. Paniek was uitgebleven en nationale stakingen waren voorkomen. Er kwamen weliswaar geregeld berichten binnen over straatrellen en plunderingen, maar vooralsnog bleven deze rellen beperkt tot relatief kleine strubbelingen in de marge, meestal met opstandige hangjongeren, zoals dat tuig van vannacht.

Maar ook daarmee zou spoedig korte metten worden gemaakt, dacht Peter grimmig.

Gas geven en remmen ging nog wel, maar sturen en vooral schakelen deed onnoemelijk veel pijn. Peter miste een afslag en liep prompt vast in de ochtendspits, waardoor de bijeenkomst van het Nationaal Crisis Coördinatieteam al een halfuur bezig was toen hij eindelijk naar binnen hinkte.

Voorzitter Klaas Bol keek verstoord op. Bol was de onbetwiste leider van het team. Hij was een in keurig driedelig grijs gestoken vijftiger met een lang kruideniersgezicht en een ouderwets brilmontuur. Van huis uit was hij hoogleraar internationaal recht en wetgevingsvraagstukken, maar hij had landelijke bekendheid gekregen door de reeks van uiteenlopende publieke functies die hij daarna had bekleed: eerst directeur-generaal voor Openbare Orde en Veiligheid, daarna procureur-generaal bij het gerechtshof in Den Haag en – gedurende een korte interim-periode – minister van Justitie in het laatste kabinet. Tegenwoordig vervulde hij enkele adviseursfuncties in universiteitenraden en was hij bestuursvoorzitter van de Voedsel en Waren Autoriteit, maar ingewijden wisten dat hij nog steeds aasde op terugkeer in de politieke arena, liefst weer als minister. In de wandelgangen werd hij beschouwd als een gevaarlijke, kille machiavellist die zijn medewerkers behandelde als schaakstukken die hij naar believen heen en weer kon schuiven, en iedereen die daar moeite mee had en ertegen in opstand kwam, moest ervaren dat hij inderdaad de macht had dat te doen. Volgens velen was hij bij het Nationaal Crisis Coördinatieteam precies de goede man op de juiste plaats. Hij was een van de sluwste en intelligentste mensen van het land.

'Wat is er met jou gebeurd? Je ziet eruit alsof je door een kudde op hol geslagen buffels overlopen bent!'

Ook alle andere collega's staarden Peter verbijsterd aan.

Peter negeerde iedereen, ging aan tafel zitten en pakte de vergaderstukken en zijn pen uit zijn tas.

'Excuses dat ik te laat ben,' zei hij op zakelijke toon tegen Bol. 'Ik heb vannacht in Amsterdam wat problemen met een groep hangjongeren gehad, tuig dat ik toevallig tegen het lijf liep en dat bezig was een supermarktmagazijn te plunderen. Op het punt van bewaking van voedselopslagplaatsen kom ik straks in de rondvraag graag terug.'

Klaas Bol keek hem een moment onderzoekend aan.

'Zorg dat je in het vervolg weer op tijd bent.'

Peter knikte en keek, de pijn verbijtend, zo neutraal mogelijk voor zich uit. Vanaf de andere kant van de tafel probeerde Johan zijn aandacht te trekken. Met vragende blikken en schrijvende gebaren probeerde hij Peter ertoe te zetten op een briefje te schrijven wat er gebeurd was. Johan Vermeulen was ruim twee meter lang, een sympathieke slungel die zich nooit ongezien of zonder op te vallen in gezelschap kon bewegen. Peter Vink en hij waren de enige twee vertegenwoordigers van de boerengemeenschap in het rampenteam. Vink was deskundige op het gebied van landbouwziekten en Vermeulen op het gebied van internationale handel. Daarnaast waren ze goede vrienden; ze speelden al jaren samen in hetzelfde voetbalteam.

'Vermeulen, kunnen we wat jou betreft ook weer verdergaan?' Het laatste nieuws over de verspreiding van het virus werd doorgenomen. En vervolgens het laatste overzicht van de voedselvoorraad in Europa.

'Suikerbieten,' zei iemand. 'Daarmee komen we de winter wel door.'

Maar de zomer was te nat geweest en de bietenoogst was karig.

Voordat de discussie hierover goed op gang kwam, werd de vergadering opnieuw verstoord.

Geert Wennemars, het hoofd van de Algemene Inlichtingen- en Veiligheidsdienst, kwam binnen. Als hij zich er al bewust van was dat ook hij te laat was, dan liet hij dat in elk geval niet merken. Hij had een pak papier onder zijn arm en keek alsof hij problemen zag die niemand anders nog kon zien.

'Alleen het kernteam, graag,' beval hij nog voor hij goed en wel was gaan zitten. 'Nu meteen.'

Na een moment van verbaasde verwarring onder de aanwezigen stuurde Bol een handvol mensen de vergaderkamer uit. In totaal bleven er zeven over.

Wennemars deelde al pratend een aantal kopietjes uit. Dikke stempels en onbegrijpelijke codes gaven aan dat het om een intern stuk van de veiligheidsdienst ging.

'Het gaat snel nu,' zei hij. 'Wereldwijd. Het wordt ieder voor zich en we moeten op de kortst mogelijke termijn maatregelen nemen. Ik stel voor dat iedereen even de tijd neemt om deze notitie te lezen. Het is vertrouwelijk. Ik wil de kopietjes straks allemaal weer terug.' Hij ging zitten in de lege stoel naast Peter.

'Van wie is deze tekst?' vroeg Bol, die meteen zag dat er geen afzender op stond.

'Onze man in Buenos Aires. Vanochtend vroeg meldde hij dat de Chinese onderminister van Handel, Huan Li, in Buenos Aires is gesignaleerd. Zijn komst was niet aangekondigd en zowel de Argentijnse als de Chinese overheid weigerde elk commentaar. Onbevestigde berichten meldden dat Huan geprobeerd heeft in één klap de hele Argentijnse én Braziliaanse sojavoorraad over te nemen. Geld leek geen probleem en waar dat niet voldoende was, strooide Huan ongegeneerd met diplomatieke toezeggingen die hun weerga niet kenden. Dat heeft, zacht uitgedrukt, nogal wat consequenties voor ons land.'

Bol aarzelde of hij hierop door moest vragen, maar besloot dat niet te doen. 'Goed, twee minuten leespauze.'

Met knallende koppijn las Peter het rapport.

Hoogste prioriteit

Het graanvirus

Het graanvirus is nog niet in China gesignaleerd, maar deskundigen melden dat het slechts een kwestie van tijd is voordat ook het Chinese graan zal worden aangetast. Het virus, dat in enkele weken tijd grote delen van Noord- en Zuid-Amerika, Europa en Afrika besmet heeft – en daartoe dus grote afstanden heeft moeten overbruggen en zelfs de Atlantische Oceaan is overgestoken – zal zich waarschijnlijk slechts een korte periode door de smalle zeestrook laten stoppen die China van Canada en Alaska scheidt.

Het is dus niet verwonderlijk dat de Chinese autoriteiten het virus nauwlettend in het oog houden en nu reeds hun maatregelen nemen.

Achtergrond

Reeds aan het eind van de vorige eeuw voorspelde het Amerikaanse Worldwatch Institute dat de bevolkingsgroei en de welvaartsgroei in China tot wereldwijde voedselproblemen zouden leiden. China moet een vijfde van de wereldbevolking voeden met minder dan een zevende van 's werelds landbouwoppervlakte en moet dus veel voedsel uit het buitenland inkopen, zeker nu de Chinezen steeds rijker worden en meer vlees gaan eten.

Voedsel en politiek zijn in China altijd nauw met elkaar verbonden geweest. De politieke onrust die in 1989 eindigde met de bloedige demonstraties op het Tiananmenplein, was aangewakkerd door de hoge voedselprijzen in die tijd. Na het neerslaan van de studentendemonstratie stelde de regering meteen voor grootschalige, intensieve varkenshouderijen belastingvoordelen in. Inmiddels 'produceert' China bijna de helft van alle varkens in de wereld.

Als gevolg daarvan moesten de Chinezen alleen al in 2007 meer dan dertig miljoen ton aan soja importeren, voornamelijk als veevoer. Nu het ernaar uitziet dat wereldwijd alle graanproducten voor onbepaalde tijd zullen wegvallen, zal de vraag naar alternatieve voeding als soja explosief stijgen. De Chinezen beseffen hoe kwetsbaar hun voedselvoorziening hierdoor is en stropen nu de markt af.

Relevantie

Nederland en China zijn al jarenlang 's werelds grootste importeurs van soja uit Brazilië en Argentinië. We hebben in Nederland ongeveer dertien miljoen varkens, vier miljoen runderen en maar liefst honderd miljoen kippen. Daardoor produceren wij veel meer voedsel dan we zelf nodig hebben, vooral vlees en melkproducten. Maar om dat te kunnen blijven doen zijn we helemaal afhankelijk van de import van veevoer uit andere landen. Naast graan gaat het daarbij vooral om soja uit landen als Argentinië en Brazilië. Nederland verbruikt per jaar vier miljoen ton soja, waarvoor meer dan tienduizend vierkante kilometer buitenlandse (vooral Braziliaanse) landbouwgrond gebruikt wordt.

Wat gebeurt er als de aanvoer van soja stokt en we onze miljoenen varkens, mestkalveren en kippen van de ene dag op de andere geen eten meer kunnen geven?

Internationale solidariteit

Veel hulp van andere landen hoeven we niet te verwachten. Nu het erop aan-komt, is het ieder voor zich. Veel ontwikkelingslanden voelen zich sinds jaar en dag in de steek gelaten. En met recht: al decennialang sterven er wereldwijd jaar-lijks zo'n vijftien miljoen kinderen door honger of door ziekten die door honger veroorzaakt worden. De Voedsel- en Landbouworganisatie van de Verenigde Na-ties (FAO) heeft berekend dat deze ergste honger te verhelpen zou zijn geweest met jaarlijks 3,6 miljoen ton graan. Dat is nog geen half procent van de jaarlijkse graanoogst. En toch werd de honger niet verholpen – terwijl in Europa de afgelo-pen jaren voor eigen gebruik gemiddeld maar liefst zeventien miljoen ton graan in pakhuizen lag opgeslagen. In plaats van de hongerende bevolking in armere landen te helpen schermt Europa zijn eigen voedselmarkt juist zo veel mogelijk af. Een voorbeeld daarvan vormt Mars, de bekende fabrikant van chocoladere-pen uit het Nederlandse Veghel, die alleen in het jaar 2008 al ruim 5,7 miljoen euro aan landbouwsubsidie ontving om in zijn repen alleen maar Europese sui-kers, eiwitten en melkproducten te gebruiken. In een wereld waar miljarden mensen van minder dan een euro per dag moeten rondkomen, is dat moeilijk uit te leggen.

Dankzij internet en scholing zijn steeds meer mensen in armere landen van dit soort feiten op de hoogte. Het rijke Westen zal daarom eerder leedvermaak dan hulp oogsten.

Prioriteit

Ondanks dat wij nog geen bevestigde berichten over de handelsmissie van Huan Li hebben, lijkt snel handelen noodzakelijk. Als de import van soja naar Neder-land stokt, ontstaat een voor Nederland ongekend problematische situatie. Van-daar: hoogste prioriteit.

Gezien de gevoeligheid van deze materie verzoek ik om nadere instructies.

'En nu?' vroeg Bol, aan niemand in het bijzonder.

'We moeten dit vooral niet onderschatten,' vond Peter. Door zijn gebarsten lippen had hij moeite met praten, maar dat weerhield hem er niet van te reageren. China had immers al jaren de grootste moeite om zijn bevolking te voeden. Als gevolg van klimaatverandering en gebrekkige irrigatiemethoden ging regelmatig een groot deel van de graanoogst verloren. In het voorjaar van 2009 was een groot deel van de wintergraanoogst verloren gegaan doordat het een aantal maanden nauwelijks geregend had en er in grote delen van Noord-China steeds meer rivierbeddingen droogvielen. Het grondwater zat op een gegeven moment maar liefst twintig meter onder de grond. In een wanhopige poging de droogte te bestrijden had de Chinese overheid meer dan tweeduizend raketten en vierhonderd granaten de atmosfeer in geschoten. Daarin zaten chemicaliën die, in theorie, wolken konden opwekken, maar in de praktijk had het nauwelijks geholpen. Vervolgens moest de regering vijf miljard kubieke meter water omleiden, uit onder andere de Gele Rivier.

Voor westerse begrippen waren dat onvoorstelbare maatregelen, maar Peter wist dat de Nederlandse situatie in een aantal opzichten minstens even kwetsbaar was als de Chinese.

'Ik wil wijzen op de enorme rol die de bio-industrie in onze voedselketen heeft gekregen,' zei hij. 'Als er hier iets fout gaat, gaat het meteen ook goed fout.'

Hij schetste een aangrijpend beeld van overvolle varkensstallen, waar de dieren bij gebrek aan veevoer elkaar levend zouden gaan verscheuren; van slachthuizen die de capaciteit bij lange na niet aankonden; van rottende kadavers langs de straten.

'Dat is het probleem met onze voedselvoorziening. De voedselketen is – zoals elke keten – zo sterk als zijn zwakste schakel. We hebben natuurlijk vrij veel vlees in voorraad, maar die voorraden zijn binnen enkele maanden op als er dag in dag uit zeventien miljoen mensen mee gevoed moeten worden. Dan hebben we niet alleen geen graanproducten meer, maar ook geen eieren, geen melk, geen vlees... En dat terwijl het winter wordt. Je moet er niet aan denken. Ik geloof dat deze man in Buenos Aires gelijk heeft dat hier met de hoogste prioriteit actie op moet worden ondernomen.'

'Ervan uitgaande dat het waar is, wat hier over meneer Huan Li wordt gesuggereerd,' merkte Klaas Bol koeltjes op.

'Daar ziet het wel naar uit,' zei Wennemars. 'Maar je hebt gelijk, Klaas: zoals al in de notitie wordt gezegd, de formele bevestiging hebben we nog niet binnen. Tot die tijd zou ik zeggen dat we niet veel meer kunnen doen dan alert blijven. Vooral geen overhaaste beslissingen. Maar het is wel zaak om alvast na te denken over wat de volgende stappen zouden kunnen zijn.'

Hij rommelde wat in zijn papieren, aarzelend, alsof hij niet goed wist hoe hij verder moest gaan. Ten slotte schoof hij alles maar van zich af, legde zijn handen voor zich op tafel en keek, zonder enige verdere toelichting, zwijgend voor zich uit.

De stilte aan de vergadertafel bood Peter ruimte om te zeggen wat hem dwarszat. 'Misschien kan ik even iets heel anders zeggen, nu de inlichtingendienst bij ons aan tafel zit.' Hij had dit niet voorbereid en hij was moe en geïrriteerd, misschien als reactie op het oneerlijke gevecht waar hij enkele uren geleden nog in verwikkeld was geweest.

'Ik wil een opmerking maken over de manier waarop het Nationaal Crisis Coordinatieteam met vertrouwelijke informatie omgaat. Ikzelf richt me vooral op het voedsel en het virus, dat is naast mijn woordvoerderschap nu eenmaal mijn directe taak. Deze opmerking betreft dus niet iets waar ik direct zelf verantwoordelijk voor ben, maar ik vind het toch belangrijk er aandacht voor te vragen. De laatste tijd heb ik een paar keer gemerkt dat wanneer we hier binnen de kerngroep iets besluiten wat vertrouwelijk of geheim is, er toch anderen lijken te zijn, van buiten de groep, bedoel ik, die kennel... Shit... Au!'

Hij sprong op toen een volle kop thee over hem heen viel. Het hete vocht doordrenkte zijn overhemd en broek en brandde in zijn wonden.

Geert Wennemars was ook opgestaan. Hij boog zich verontschuldigend over hem heen en probeerde in onhandige bewegingen het natte overhemd van zijn huid los te trekken.

'Sorry, Peter, duizendmaal sorry, ik stootte per ongeluk mijn thee omver... Je moet er koud water op doen. Ach, je hebt allemaal verband en pleisters! Wacht, ik loop wel even mee naar het toilet.'

4

Wennemars had Peter stevig bij de schouder genomen en loodste hem de gang door.

'We gaan naar buiten. We moeten praten.'

Vlak voor de toiletten – die het AIVD-hoofd straal negeerde – sloegen ze links af en namen ze de trap naar beneden.

'Maar... de thee...'

'Geloof me, wat ik je wil vertellen is veel belangrijker dan die kop thee.'

In looppas snelden ze naar de uitgang, terwijl Peter binnensmonds zijn verwondingen en de kletsnatte plekken op zijn overhemd en broek vervloekte.

Vlak voor de draaideuren vertraagde Wennemars abrupt hun snelheid. In wandeltempo liepen ze het laatste stuk de gang door.

De twee bewakers in de portiersloge sprongen bijna in de houding toen ze Geert Wennemars langs zagen komen.

'Kalm maar, jongens. Het is gewoon tijd voor een sigaretje,' grijnsde Geert amicaal hun kant op. 'We zijn zo terug.'

Buiten ging Geert schijnbaar ontspannen tien meter van de ingang met zijn rug tegen een muur staan. Van daaruit kon hij alles overzien. Hij stak opzichtig een sigaret op en begon, zonder Peter aan te kijken, op gedempte toon te praten.

'Hoor eens, Peter. Ik weet wat jij boven wilde gaan zeggen. Je hebt het vermoeden dat de besluiten van de groep ál te snel naar buiten komen, nietwaar? Dat een van ons wellicht geheime informatie aan derden doorspeelt. Dubbele belangen, loslippigheid.'

'Ja, dat klopt,' erkende Peter verbaasd. 'Maar waarom die thee, waarom dit... hier?'

'Vertel me eerst wat jouw indrukken zijn.'

Wennemars was duidelijk gewend bevelen te geven. Hij legde zoveel gezag in zijn stem dat Peter Vink automatisch deed wat hem gevraagd werd.

'Nadat we tijdens de vorige vergadering besloten om pakhuizen met voedselvoorraden continu te gaan bewaken en beveiligen, was dat dezelfde dag nog bekend bij plunderaars op straat. En ik hoorde van Johan Vermeulen dat vorige week, in de nacht voordat het exportverbod op aardappelen en suikerbieten van kracht ging, er nog tientallen volgeladen vrachtwagens de grens over zijn gereden. Terwijl dat officieel nog niet bekend was gemaakt. Zo zijn we heel veel voedsel kwijtgeraakt. Er gaat ergens dus iets fout. Misschien uit slordigheid, misschien omdat er een lek zit. Waarom kan ik het daar in de vergadering niet over hebben?'

Geert Wennemars antwoordde niet meteen. Hij kende Peter Vink niet goed. Hoeveel kon hij hem vertellen?

'Laten we er even, bij wijze van gedachte-experiment, van uitgaan dat er echt een lek in het kernteam zit; dat iemand, om wat voor reden dan ook, geheime informatie naar derden doorspeelt. Als dat zo is, Peter, en ik zeg nadrukkelijk áls... zou je dan willen dat die persoon weet dat we het doorhebben?'

Wennemars benadrukte hoe belangrijk het was dat Peter zijn mond hield. Niet in de laatste plaats voor Peters eigen veiligheid. Onderwijl hield hij de ingang van het ministerie goed in de gaten.

'Dus jij hebt ook de indruk dat er iets niet klopt?' begreep Peter.

Hij wilde vertellen over de nachtelijke vechtpartij en de georganiseerde plunderingen door Lara en haar vriendjes, maar Wennemars was hem weer een stapje voor.

'Er zijn rond dit virus meer dingen aan de hand die niet kloppen, Peter. Niet alleen in Nederland. Van een aantal zaken was ik al langer op de hoogte, maar nu begin ik het grotere, internationale plaatje pas te zien. Het doorspelen van informatie over de beveiliging van onze voedseldepots is, hoe ernstig ook, op dit moment een van onze minste zorgen. Vergeet het virus zelf niet. Daar is het tenslotte allemaal mee begonnen. Jij hebt verstand van virussen, dus het is je vast al opgevallen dat dit virus zich atypisch gedraagt. Het lijkt niet van deze tijd te zijn, soms lijkt het bijna alsof iemand het kunstmatig in elkaar geknutseld heeft.'

Hij sprak in vage termen, maar zijn waarschuwing was zo duidelijk als wat.

'Het is een wespennest, Peter, wereldwijd en griezelig effectief. Geloof me, ik kan en wil je er niet te diep in betrekken. Maar ik wil je wel waarschuwen. Vertrouw niemand. Echt niemand!'

Hij gaf Peter opdracht om tijdens vergaderingen en in pauzes zo min mogelijk met hem te praten, alsof dit gesprek nooit had plaatsgevonden en ze, afgezien van hun afzonderlijke bijdragen aan het Nationaal Crisis Coördinatieteam, ook niet in elkaar geïnteresseerd waren. Maar als Peter op meer informatie zou stuiten waaruit bleek dat er iets niet klopte, kon hij dat altijd aan Wennemars laten weten. Achter de schermen. In alle stilte.

Peter vond de ernst en verbetenheid waarmee Wennemars sprak, nogal overdreven.

'Het spijt me, Geert, maar hier kan ik niets mee. Ik heb geen zin om mijn tijd te verdoen aan AIVD-praat over mysterieuze complotten. Als er binnen ons team een lek is, moeten we dat zien te vinden, lijkt me. Heel simpel. Ons normale werk is al ingewikkeld genoeg.'

Grote woorden, wist hij inmiddels uit ervaring, zijn vaak niet meer dan een poging om belangrijk te doen. Hij zag het dagelijks om zich heen. Een virusdeskundige die waarschuwt voor een levensgevaarlijke pandemie als iedereen niet precies de juiste voorzorgsmaatregelen in acht neemt... Een politicus die dreigt met een internationale crisis... Vage suggesties waren aan hem niet besteed en de stap van een klein lek binnen het kernteam, van iemand die misschien net iets te loslippig is geweest of in de kroeg zijn mond voorbijgepraat heeft, naar 'een wereldwijd wespennest' was hem toch echt te groot. Het verbaasde hem dat een man als Wennemars zich daartoe liet verleiden.

Geert Wennemars leek deze reactie vreemd genoeg wel te waarderen. 'Jij laat je het hoofd niet meteen op hol brengen, en dat is heel goed. Ik vraag je alleen je ogen en oren open te houden. Meer niet.'

Omdat er net een groepje ambtenaren langs liep, bleven ze alle twee een moment stil. Wennemars speelde wat met zijn sigaret en Peter Vink plukte rillend aan zijn natte kleren. De plekken waar hij zich aan de thee gebrand had, waren inmiddels ijskoud. Hij moest zich bedwingen om niet linea recta naar huis te gaan en met een nieuwe dosis pijnstillers in bed te gaan liggen.

'Waarom geef je me geen feiten, Geert? Waarom vertel je niet gewoon wat er precies aan de hand is?'

Maar op dat moment werd hun gesprek onderbroken door Johan, die door de glazen draaideur naar buiten kwam. 'Hé, mannen! Waar blijven jullie? Bol wil weer aan de slag!'

Wennemars stak demonstratief zijn peukje omhoog en riep dat ze eraan kwamen.

Hij trapte de sigaret uit en legde collegiaal een hand op Peters schouder.

Klaas Bol had meteen op het moment dat de twee richting de toiletten liepen een korte pauze ingelast. De meeste kernteamleden waren toen opgestaan om hun benen te strekken. Een enkeling slenterde wat door de gang.

Achteraf zou men vergeefs proberen te achterhalen wie de kamer wel verlaten had en wie niet. Er waren een aantal sms'jes en e-mails verstuurd. Een enkeling had aantoonbaar naar huis gebeld, maar van de meeste gesprekken was de inhoud niet meer vast te stellen. De Nederlanders hadden het in hun naïviteit niet nodig gevonden om het mobiele telefoonverkeer van en naar het zenuwcentrum van de crisisbestrijding te reguleren. Getuigenverklaringen zouden niets opleveren. En dode getuigen spreken niet.

5

Het echtpaar zag er veelbelovend uit. De man handelde in vastgoed. Hij was eigenaar van diverse bv's, waarvan hij er met grote regelmaat enkele failliet liet gaan. De man vertelde dat hij een vette kluis in zijn woning had staan, 'maar nu is toch de tijd gekomen dat ik wat geld weg moet zetten'. Arie Roozendaal, tegelijkertijd zelfverzekerd en joviaal, zei dat meneer en mevrouw aan het juiste adres waren. Hij liet een snelle blik over 's mans veel jongere vrouw gaan en gaf haar een knipoog.

Hij ontving hen in de luxe van zijn werkkamer, waar één muur was gereserveerd voor een serie zorgvuldig ingelijste foto's waarop Roozendaal met allerlei beroemdheden stond te keuvelen. Tot zijn tevredenheid zag hij dat de glamoureuze plaatjes ook vandaag hun uitwerking niet misten. De blikken van het echtpaar gleden er telkens weer heen. Was dat echt Donald Trump, daar rechts?

Nadat hij cappuccino en water had laten brengen, legde Roozendaal hun zijn werkwijze voor. Hoge inzet en geen enkele zeggenschap, daar kwam het op neer. En, dat hoefde geen betoog, natuurlijk hoge winsten. Geen hedgefonds was zo succesvol als Roozendaal & Partners. Iedereen die geld overhad, kon in dat succes delen, al lag de lat vanwege de exclusiviteit wel wat hoger dan bij andere fondsen.

'Voor individuele beleggers ligt de basisinleg op twee, drie miljoen,' benadrukte hij, 'anders zijn we niet geïnteresseerd.'

De vastgoedhandelaar, die had gedacht enkele tonnen te zullen investeren, verslikte zich en vroeg of daar nog over te praten viel. Roozendaal toonde zich begripvol en zei dat in een enkel voorkomend geval een minimuminleg van een miljoen werd geaccepteerd.

Met een geforceerde glimlach zei de man dat hijzelf ook in die richting had zitten denken, een mooi rond bedragje om mee te beginnen, niet te groot; het moest tenslotte een aardigheidje blijven.

'Uitstekend! Laten we het glas heffen op onze samenwerking. Mijn medewerkers nemen de details later met u door.'

Het hoorde allemaal bij het spel, bij de façade die hij in de loop der jaren had opgebouwd. Met huiselijk gemak liep hij naar het drankenkabinet om hun eigenhandig in te schenken.

Voor haar koos hij ongevraagd een glas port. De man kreeg een goedgevulde tumbler met whisky. 'Cheers. Zolang het graanvirus dit goudgele spulletje ongemoeid laat, en er voor hardwerkende mensen zoals u en ik af en toe een zakcentje overschiet om te investeren in een paar aandelen, valt het allemaal wel mee, nietwaar?'

'Ik heb voor mezelf niet te klagen. En ik moet zeggen: ik weet niet wat uw geheim is, maar u hebt toch ook een verdomd succesvolle toko, Roozendaal,' zei de man bewonderend.

'Hebt u echt een geheim, meneer Roozendaal?' vroeg de vrouw, terwijl ze hem betekenisvol aankeek. Ze voelde zich kennelijk in het geheel niet geremd door de aanwezigheid van haar eigen man.

Roozendaal trok geamuseerd een wenkbrauw op en dronk zijn glas whisky in één teug leeg. De man, die vond dat hij niet achter kon blijven, deed hetzelfde, zodat er meteen kon worden bijgeschonken.

De glazen waren juist voor de tweede keer gevuld toen de Blackberry-telefoon die op tafel lag begon te trillen. Weinig mensen hadden het nummer van dit toestel, en geen van hen zou het gebruiken als het niet echt nodig was.

'Het geheim van aandelen,' verzuchtte Roozendaal met een warme glimlach naar de vrouw, 'is dat je elk uur van de dag alert moet zijn. Eén moment alstublieft.'

Hij pakte het toestel en las het tekstbericht. Zijn informant meldde dat Geert Wennemars, het hoofd van de Nederlandse Algemene Inlichtingen- en Veiligheidsdienst, zich 'raar' zou hebben gedragen op een bijeenkomst van het Nationaal Crisis Coördinatieteam. De informant sloot niet uit dat Wennemars iets op het spoor was.

Is wantrouwig & snoert anderen de mond. Weet meer dan hij zegt. Actie?

Hij wiste het bericht en drukte fronsend op het knopje van de intercom op zijn bureau, waarop zijn assistente de kamer binnen kwam.

'De spamfilter van dit ding werkt niet meer. Wees een lieverd en breng hem even naar de technische dienst, wil je?'

Ze pakte de Blackberry van hem aan en trok zich met een beleefd knikje meteen weer terug. Het toestel zou onmiddellijk worden gedemonteerd en in een bad met zoutzuur worden vernietigd. Iedereen in het gebouw wist hoe beducht de baas was voor informatielekken en bedrijfsspionage.

'Goed... *back to business*. Ik denk dat u zich goed bij ons fonds thuis zult voelen,' toostte Roozendaal. 'Mensen met stijl zijn bij ons altijd welkom.'

Voordat hij zich op zijn geheime zolderkamer terugtrok om maatregelen te nemen, schonk hij hun minutenlang zijn onverdeelde aandacht.

Ook Lara was aan het werk.

Ze zat achter het stuur van het busje en keek naar alle mensen die als makke schapen de supermarkt in en uit liepen. 'Ze snappen het niet,' zei ze tegen Ibrahim, die naast haar zat. 'Er is met de dag minder eten en toch lopen ze hier rond alsof er niets aan de hand is. Hoe dom kun je zijn? Niemand kijkt verder dan zijn neus lang is.'

Ibrahim bromde wat en liet zijn waakzaamheid niet verslappen. Ze hadden de wagen zo geparkeerd dat deze precies met het achterportier voor de ingang van het magazijn stond. De anderen lieten zich niet zien, maar Lara wist dat ze in de buurt moesten zijn.

Eindelijk hoorde ze het mobieltje in haar jaszak overgaan. Pieter gaf het sein.

Lara draaide de contactsleutel om en de motor sloeg brommend aan. Ze liet hem stationair draaien terwijl Ibrahim naar buiten sprong en de achterklep van de wagen openzette. Dit was het signaal voor de rest van de bende. Van alle kanten kwamen ze toegestroomd.

Ibrahim bleef cool. Hij liep het magazijn in, alsof dat de normaalste zaak van de wereld was. De pallets met gedroogde bonen stonden precies waar Pieter had verteld dat ze zouden staan. Hij negeerde ze en liep meteen door naar de dubbele binnendeur met het gordijn van zwartrubberen stroken, die rechtstreeks toegang tot de winkel verschafte. Pieter had verteld dat het magazijn normaal gesproken zelden langer dan een minuut of wat leeg was; de bedrijfsleider was vaak daar te vinden en vakkenvullers liepen af en aan. Maar nu even niet. Pieter had midden in de winkel een heel schap wijnflessen omgegooid, en iedereen was druk in de weer om hem te helpen de gigantische rotzooi op te ruimen.

Ibrahim manoeuvreerde een andere pallet, die volgeladen was met dozen afwasmiddel en daardoor lekker zwaar was, voor de deur zodat die, als ze onverhoopt gestoord zouden worden, op zijn minst voor enkele seconden geblokkeerd zou zijn. De anderen hadden intussen razendsnel de riemen doorgesneden waarmee de dozen met bonen op de pallets waren vastgemaakt, en vormden nu een keten waarlangs de bonen in snel tempo van hand tot hand in de auto werden geladen. Ze hadden allemaal een donkerblauw bedrijfshemd aan, typisch zo'n detail waar Lara altijd aan dacht, en gedroegen zich alsof ze dit werk elke dag deden. Niemand keek op of om.

Toen iets meer dan drie kwart van de dozen ingeladen was, gebaarde Lara dat ze moesten kappen. Haar mobieltje was opnieuw gaan zoemen. Iedereen liet zonder omhaal alles uit zijn handen vallen en maakte zich zo snel en onopvallend mogelijk uit de voeten. Ibrahim gooide het achterportier dicht en stapte in.

Lara gaf keurig met haar knipperlicht aan dat ze naar links ging, trok rustig op en reed de straat uit. Ze moesten een groot deel van de stad door, want deze manier van boodschappen doen was niet iets voor in je eigen wijk.

Na een klein halfuur stond de wagen, onzichtbaar vanaf de straat, in de garage die aan Lara's woonruimte grensde. De valse nummerplaten waren weer opgeborgen en de bonen lagen keurig op de voorraadplanken.

Een snel 'Tot vanavond', en Lara was weer alleen. Ze was tevreden. Bonen waren goed. Ze waren lang houdbaar, voedzaam en makkelijk te vervoeren. Over een paar weken, als het winter was en de honger nog meer zou hebben toegeslagen, zou ze er op de zwarte markt grif geld voor krijgen.

Deels uit nieuwsgierigheid, deels omdat ze dat toch al van plan was geweest, ging ze dezelfde middag nog bij Carolien langs. Misschien had Peter vannacht gewond en wel bij haar voor de deur gestaan, en dan had ze wat uit te leggen. Stom dat ze hem haar naam had verteld. Carolien was tenslotte een vriendin van de sportclub, die weinig tot niets van haar leven op straat wist. Van een afstand zag ze haar vriendin al achter op de woonboot zitten.

'Hé, Lientje!' riep ze, terwijl ze haar fiets aan een lantaarnpaal vastzette.

Carolien keek geschrokken om en maakte met weidse armgebaren duidelijk dat ze stil moest zijn en op afstand moest blijven.

Verbaasd liep ze naderbij. Stil zijn ging nog wel, maar als er echt iets aan de hand was, bepaalde ze zelf wel of ze dichterbij kwam of niet.

Voorovergebogen sloop ze de loopplank over en ging op haar knieën naast haar vriendin zitten.

'Ssst!'

'Wat is er dan?'

'Een duif,' fluisterde Carolien.

'Wat?'

'Daar... voor op het dek. Jasper heeft hem bijna te pakken.'

Lara gluurde om het hoekje heen en zag een nietsvermoedende duif op het dek rondtrippelen, vlak bij een schuin gezet kistje dat op een takje leunde. Aan het takje zat een dun, nauwelijks zichtbaar touwtje dat zich over het dek naar Jasper slingerde.

'Jullie zijn gek!' fluisterde ze verontwaardigd.

'Stil nou...'

Ademloos keken ze toe hoe de duif steeds dichter bij het kistje kwam, nieuwsgierig maar voorzichtig, om telkens wanneer hij er bijna voor stond, weer opzij te trippelen en van een afstandje een nieuwe toenaderingspoging te beginnen. Het was een mooi dier. Grijs met een blauw-paarse glans en kleine, intelligente ogen.

'Die ga je toch niet eten?' siste Lara weer.

'Ssst.'

Jasper had het uiteinde van het touwtje stevig in zijn hand en zat klaar om het takje onder het kratje vandaan te trekken. Een gesprek in de koffiepauze op zijn werk had hem op het idee gebracht. Tja, honger bracht mensen tot rare daden, had een van zijn collega's lacherig gezegd. De meeste duiven waren al van de Dam verdwenen. Kennelijk waren ze eetbaar en werden ze op grote schaal gevangen. Jasper had meteen geweten wat hem te doen stond.

'Laat dat arme beest toch ga...'

Maar het was al te laat. Jasper gaf een ferme ruk aan het touw en het kistje kieperde naar beneden. Helaas niet over de duif heen, zoals de bedoeling was, maar erbovenop. Eén vleugel knikte, dramatisch fladderend, onder de rand uit. Jasper sprintte over het dek en ging pardoes op het kistje zitten.

'Kijk uit, zijn vleugel steekt er nog uit!'

Alsof Jasper dat nog niet gezien had. Hij hijgde van opwinding.

'Jasper, dit kun je niet maken! Het is geen kip of zo. Je doet het beest pijn!' Onzeker liepen Carolien en Lara naar hem toe. 'Hoe weet je eigenlijk zeker dat je duiven kunt eten? En hoe maak je zoiets klaar?' Carolien werd bleek van het gekoer en gefladder van de klemgezette duif onder het kistje. 'Jas, jij moet hem doodmaken. Ik durf het niet.'

Jasper zag daar ook tegen op. Hoe vaak hadden ze de duiven niet gevoerd, hier op de woonboot of verderop, op de Dam? Hoe vaak had hij zich geen voorstelling gemaakt van hun kleine, die vanuit de kinderwagen lachend naar de duiven op zou kijken? Zijn opwinding ebde weg. Het sloeg nergens op, deze duif doodmaken, maar Jasper wist dat hij het toch moest doen. Hem laten leven met een verminkte vleugel kon al helemaal niet.

'Oké, ik doe het. Voor de baby. Echt, liefje... voor de baby doe ik alles wat nodig is.'

Carolien keek hem vertwijfeld aan.

'En als ik het niet doe, doet iemand anders het.' Voor ze daar iets op kon zeggen, ging hij overeind staan en liet zich vervolgens keihard met zijn achterste op het kratje vallen. Het hout versplinterde, het kistje zeeg ineen en de duif werd ruw geplet.

Wit weggetrokken keken Carolien en Lara toe.

'Kom,' zei Jasper, terwijl hij schuldig om zich heen keek en het dode dier onder zijn jas schoof. 'We gaan naar binnen.'

Terwijl Jasper en Carolien met de bebloede duif in de weer waren, surfte Lara wat op internet. Tot haar verbazing kostte het geen enkele moeite een recept voor 'gevulde duiven' te vinden. Alsof het de normaalste zaak van de wereld was om duif te eten.

Bovenaan stond een lijst ingrediënten: '400 gram bulgur, 4 jonge duiven, zout, peper, 1 kilo spinazie, 3 eetlepels arachideolie, 2 uien, 1 teentje knoflook en 3 tomaten'.

'Hier heb ik er een, jongens. Luister:

Maak de duiven vanbinnen en vanbuiten goed schoon. Laat de geweekte bulgur in een zeef uitlekken. Doe deze daarna over in een kom en voeg wat zout en peper toe. Vul de duiven met de bulgur en steek de buikholten van de duiven na het vullen zorgvuldig met houten prikkers dicht. Kook de duiven hierna 30 tot 45 minuten in lichtgezouten water tot ze gaar zijn, leg ze in een ovenvaste schaal en laat ze in een zeer hete oven – circa 250 °C – in 5 tot 10 minuten een goudbruine kleur krijgen. Serveer ze op een bedje van spinazie en schik er schijven tomaat rondom. Eet smakelijk!'

'Waar komt dat vandaan? En wat is bulgur?'

'Het is een oud Egyptisch recept, via Google. Iemand heeft het in het Nederlands vertaald. In Egypte is duif kennelijk een lekkernij. En bulgur is een soort gebroken tarwe. Dat is nu natuurlijk nergens op de wereld meer te krijgen, maar dat maakt ook niet uit. Waar het om gaat, is dat je duif dus echt kunt eten.'

Al surfend bekeek ze andere recepten.

'Moet je horen. Een krantenartikel van een jaar of wat geleden:

De overheid in de straatarme Indiase deelstaat Bihar heeft een oplossing bedacht om de honger te bestrijden: ratten eten. "Ratten hebben nauwelijks botten en zijn heel voedzaam. De meeste landgenoten weten dat niet, maar het besef begint langzaam door te dringen," aldus Vijay Prakash, woordvoerder van het departement van Sociale Zaken van Bihar. Nu eten de ratten bijna de helft van het Indiase graan op het land of in silo's op. Dat probleem kan worden aangepakt door de ratten te vangen en op te eten: twee vliegen in een klap. De allerarmsten zetten al af en toe rat op het menu.'

Carolien, hoogzwanger en bezweet achter een berg van duivenveren, keek verbijsterd naar haar op. Binnen een paar weken zou haar kind worden geboren.

6

Tijdens het vervolg van de vergadering zat Peter voornamelijk voor zich uit te staren. Zijn korte gesprek met Geert Wennemars had hem geërgerd. De man leek aan beroepsdeformatie te lijden en achter elke schaduw een vijand te zien, achter elke rel een masterplan. De mogelijkheid dat een van zijn collega's iets te losjes met geheimen omging, was zorgwekkend, maar om nu meteen van verraad te spreken was overdreven. En mensen die overdrijven behoorden niet in hun kernteam te zitten. Juist in crisistijd was het zaak om alles in de juiste proporties te blijven zien. Hij herinnerde zich een bisschop, ene Muskens, die een aantal jaar geleden had gezegd dat stelen soms geoorloofd was. 'De katholieke moraal heeft altijd al duidelijk gemaakt dat als je zo arm bent dat je niet meer kunt leven, je een brood mag weghalen uit de winkel.' Dat was nou ook weer overdreven, vond Peter, want hoe kun je de openbare orde ooit bewaren als je diefstal openlijk ging goedkeuren?

Maar Wennemars schoot juist door naar de andere kant. Het irritante was dat zijn opmerkingen toch aan Peter bleven knagen. Vooral de suggestie dat het graanvirus kunstmatig in elkaar gezet was, en er in feite dus sprake was van biologische oorlogsvoering, was verontrustend. Overal op de wereld werd keihard gewerkt om de samenstelling van het geheimzinnige graanvirus te achterhalen. Er was voortdurend contact tussen de virologen hier en elders, maar tot nu toe waren de resultaten negatief. Zou Wennemars informatie tot zijn beschikking hebben die de rest van het team nog niet had?

Toen Peter uren later ellendig en gaar van het werken eindelijk weer buiten kwam, stond Wennemars op de stoep in alle rust een sigaret te roken. Alsof er niets gebeurd was. Tot Peters verbazing hield hij zich helemaal niet aan zijn eigen voorstel om elkaar te negeren. Integendeel, hij gedroeg zich alsof alle zorgen van hem af waren gevallen en begon in alle openheid tegen hem te kletsen.

'Zo Peter, het zit er weer op voor vandaag! Het was me het dagje wel.' Hij trok stevig aan zijn sigaret en blies de rook in mooie kringetjes naar buiten. 'Ik rook te veel. Maar dit was mijn laatste sigaret,' verklaarde hij plechtig. 'Ik heb Jacqueline, mijn vrouw, beloofd dat ik ga stoppen.' Hij keek even naar zijn pakje sigaretten en stak het resoluut in Peters jaszak. 'Dit is het bewijs,' glimlachte hij terwijl hij op Peters jas klopte. 'Ik heb ze niet meer nodig.'

Peter was een beetje beduusd van de jovialiteit van Wennemars, die hij tot nu toe slechts als een afstandelijke en zorgelijke persoon ervaren had. Misschien schiep hun vertrouwelijke gesprek van die middag een band.

'Jij zult het ook wel razend druk hebben sinds je voor het woordvoerderschap gevraagd bent. Lastige baan, lijkt me. Altijd op zoek naar de nuance. Heb je trouwens al eens met professor Witkam gesproken? Moet je doen, hoor, moet je doen...'

Peter had nog nooit van deze professor gehoord, maar kreeg niet de kans om daarop in te gaan. Er kwamen andere collega's naar buiten; mensen knikten hun vriendelijk toe.

Wennemars knikte flauwtjes terug en maakte een einde aan hun gesprek. Hij stak zijn arm op, die bij wijze van groet even in de lucht bleef hangen, en liep van Peter weg, de straat over in de richting van het station. Een fladderende jas. Een aktetas. Een collega zoals zovelen.

'Prettige avond,' riep Peter hem na.

Hij merkte dat hij het koud had. Gelukkig stond zijn auto vlakbij.

Het hoofd van de AIVD werd op een bijna achteloze manier vermoord.

Peter zag het voor zijn ogen gebeuren. Hij wilde in de auto stappen, had de sleutel al in zijn hand, maar bleef plots stilstaan. Er was niets speciaals dat zijn aandacht trok en toch leek de tijd zich te verdichten. Het leek alsof hij naar een vertraagde film keek. Onwerkelijke scènes in dreigende slow motion. Een paar auto's die langzaam voorbijreden, afremmend voor het verkeerslicht dat op rood sprong. Een pizzabezorger op een brommertje. Een voortdurende stroom fietsers. Wat deed zijn nekharen dan overeind komen?

Een groepje mensen aan de overkant van de straat botste bijna tegen Geert Wennemars op. Drie jongemannen en een jonge vrouw, een meisje haast nog. De jongens oogden als ambitieuze ambtenaren, zoals je die zoveel in deze stad zag lopen. Goedzittende pakken, zelfverzekerde blik. Ook het meisje zag er netjes uit in haar lichtgrijze mantelpak en beige regenjas. Aan haar arm bungelde een zwartleren handtasje, klein en rond. Ze was zelf ook vrij klein: hooguit een meter zestig. Brutaal keek ze om zich heen.

Met open mond keek Peter toe. Hij was bevangen door een onverklaarbaar gevoel van onraad, maar wist nog steeds niet waarom.

Wat was er? Waarom wilde hij het uitschreeuwen van angst? Waarom kwam er geen geluid uit zijn mond?

'Hé, vuilak, blijf met je poten van me af!' gilde de meid opeens.

Ze hing half tegen Geert Wennemars aan, alsof hij haar had vastgepakt, en rukte zich van hem los.

'Klootzak! Viezerik!'

Met een driftige, welgemikte zwaai mepte ze hem met haar handtas boven op het hoofd. Verbaasd zakte Wennemars ineen.

'Lul,' mopperde de meid nog eens, terwijl ze zonder hem verder een blik waardig te keuren doorliep.

De jongens stonden op haar te wachten. Onverschillig stapten ze verder.

Als in een droom rende Peter de straat over, dwars tussen de auto's door, en knielde bij zijn collega op de grond.

'Gaat het, Geert? Kom. Ik help je even overeind.'

Maar Wennemars reageerde niet.

Peter trok zijn collega tegen zich aan.

Er leek niets aan de hand, de wereld draaide gewoon door. Fietsers reden onverstoorbaar langs en de voetgangers negeerden hen alsof ze daar niet zaten. Hij zag de meid, hooguit een paar meter van hem verwijderd, de hoek omslaan. Voordat ze uit beeld verdwenen, keek ze nog even achterom. Twee felle gifgroene ogen staarden hem uitdagend aan.

Arie Roozendaal had haar weinig tijd gegeven en er geen misverstand over laten bestaan: het moest vandaag gebeuren. Meteen. Op straat. Ze had zich dus niet kunnen voorbereiden. Dat was ongebruikelijk, maar geen probleem. Ze hield wel van een verzetje en was blij met het vertrouwen dat hij haar schonk.

Meteen nadat ze de opdracht had ontvangen, had ze drie leden van haar team opgetrommeld. Ze gaf hun precies een halfuur om zich klaar te maken en zich te melden. Een van de jongens stuurde ze vast vooruit. Ondertussen trok zij haar plan.

Aan het eind van de middag, vlak voor de vergadering was afgelopen, stond de groep paraat. Gretig als altijd, met een lijf vol adrenaline en elke vezel klaar om toe te slaan, zagen ze hoe Wennemars het gebouw uit kwam, een sigaret opstak en een praatje maakte met een van zijn collega's. Soepel kwamen ze in beweging. Snel, maar niet té snel. Zelfverzekerd, maar niet té zelfverzekerd. Een heel gewoon groepje ambtenaren of zakenlui, zoals er op dit uur van de dag zoveel waren. De timing was goed, ze naderden het gebouw precies op het moment dat Wennemars de straat overstak.

Vanaf dat moment was het een fluitje van een cent.

Geert Wennemars bleef roerloos tegen hem aan liggen, de panden van zijn jas slordig uitgestrekt over de grond.

Peter trok hem wat omhoog, voorzichtig, tot hij Geerts hoofd tegen zijn borst geklemd had. Triest, bijna afwezig, veegde hij wat haren uit diens gezicht. Er zat een deuk boven op zijn hoofd, precies in de fontanel, de zwakke plek van de schedel waar de botten elkaar nauwelijks raken en de hersenen bijna onbeschermd onder de hoofdhuid liggen.

Een klein, bolvormig kommetje. Er moest een zware metalen bol in het tasje hebben gezeten, besefte hij.

Peter had geen idee hoe lang hij daar zo zat.

Toen de ambulance arriveerde, was het levenloze lichaam van zijn collega koud.

7

Op 3 april 1996 had koningin Beatrix een wet bekrachtigd:

WIJ, BEATRIX, bij de gratie Gods, Koningin der Nederlanden, Prinses van Oranje-Nassau, enz. enz. enz. Allen, die deze zullen zien of horen lezen, saluut! doen te weten: (...) dat Wij hebben goedgevonden en verstaan, gelijk Wij goedvinden en verstaan bij deze:
Ingeval buitengewone omstandigheden dit noodzakelijk maken, kan ter handhaving van de uitwendige of inwendige veiligheid, bij Koninklijk Besluit, op voordracht van onze minister-president, de beperkte noodtoestand of de algemene noodtoestand worden afgekondigd.

In gewoon Nederlands betekende dit dat de Nederlandse regering de noodtoestand kon uitroepen wanneer de situatie daarom vroeg. Klaas Bol had weinig moeite om de minister-president hiervan te overtuigen. De moord op Wennemars was beslissend. Hun problemen stapelden zich zó snel op en waren zó ernstig, dat niemand eraan twijfelde dat hier sprake was van de 'buitengewone omstandigheden' die in de wet genoemd werden. De noodtoestand zou ingaan om middernacht, om exact 0.00 uur van de volgende dag.

De democratie werd keihard op een zijspoor gezet. Het Nationaal Crisis Coördinatieteam zou een bijna absolute volmacht krijgen om alles te doen wat het nodig vond. Het was een historisch besluit dat veel onvoorziene consequenties zou hebben.

In een inderhaast belegde persconferentie werd de media gevraagd om deze beslissing in kranten en televisie-uitzendingen te steunen. De media toonden begrip, maar zegden, zoals dat onafhankelijke media betaamt, geen absolute steun toe.

De situatie die zich als gevolg van de graancrisis in Nederland ontwikkelde, was in alle opzichten vergelijkbaar met oorlog. De honger was nu officieel, formeel bekrachtigd door het staatshoofd. Nieuws- en achtergrondprogramma's sprongen er gretig op in. Kranten schrokken er niet voor terug pagina na pagina te vullen met de gruwelijkste verhalen over honger en alles wat daarmee samenhing. Oud beeldmateriaal van hongerende kinderen uit willekeurige woestijngebieden werd uit de kast gehaald. Er verschenen interviews met vluchtelingen die vanuit hongergebieden in Afrika naar Nederland waren gekomen. VAN DE REGEN IN DE DRUP? stond er in vette, zwarte letters boven. Recepten van eikeltjeskoffie en aardappelschillensoep werden tendentieus op de voorpagina's gezet.

Carolien en haar man hielden hun hart vast.

Peter Vink was het enige lid van het kernteam dat de inwerkingtreding van de noodtoestand had gemist. Hij lag zwetend, met meer dan veertig graden koorts, in zijn bed te woelen. De moord op Wennemars was meer geweest dan hij verdragen kon. Hoe hij thuisgekomen was, kon hij zich niet meer herinneren.

De politie had hem uitgebreid ondervraagd, maar veel meer dan een niet echt lijkende compositietekening van de moordenares had dat niet opgeleverd. Ze was vrij klein, dat wist hij nog, en ze had bijna fluorescerende, lichtgevende ogen. Felgroen.

In het bijzijn van Klaas Bol, die werkelijk overál bij zat, werd meermalen gevraagd naar zijn gesprek met Wennemars vlak nadat die zijn thee over hem heen had gegooid en ze naar buiten waren gegaan om te roken. Met Geerts waarschuwing dat hij niemand kon vertrouwen in zijn achterhoofd, had Peter echter besloten zo weinig mogelijk te vertellen.

'Dit was het laatste informele gesprek dat Wennemars in zijn leven heeft gevoerd,' benadrukte Bol keer op keer. 'Het is zeer wel mogelijk dat hij iets heeft gezegd of geïnsinueerd waaruit kan worden opgemaakt of hij wist dat hij gevaar liep.'

'Liep hij gevaar dan?' vroeg Peter.

Bol haalde geïrriteerd zijn schouders op. 'Nou, als je vermoord wordt...' Peter had zich tot de politie gewend. 'Was het moord met voorbedachten rade? Het was niet toeval of zo?'

Maar de politie sloot 'in dit stadium van het onderzoek' niets uit. En daar moesten ze het maar mee doen.

Kletsnat, na een lange nacht vol nachtmerries, stapte Peter laat in de ochtend zijn bed uit. Zijn koorts was gezakt en zijn verwondingen leken minder pijn te doen.

Versuft drentelde hij door zijn appartement. Hij zette thee, bekeek zijn binnengekomen sms'jes en las in de krant de berichten over de moord. Zijn gedachten gingen met hem op de loop. Hij moest aan het meisje denken dat hem in Amsterdam zo onverwacht geholpen had. Aan vreemde virussen. Aan zijn zwangere zus, die hij zo weinig hoop kon bieden.

Tot hij zich opeens, zonder enige aanleiding, het sigarettenpakje herinnerde dat Wennemars in zijn jaszak had gestopt. Wat een vreemde handeling! Gek, dat dit het laatste was wat Wennemars in zijn hele leven had gedaan. Peter had er sindsdien geen ogenblik meer aan gedacht.

Snel liep hij naar de gang. Het pakje zat inderdaad nog in zijn jas. Marlboro Lights, er zaten nog vier sigaretten in.

Ontdaan hield hij het kartonnen doosje in zijn handen. Was dit alles wat er van iemand overbleef? Hij voelde zich triest worden. Het hoofd van de AIVD was een goeie kerel geweest. Eerlijk, getrouwd, ambitieus, rechtvaardig en nu, zomaar, dood.

Schuldgevoelens bekropen hem, omdat hij getuige van de moord was geweest, maar er niets aan had gedaan. Wennemars had dood in zijn armen gelegen en de moordenaar was heel eenvoudig ontkomen. Ze was waarschijnlijk meteen in een auto of in de tram gestapt, en hij had haar geen strobreed in de weg gelegd.

Pas na een tijdje zag hij dat er heel strak om een van de sigaretten een papiertje gerold zat, waar met kleine blokletters op stond geschreven:

VOOR PETER V., VERTROUWELIJK

Verbaasd peuterde hij het papiertje los.

PETER, ALS MIJ IETS OVERKOMT, NEEM DAN CONTACT OP MET JOB SLOTEMAKER, ZEEKANT 104B, SCHEVENINGEN. HERINNER HEM AAN 'DE MAN IN HET KLOOSTER'. GA ALLEEN.

Wennemars had geweten wat hem te wachten stond!

Peter haalde een paar maal diep adem en liep naar het bureau in zijn werkkamer. Naast zijn laptop lag een groot blocnote, waar hij altijd aantekeningen in maakte wanneer hij zijn gedachten wilde ordenen. Dat gaf hem rust en zorgde ervoor dat hij beter voorbereid op zijn werk kwam dan zijn collega's. Het was een gewoonte die hij vanaf het begin van zijn studententijd ontwikkeld had. Vooruitdenken. Altijd net één stapje verder.

Aan ditzelfde bureau, een antiek mahoniehouten gevaarte met bijpassende bureaulamp en draaistoel, die alle drie erfstukken van zijn grootvader waren, had hij de tentamens voorbereid waarmee hij uiteindelijk cum laude afstudeerde als beste van zijn jaargang; hij had er sollicitatiebrieven aan geschreven, lezingen, zelfs strategieën om vriendinnen te versieren. Altijd met een groot blocnote waarin hij alles punt voor punt voor zichzelf opschreef. Hij ging zitten en scheurde er, heel netjes en precies, een vel uit. Met zijn vulpen trok hij boven aan het papier een streep en schreef daaronder, links langs de kantlijn, de plaats en datum op.

In gedachten ging hij terug naar dat laatste gesprek buiten bij het ministerie. 'Vertrouw niemand,' had Wennemars gezegd. De baas van de AIVD had zijn dood voelen aankomen en had om ondoorgrondelijke redenen geoordeeld dat hij zich alleen tot hem, Peter Vink, kon wenden. Hij bekeek het rolletje papier nog een keer.

Als mij iets overkomt.

Wat had Wennemars ontdekt?

In strakke hoofdletters schreef hij:

WAAR GAAT HET OM?

Een belangrijke vraag, die helaas onmogelijk te beantwoorden was. Hij had geen idee. Het ging om te veel tegelijk, van voedsel tot corruptie, van plunderingen en verraad tot hongersnood en moord. Het was te veel om in zijn eentje te behappen.

Vreemd genoeg moest hij aan zijn voetbaltrainer denken. 'Laat je niet afleiden,' schreeuwde die zijn spelers steevast toe. 'Hou je oog op de bal.'

Dat was precies wat hij zou doen. Maar hoe moest dat, als hij zelfs deze vraag niet kon beantwoorden?

Een andere vraag, dan. Een kleinere vraag.

WAAR GAAT HET <u>MIJ</u> OM?

Dat was makkelijker.

1. HET IS MIJN TAAK BINNEN HET NATIONAAL CRISIS COÖRDINATIETEAM OM ZO VEEL MOGELIJK INFORMATIE OVER HET GRAANVIRUS TE VERKRIJGEN, EN OM HET BELEID VAN HET TEAM ALS WOORDVOERDER UIT TE DRAGEN.

2. IK HEB BIJ TOEVAL ONTDEKT DAT ER WAARSCHIJNLIJK IEMAND IN DIT TEAM ZIT DIE VERTROUWELIJKE INFORMATIE LEKT NAAR GROEPEN/PERSONEN DIE DAAR PERSOONLIJK VOORDEEL BIJ HEBBEN.

3. *IK BEN GETUIGE GEWEEST VAN, EN TEGEN MIJN WIL BETROKKEN GERAAKT BIJ DE MOORD OP GEERT WENNEMARS, DIE MIJ IN EEN LAATSTE, VERTROUWELIJK BRIEFJE VRAAGT MET IEMAND CONTACT OP TE NEMEN.*

Hij leunde achterover en las het een paar keer over. Punt twee en drie waren eigenlijk hetzelfde, besloot hij. In feite ging het maar om twee dingen: zijn eigenlijke werk binnen het kernteam, en daarnaast het verraad en zijn 'schaduwopdracht', die hem tegen wil en dank was opgelegd en waar niemand iets van wist.

Het was simpel; hij móést het simpel houden. Hij formuleerde een nieuwe vraag:

WAT MOET IK DOEN?

Het antwoord sprak bijna voor zich:

- *IK MOET ME BINNEN HET KERNTEAM BLIJVEN CONCENTREREN OP MIJN BELANGRIJKSTE TAAK: HET VIRUS.*

- *IK ZAL DE LAATSTE WENS VAN GEERT WENNEMARS MOETEN VERVULLEN EN ZONDER DAARBIJ IEMAND ANDERS IN VERTROUWEN TE NEMEN CONTACT OPNEMEN MET JOB SLOTEMAKER.*

Twee dingen, verder niets.

Dat moest lukken.

'Oké coach,' zei hij, terwijl hij het vel papier verfrommelde en in de prullenbak gooide. Hij wist wat hem te doen stond.

En toen gunde hij zichzelf de eerste kop koffie van die dag.

Die ochtend ging hij niet naar het commandocentrum van het Nationaal Crisis Coördinatieteam in het ministerie in Den Haag, maar naar zijn eigen stek bij de boerenorganisatie. Hier had hij zijn eigen kantoor, zijn eigen archief, zijn eigen vertrouwde omgeving. Vandaag zou hij zich eerst helemaal op het graanvirus richten. Dat was tenslotte de bron van alle ellende, ook al zou hij dat door alle consternatie soms bijna vergeten.

Het probleem was dat het virus iedereen voor grote raadsels stelde. Niemand wist waar het virus vandaan kwam. En niemand wist wat je ertegen kon doen. Niet alleen de akkers, maar ook alle graanpakhuizen waren inmiddels besmet, zelfs de voorraadschuren waarvan de deuren hermetisch gesloten waren gebleven en waar dus niemand, geen mens, geen muis, geen mug, in of uit had gekund. Niemand begreep hoe dat kon. Hoe verspreidde het virus zich? In tal van laboratoria, verspreid over de hele wereld, werden proefjes met het virus gedaan, maar daarvoor moesten kweekjes worden opgezet en die hadden dan weer tijd nodig... en die tijd was er eigenlijk niet.

Op kantoor negeerde hij de meelevende, bezorgde en nieuwsgierige blikken van zijn collega's, die natuurlijk allemaal gehoord hadden dat hij ooggetuige was geweest van een moord en die niets liever wilden dan daar met hem over praten. Hij liep rechtstreeks naar zijn eigen werkkamer. Zijn secretaresse kwam achter hem aan. Ze had als vanouds een kop koffie voor hem ingeschonken.

'Angela, wil je nog een keer proberen een van de Amerikaanse professoren voor me te pakken te krijgen?'

Geen tijd voor prietpraat.

Peter had dagen geleden al een lijst opgesteld van wetenschappers van wie hij wist dat ze tot de harde kern behoorden van het wereldwijde netwerk dat met het graanvirus in de weer was. Het waren voornamelijk Amerikanen, maar er zaten ook een Keniaanse en een Chinese wetenschapper bij. De inmiddels hoog oplopende spanningen tussen China en Nederland ging aan de wetenschappelijke gemeenschap voorbij. Samenwerking stond hoog in het vaandel.

Alle wetenschappers waren druk bezet en dus moeilijk aan de lijn te krijgen. Elke dag belde en mailde Angela meerdere malen het lijstje af, maar slechts sporadisch lukte het haar om verbinding met iemand te krijgen.

Deze keer had ze echter meteen succes.

'Professor Walker van Howard University in Washington is online,' liet ze Peter weten.

Hij zag uit naar dit gesprek. Met Walker had hij nog niet eerder contact gehad, maar enkele van de vele publicaties die de Amerikaan op zijn naam had staan, wezen op een gedegen kennis van zogenaamde blad-, aar- en afrijpingsziekten in graan.

Hij zette zijn computerscherm aan en zag een donkerharige vrouw van ergens achter in de twintig in beeld verschijnen. Ze had een smal, afgeknepen mondje, en Peter vond dat ze er een stuk minder representatief uitzag dan zijn eigen Angela.

'*Are you wounded*?' vroeg de vrouw terwijl ze onderzoekend naar zijn gehavende gezicht keek.

Typische Amerikaanse onbeschaamdheid, dat zelfs de secretaresses je benaderen alsof ze je beste vrienden zijn!

'Ja, maar niks ernstigs,' bromde hij. Hij wachtte wat ongeduldig tot Walker zelf in beeld zou verschijnen. Hij had geen uren de tijd.

'Goed,' mompelde de vrouw nadat ze enige tijd ongemakkelijk op een eerste opmerking van zijn kant had zitten wachten. 'U moet Peter Vink zijn. Zullen we maar beginnen?'

Tot zijn schrik realiseerde hij zich dat dit de professor zelf was. Hij hoopte dat de schaamte niet al te zeer van zijn gezicht te lezen was via de webcam.

Het was onvoorstelbaar dat deze vrouw, op haar jonge leeftijd, al zoveel boeken en artikelen had gepubliceerd. Ze zag er dun en breekbaar uit, bijna alsof ze aan anorexia leed. Haar huid was bleek, op het ziekelijke af.

In een poging zijn fout te herstellen, kwam Peter meteen ter zake.

'Dank, dat u mij te woord wilt staan, professor. Ik coördineer namens de Nederlandse regering een deel van het onderzoek naar alles wat ons te wachten staat en ik heb een grote behoefte om te worden bijgepraat over het graanvirus. Men heeft mij verteld dat u de nieuwste informatie hebt.'

'Vraagt u maar wat u wilt weten,' reageerde ze neutraal.

'Goed. Het is bekend dat virussen geen echte levende wezens zijn. Op foto's zien ze eruit als een soort maanlandingstoestellen, met een kleine kern vol genetisch materiaal en verder een soort lange armen waarmee ze zich ergens aan kunnen vasthouden.'

'Virussen houden zich niet vast,' onderbrak de professor hem. 'Het zijn geen levende wezens en er is dus niets wat ze zelf kunnen doen.'

'Niet levend, niet dood,' wist Peter. 'Een soort zombies die in mensen, planten en dieren binnendringen en daar ziekten veroorzaken.'

'Niet altijd,' verbeterde ze hem weer.

'Misschien niet altijd,' gaf Peter toe. 'Maar vaak wel. En wat ik vooral zou willen weten is... nou ja, we willen natuurlijk allemaal weten waar dit graanvirus vandaan komt. Het lijkt of dit virus van de ene op de andere dag uit de lucht is komen vallen, maar dat kan toch niet waar zijn? Het moet ergens vandaan komen. Wat zijn de nieuwste inzichten?'

De professor ging er eens goed voor zitten en zag er daardoor meteen een stuk minder ziekelijk uit.

'Uw opmerking dat het virus misschien uit de lucht is komen vallen, is zo gek nog niet,' begon ze, 'want het zou goed kunnen dat virussen letterlijk uit de ruimte komen. In de staart van kometen is materiaal ontdekt dat op virussen lijkt. U zei zelf al dat een virus qua vorm een beetje op een maanlandingstoestel lijkt. Het is bekend dat de aarde in zijn loop om de zon per jaar zo'n dertig tot vijftig miljoen kilo ruimtestof in zijn atmosfeer opneemt. Een deel daarvan verdampt voordat het op de grond terechtkomt, maar ongeveer vijf tot tien miljoen kilo bereikt echt de aarde. Dat is veel. Dat ruimtestof zou heel wat virussen kunnen bevatten.'

Dit verbaasde Peter.

'Genetisch materiaal in de ruimte?'

'Bouwstenen voor genetisch materiaal. Het zou kunnen, maar alleen in zijn algemeenheid. Voor het graanvirus lijkt dit niet op te gaan en dus is deze mogelijkheid, dunkt me, voor ons niet echt belangrijk.'

'Hoezo niet?'

'In feite zijn alle virussen die we kennen varianten op andere virussen die we kennen. Dat geldt tenminste voor alle virussen die we tot nu toe hebben onderzocht. Elk virus evolueert voortdurend. Dat zagen we bijvoorbeeld bij de Mexicaanse griep. Griepvirussen zijn elk jaar nét iets anders, en daardoor zo moeilijk te bestrijden. Stofjes worden door elkaar gehusseld, materialen vermengen zich, dat blijft altijd doorgaan. De wereld is wat dat betreft één grote stoofpot.'

Ze was duidelijk gewend les te geven.

'Hebt u kunnen aantonen dat het graanvirus een variant is op een al bestaand virus?' vroeg Peter hoopvol. Dat zou tenminste iets zijn. Een begin. De eerste stap naar een bestrijdingsmiddel.

Professor Walker keek hem peinzend aan. 'Nee... de eerste laboratoriumresultaten druppelen binnen en bijna iedereen die het onderzocht heeft, zegt dat dit virus geen variant op een bestaand virus kán zijn. Daarvoor zit het te vreemd in elkaar. Sterker nog, meneer Vink, het ingewikkelde, waar niemand iets van snapt, is dat alles juist precies wijst op het tegendeel!'

Via de webcam zag ze dat Peter haar niet kon volgen.

'Alles wijst erop dat we te maken hebben met een voorloper van bestaande virussen. Een gloednieuw virus met tentakels die teruggrijpen in de tijd! Een moedervirus wier kinderen al vóór haar zijn geboren.'

'Eh... kunt u me uitleggen hoe dat kan?'

Haar vlammende ogen priemden door het computerscherm heen.

'Helaas kan ik dat niet. Het punt is namelijk, meneer Vink, dat dat helemaal niet kán!'

'Een rare vrouw,' vond ook Angela, die op haar eigen scherm mee had zitten kijken, na afloop van het gesprek.

'Ik snap het niet, ik begrijp er niks van. Ze heeft het mysterie rond het graanvirus alleen maar groter gemaakt,' zei Peter. Peinzend zat hij op het puntje van haar bureau. 'Het is een nieuw virus, maar er zijn dus bewijzen dat sporen ervan al in sommige graansoorten terug te vinden zijn. De sporen waren er eerder dan datgene wat de sporen nalaat.'

Angela keek hem vragend aan. 'Hoezo laat een virus sporen na?'

'Dat is nu eenmaal zo, dat doen virussen altijd. In jouw cellen zitten ook allemaal sporen van virussen uit het verleden.'

Angela schoof argwanend een stukje achteruit.

'Hoe bedoel je?'

'Gewoon, ziekten laten hun sporen in ons na. Daar is geen ontkomen aan. Het hoort nu eenmaal bij de evolutie.'

'Getsie. En gaat dat ook met dit graanvirus gebeuren?'

'Nee, dat gebeurt dus juist niet! Volgens Walker lijkt het erop dat dit graanvirus achterstevoren leeft, van de toekomst naar het verleden. Alsof er opeens een lus in de tijd zit of zo. Ik vind het maar eng klinken.'

Opeens schoot hem die andere mogelijkheid te binnen, waar Geert Wennemars in vage termen al op gewezen had: een kunstmatig in elkaar geknutseld virus. Biologische oorlogsvoering... Al Qaida...

In de stapel vergaderstukken die hij bij zijn aanstelling in het Crisis Coördinatieteam had meegekregen, zat ook een jaarverslag van de AIVD van Wennemars. Hij pakte dit jaarverslag erbij en las dat daarin openlijk over de dreiging van biologische wapens werd geschreven.

Landen van zorg zijn, door de snelle ontwikkeling van hun industrie, steeds beter in staat zelfstandig grondstoffen en voorlopers van chemische en biologische wapens te produceren. Vooral op het gebied van de biotechnologie wordt steeds meer kennis ontwikkeld. Deze civiele kennis kan tevens aangewend worden voor een biologisch wapenprogramma. En het wordt steeds eenvoudiger om eventueel clandestiene activiteiten voor de buitenwereld verborgen te houden.

Al bladerend viel zijn oog op een passage in het voorwoord dat door de minister van Binnenlandse Zaken was geschreven.

Ik vind dit jaarverslag van wezenlijk belang als instrument om het veiligheidsbewustzijn in de Nederlandse samenleving te vergroten: niet om mensen angst aan te jagen, maar om Nederland weerbaarder te maken tegen deze dreigingen.

8

'Kijk, dat is mijn broer,' zei Carolien toen Lara de volgende dag weer even langs-kwam. Ze wees op de krantenfoto waarop Peter met het ontzielde lichaam van Geert Wennemars in zijn armen op de stoep zat.

'Weet ik,' zei Lara. 'We hebben hem toen toch op tv gezien?'

De gevulde duif was niet goed gevallen. Carolien had er maagkrampen van gekregen; het leek of er weeën werden opgewekt en een nacht lang vreesde ze het ergste.

'Het was doodeng, ik wist niet wat me overkwam.'

'Nou, ik wel. Je had die duif nooit mogen eten. Ik hoorde dat die beesten op de Dam door gemeentewerkers een steriliserend middeltje gevoerd krijgen, om te voorkomen dat er te veel duiven worden geboren. Puur gif, zeker als je zwanger bent.'

Ze zaten benedendeks in de woonboot, in het kleine keukentje met de ronde ramen die uitkeken over het water. Lara zag hoe Caroliens gezicht betrok en besloot dat het weinig zin had er nog langer bij stil te staan.

'Genoeg gekletst, meid, tijd voor actie,' zei ze energiek. 'Vertel me eerst maar eens wat je allemaal al gedaan hebt.'

'Hoe bedoel je?' vroeg Carolien verbaasd. 'Voor de baby?' De kinderkamer was al bijna klaar. Jasper had zijn knutselkamer ontruimd en al zijn eigen spullen naar het vooronder verplaatst. Er zat nieuw behang op de muur en er lag lami-naat op de vloer. Bij IKEA hadden ze een prachtig ledikantje gekocht, compleet met een hemeltje, matras, lakens en een dekentje.

Maar Lara bedoelde de noodtoestand.

'Hebben jullie een voorraad eten aangelegd? Voor als je een paar dagen achter elkaar niks kunt kopen? En hebben jullie al een moestuintje, op het dek of ergens achter een van deze ramen?'

Carolien keek mistroostig voor zich uit.

'Kom op, Carolien! Je moet vooruitdenken, zeker nu je een baby krijgt! Je moet zorgen dat je genoeg eten binnenkrijgt, en straks, als de kleine geboren is, moet je sterk en gezond genoeg zijn om de borst te kunnen geven. Daar moet jíj voor zorgen, samen met Jasper.'

'Aan Jasper heb ik niet zoveel,' zuchtte Carolien. Haar man was een schat van een vent, maar niet het toonbeeld van doortastendheid. Hij had twee vissen en één duif gevangen, maar dat was dan ook alles.

Lara drong aan op een plan. Ze had gelezen dat kinderen die in of vlak na de hongerwinter geboren waren, en van wie de moeder tijdens de zwangerschap dus te weinig en te slecht gegeten had, op latere leeftijd nog allemaal lichamelijke klachten hadden gekregen. Ze wilde haar vriendin niet al te bezorgd maken, maar dat betekende niet dat ze bij de pakken neer moesten zitten.

'Als ik jullie was, zou ik echt zo gauw mogelijk een paar zakken goeie potgrond kopen en zaden en plantjes die speciaal voor moestuinen worden verkocht. Prei en boerenkool kunnen tot laat in de winter groeien, maar het meeste moet je in plantenbakken achter het raam zetten. Daar kun je zaadjes van worteltjes en radijsjes en zo inzaaien. De komende maanden valt daar meer mee te verdienen dan met hennepplantages.'

Lara moest hier zelf hard en, vond Carolien, nogal zenuwachtig om lachen. Ze begreep niet goed waarom.

'En koop een diepvriezer. Als je straks op wat voor manier dan ook eten in huis hebt, kun je het tenminste een tijd goed houden. Dat moet je snel doen, hoor, Lien. Het zou me niets verbazen als er straks nergens meer een diepvriezer te krijgen is.'

Carolien beloofde het allemaal met Jasper te bespreken.

'En om te beginnen heb ik meteen maar dit cadeautje voor je meegebracht!' glunderde Lara. 'Deze zijn een stuk minder giftig dan die duif die jullie gevangen hebben en de meerkoeten hier in de gracht.'

Met een zwierig gebaar zette ze de grote doos, die ze al die tijd bij haar voeten op de grond had laten staan, op tafel. Carolien peuterde het karton open en slaakte een vertederde kreet toen er twee reusachtige witte langoorkonijnen in bleken te zitten.

'O, Lara, wat scháttig!'

Maar meteen hield ze zich in. 'Of zijn ze om... Je bedoelt dat we ze...'

Lara knikte. 'Zet ze maar ergens in een hoekje, op het dek of in de keuken. Laat Jasper een hok maken. Het zijn een mannetje en een vrouwtje, dus als het goed is heb je binnenkort allemaal jonkies. Geef het een kans, Lientje. Met een beetje mazzel fokken die beesten sneller dan jullie ze op kunnen eten. Pluk gras en onkruiden uit het plantsoen, daar groeit genoeg om ze mee te voeren. Als het niet nodig blijkt, is er nog geen man overboord. Je kunt de beestjes altijd verko-

veggeven. Maar dat zou ik niet te snel doen. Het is beter dat je iets achter ⌐ hebt voor als de honger echt lang aanhoudt. En ik zal je ook af en toe wat gedroogde bonen geven – vraag me niet hoe ik daaraan kom – zodat de baby tenminste gezond op de wereld kan komen.'

Ontroerd keek Carolien haar aan. Het is gek, dacht ze, ik had al mijn hoop op Peter gevestigd. Zolang hij in dat rampenteam zit, zou het uiteindelijk allemaal wel goed komen, dacht ik. Maar nu het er echt op aankomt, heb ik veel meer aan deze stoere, lieve, rare, vechtende vriendin.

De krantenfoto van Peter, zittend aan de straatkant met het lichaam van Wennemars in zijn armen, stond linksonder op de derde pagina. Het was geen groot nieuws, omdat het uitroepen van de noodtoestand en het steeds toenemende voedseltekort alle aandacht opeisten. Daarbij kwam dat niemand wist of hier nou sprake was van een aanslag of een ongeluk. Over het algemeen werd Wennemars' dood als een geval van domme pech gezien. Pech dat hij pardoes tegen een meisje op liep, pech dat zij dacht dat hij daar oneerbare bedoelingen mee had en, driemaal is scheepsrecht, pech dat haar tas hem precies op de zwakke plek bij zijn fontanel geraakt had.

En dat was precies waarop Roozendaal had gegokt. 'Uitstekend gedaan,' zei hij waarderend. 'Ik wist dat je het aankon.'

De opdracht die hij haar had gegeven was geen makkelijke geweest. Het is niet eenvoudig om zonder gedegen voorbereiding iemand op klaarlichte dag te vermoorden, voor het oog van tientallen mensen, zonder dat iedereen meteen moord en brand schreeuwt.

Haar manier van werken deed denken aan de beruchte paraplumoord waarmee de Bulgaarse geheime dienst, de Darzhavna Sirgurnost, in 1978 Georgi Markov vermoordde, een van Bulgarijes bekendste dissidenten. Markov had in hartje Londen, waar hij toen woonde, op Waterloo Bridge op een bus staan wachten, toen hij een prikje in zijn been voelde. 'Sorry,' zei een man die deed alsof hij hem per ongeluk met zijn paraplu geraakt had. Dat was alles. De man met de paraplu liep weg, en vier dagen later was Georgi Markov dood. Onderzoek leerde dat hij vergiftigd was door een druppeltje ricine, een gif afkomstig uit de bonen van de huis-tuin-en-keukenplant *Ricinus communis*, dat met de paraplu in zijn been was geïnjecteerd.

Hoewel ander onderzoek juist weer suggereerde dat de man helemaal niet door de parapluprik vermoord was. De paraplu zou slechts als afleiding hebben gediend, terwijl de man in feite met een speciale door de KGB ontwikkelde naald zou zijn gestoken. Zelfs vijfendertig jaar na dato wist niemand er nog het fijne van. Dat was knap.

In zekere zin was deze handtasmoord nóg directer. Het meisje had geen chemicaliën gebruikt, geen sporen nagelaten, geen wapen in haar hand gehad en alles was gewoon in de openbaarheid gebeurd, op straat, alsof er niet meer gaande was dan een nauwelijks noemenswaardige ruzie over een vermeende handtastelijkheid.

Arie Roozendaal wist wanneer hij goud in handen had en gunde het meisje daarom een speciale behandeling. Ze had meer verdiend dan geld alleen. Bij wijze van beloning nam hij haar mee naar bed en liet hij zich uren achtereen door haar verwennen. Ze was het soort meisje dat op gevaarlijke mannen zoals hij viel, het type dat aandacht nodig had.

Zwetend en hijgend kronkelde ze haar soepele lijf om hem heen, kroop ze boven op hem. Het deed hem goed, kennelijk had hij toch meer spanning opgebouwd dan hij zelf doorhad. Hij greep haar bij haar heupen en trok haar dichter tegen zich aan. Ze krijste het uit toen ze tegelijk met hem klaarkwam. Overmoedig keek ze naar hem op.

'Zo, ouwe, vond je me lekker?' fleemde ze, nét iets te vrijpostig.

Ze stelde voor om samen te gaan douchen, maar hij zei kortaf dat ze naar huis moest. Op een van zijn mobieltjes was een sms binnengekomen; er moest weer gewerkt worden. Terwijl de meid zich teleurgesteld uit bed liet glijden, las hij het tekstbericht. De boodschap kwam van Derrick, de man die hij naar Slowakije had gestuurd om daar wat leven in de brouwerij te brengen. Hij vroeg om overleg.

Derrick zat in een licht gedeukt, onopvallend Trabantje dat in een zijstraatje onder de burcht van Bratislava geparkeerd stond. Hij was ruim een week geleden in deze stad neergestreken en was al drie keer van identiteit en van hotel gewisseld. Zijn laatste hotel bevond zich aan de overkant van de Donau, te midden van de socialistische nieuwbouwwijken met hun standaardflats en grote supermarkten, in het stadsdeel Petržalka.

Bratislava was een stad met meerdere gezichten. Rijk en arm, communisten en kapitalisten, jong en oud, alles vermengde zich hier tot een smeltkroes van stof, geschiedenis en wankele, aarzelende stappen naar het moderne Europa. Vandaag boden de schilderachtige smalle straatjes in het centrum hem de meeste veiligheid.

De zaken waren goed gegaan. Hij had lokale criminelen geïnstrueerd hoe ze rellen moesten ontketenen en straatbendes voor hun karretje konden spannen, precies zoals hij dat eerder in Parijs, Praag en Warschau had gedaan. Daarnaast had hij enkele hoge regeringsfunctionarissen omgekocht. 'De wortel en de stok', een keiharde, op de man gerichte dreiging aan de ene kant en een vette bonus aan de andere. Ook in Midden- en Oost-Europa zou de internationale samenwerking bij de bestrijding van de honger een ernstige knauw krijgen. En ook hier zou Roozendaal de eerste zijn die er de wrange vruchten van kon plukken. Voor Derrick was het *business as usual* geweest. Tot het moment dat hij merkte dat er iemand achter hem aan zat.

Derrick had de achteruitkijkspiegels zo gedraaid dat hij in één oogopslag de hele straat kon overzien. Hij had een oortje in, zijn satelliettelefoon met stemvervormer in een oude tas op schoot en een microfoontje in zijn hand. 'Ik zwéér het, baas. Ze zijn het hotel binnen gelopen en hebben naar mij gevraagd. Het móét politie zijn geweest.'

'Wanneer?'

'Zojuist. Nog geen anderhalf uur geleden.'

'In Bratislava?'

'Ja. Ik had dat hotel drie dagen geleden al verlaten. Ik ben voortdurend in beweging gebleven, precies zoals je me had opgedragen. Ik heb een nieuw paspoort gebruikt. Andere naam.'

Het feit dat Roozendaal daar niet op reageerde, maakte hem – terecht – onzeker.

'Baas?'

'Het is simpel, Derrick. Je vraagt je af hoe ze je hebben opgespoord. Dat kan maar één reden hebben. Je hebt een fout gemaakt. Anders was het nooit gebeurd.'

'Nee! Ik... ik zou niet weten wat voor fout.'

'Heb je vanuit dat hotel contact met onze ploeg hier in Nederland gehad?'

'Nee, baas, ik zweer je... dat zou ik nooit... misschien één keer, op de veilige manier, naar een ongeregistreerd mobieltje...'

In zijn spiegel zag hij een oud vrouwtje de straat in lopen. Ze droeg in elke hand een zware plastic zak en sjouwde daar waggelend mee over de stoep. Pal langs Derricks auto. Ze keek niet op of om en had niet in de gaten dat er iemand in de auto zat.

'Derrick?'

'Momentje, baas, er loopt iemand over straat.'

Hij wachtte tot de vrouw weer uit het zicht verdwenen was en begon toen, voordat Roozendaal hem enig verwijt over het telefoongesprek naar Nederland kon maken, uitgebreid te beschrijven wat er precies gebeurd was.

Er was een man bij de receptie van Derricks vorige hotel verschenen, ogenschijnlijk om zich in te schrijven. De man sprak goed Duits en schakelde toen dat nodig bleek, moeiteloos op Engels over. Hij kwam voor zaken, vertelde hij.

'Nou ja, zaken... Misschien wordt het wat. Je weet het nooit, nietwaar?' had hij gezegd.

Hij deed er enige tijd over om zijn paspoort uit zijn reistas op te duikelen en knoopte ondertussen ontspannen kletsend een gesprekje aan met de jonge receptioniste. Zij was een studente die goed Engels sprak en met dit baantje in het hotel hoopte iets bij te verdienen.

De nieuwe hotelgast vertelde dat hij de honger ook niet had voorzien en dat dat natuurlijk alles op losse schroeven zette. Hij zou hier in dit hotel ook wat oude bekenden ontmoeten. Was zijn vriend Gustav misschien al aangekomen?

Gustav was de naam waaronder hij, Derrick, opereerde. Een naam die bijna niemand kende. Gelukkig had hij het meisje flink wat euro's toegeschoven en haar met hel en verdoemenis gedreigd als ze ook maar aan iemand zou bevestigen dat hij daar ooit geweest was.

'Nee,' had ze gezegd. Ze kende niemand die zo heette.

De man had haar aangekeken, 'op een vreemde manier, die haar onzeker maakte', en vervolgens geconstateerd dat hij zijn paspoort in de auto had achtergelaten. Hij zou zo weer terugkomen, zei hij, maar daar was kennelijk iets tussen gekomen, want het meisje had hem daarna niet meer gezien.

Ze had Derrick, volgens afspraak, meteen gewaarschuwd en hem een zo goed mogelijk signalement van de man doorgegeven. Het was een oudere man, ouder dan vijftig, misschien wel zestig jaar. En hij was kaal.

'Een vriendelijke man. Een beetje verstrooid. Met dikke wenkbrauwen en rimpeltjes rond zijn ogen.'

Derrick deed zijn best om alles zo objectief en zakelijk mogelijk te vertellen. Maar zelfs via de vervormer, die maakte dat elke stem een koude, metalige klank kreeg, was de stress in zijn woorden tot in Amsterdam te horen.

Derrick behoorde tot Roozendaals vertrouwelingen, tot de groep van twintig medewerkers die altijd buiten schot zouden moeten blijven. Tot op dit moment. De aarzelende manier waarop hij nu praatte, maakte dat Roozendaal ter plekke besloot dat Derrick buitenspel moest worden gezet. Zijn houdbaarheidsdatum was overschreden.

Maar dat was het belangrijkste niet.

Het feit dat de onverwachte hotelgast alleen had gewerkt, wekte Roozendaals belangstelling. Dat rook naar inlichtingendiensten; gewone politie werkte altijd in paren.

Roozendaal wist dat de organisatie stond als een huis, en hoewel hij terdege besefte dat hij met het graanvirus hoog spel speelde, twijfelde hij niet aan de overwinning. Waar gehakt wordt, vallen spaanders. Derrick zou vandaag nog uit Bratislava worden weggehaald en dan had die anonieme, kale inlichtingenman met zijn rimpeltjes geen poot om op te staan.

Misschien, bedacht hij, de zaak weer van zich af zettend, had hij de meid toch iets langer bij zich moeten houden.

Om drie uur 's middags kon Peter zijn onrust niet langer bedwingen. Genoeg kantoorwerk voor vandaag. Hij zei Angela gedag, die verbaasd opkeek, en liep naar buiten voor het tweede deel van zijn missie: contact opnemen met Job Slotemaker, de man die Wennemars in zijn laatste briefje had genoemd. Hij had geen idee wie dat was en wist ook niet wat het vreemde zinnetje over 'de man in het klooster' betekende. Waarschijnlijk iets met inlichtingendiensten, iets wat zich ver buiten zijn blikveld afspeelde en waar hij liefst ook zo weinig mogelijk mee te maken had.

Hij kon rechtstreeks met de tram gaan, maar besloot daarvan af te zien en eerst de trein naar Station Holland Spoor te nemen. Bij een kaartjesautomaat kocht hij een dagkaart, zodat hij de plaats van bestemming niet kon verraden. Aan niets was te zien dat hij rekening hield met de mogelijkheid dat hij gevolgd werd. Op spoor 3 liep hij een trein in, maar eenmaal binnen draaide hij zich abrupt om, alsof hij per ongeluk de verkeerde trein gepakt had, en liep snel weer naar buiten. Niemand reageerde verdacht. Links van hem kwam een luidruchtig groepje tieners langs. Hij ging met gebogen hoofd tussen hen in lopen en drentelde onopvallend mee van het ene perron naar het andere.

In de trein deed hij zijn best om verveeld en ongedwongen om zich heen te kijken. De coupé was vol en het was ondoenlijk om alle gezichten te onthouden, maar hij prentte zich zo veel mogelijk opvallende details in. Eén man had een rare dikke nek. Een vrouw wreef zenuwachtig met haar handen over haar benen, een andere had een heel klein mondje; allemaal dingen waar hij normaal nooit op zou letten.

Op het plein voor Station Holland Spoor stond een groep militairen. De noodtoestand liet zich ook hier gelden. Voor de zekerheid liep hij er in een grote boog omheen.

Gelukkig stond tram 1 naar Scheveningen al klaar. Voor hij instapte maakte hij opnieuw een reeks onverwachte bewegingen. Eenmaal bleef hij, zoals hij dat ooit in een film had gezien, voor een grote etalageruit staan, maar de poging om zo in de spiegeling voorbijgangers te kunnen bekijken liep op niets uit. Zó goed spiegelde het raam ook weer niet en het was gewoon te druk om overzicht te houden.

Hij stapte uit op de Badhuiskade en liep het laatste stuk naar het adres dat Geert Wennemars in zijn briefje had genoemd. De Zeekant. Nummer 104B bleek een appartement bij de boulevard te zijn, éénhoog met uitzicht op de zee. Het waaide flink en de straat bood weinig dekking. Aan de ene kant strekte de loodgrijze zee zich uit. De huizenrij aan de andere kant was een recht blok gevels. Er stonden geen auto's voor de deur waar hij zich achter kon verschuilen. Om toch nog enigszins aan het zicht onttrokken te worden, ging hij half achter een lantaarnpaal staan. Aan de overkant passeerden een paar jonge meiden met grote oorbellen, korte rokjes en grote gymschoenen, die af en toe giechelend naar hem achteromkeken. Peter huiverde bij de herinnering aan het moordmeisje en haar kompanen, gistermiddag op straat.

Met enige gêne besefte hij dat hij geen idee had wat hij nu kon doen. Bij gebrek aan alternatieven leek het hem het beste om gewoon kaarsrecht en in alle openheid naar de deurbel toe te lopen. Maar hij was te laat.

Een traag fluisterende mannenstem beval hem zich vooral niet te bewegen. Gezien het scherpe voorwerp dat hij tegen zijn onderrug aan voelde, leek het hem verstandig aan dat bevel gehoor te geven. Even was het alsof hij weer 's nachts in Amsterdam was, met Lara's vrienden om hem heen.

'Wie ben je en wat doe je hier?' De stem was hees, alsof de man dronken was of te veel gerookt had.

'Peter Vink,' antwoordde Peter automatisch. Nog voor hij het goed en wel gezegd had, baalde hij dat hij zo snel en zonder terughoudendheid geantwoord had.

'Wie ben jíj? Waarom bedreig je me?'

De man gaf geen antwoord.

'Als je dat mes niet gauw weghaalt, roep ik om hulp,' dreigde Peter. Het was geen mes maar een pen die tegen zijn rug gehouden werd, maar dat kon hij niet weten.

Zijn belager toonde zich niet onder de indruk en duwde het scherpe voorwerp nog wat harder in zijn rug, precies tussen twee ruggenwervels in.

Heel voorzichtig, nu!

'Ik vroeg je wat!' siste de man.

'Ik wil iemand spreken,' antwoordde Peter afgemeten. 'Iemand die ik niet ken, maar naar wie ik verwezen ben.'

De druk op zijn rug werd niet verminderd. Dit antwoord was duidelijk niet genoeg.

'Zolang ik niet weet wie jij bent, weet ik ook niet hoeveel ik kan zeggen,' voegde Peter eraan toe.

De man gromde en wachtte.

'Iemand die hier in de straat woont.'

'Wie heeft jou naar deze man verwezen?'

'Dat zeg ik niet voordat ik weet wie jij bent.'

'Geef me een aanwijzing!'

'Die persoon zei dat ik niemand moest vertrouwen!'

Een patstelling, die in Peters voordeel werkte. Hoe langer ze zo zouden staan, hoe groter de kans was dat het iemand zou opvallen en dat die zich ermee ging bemoeien.

De man achter zijn rug besefte dat kennelijk ook.

'Luister goed, jonge dwaas. Zo gauw ik uitgesproken ben, loop je zonder om te kijken het strand op. Daar links voor je staat een prullenbak op het strand. Vlak voor de branding, bij die blauwe parasol, zie je hem?'

Peter knikte.

'Als je daarlangs loopt, wil ik dat je onopvallend iets in die prullenbak gooit. Het maakt niet uit wat. Daarna loop je links langs de branding via die betonnen trap terug over de boulevard, langs die drie geparkeerde auto's daar. En ik wil dat je niet één keer, ik herhaal, niet één keer over je schouders achteromkijkt. Is dat begrepen?'

'Waarom...'

Maar voordat Peter kon tegensputteren of iets kon vragen, was de druk van zijn rug verdwenen en leek de man in het niets te zijn opgelost.

9

Job Slotemaker vervloekte zichzelf dat hij niet zo snel en scherp was als hij wel zou willen. Whisky voor de lunch. Als je in de WAO zit kan dat, maar vroeg of laat word je erdoor gesloopt.

Drie jaar geleden, nog voor zijn veertigste, was hij met vervroegd pensioen gestuurd. Een gouden handdruk en mondje dicht. 'Posttraumatische stress-stoornis' was de diagnose, PTSS. Einde oefening voor Job.

Het was begonnen met heftige nachtmerries. Daarna, ook overdag, onver-wachte paniekaanvallen. Black-outs. Woedeuitbarstingen. Fysiek had hij nie-mand kwaad gedaan, maar onophoudelijke en ellenlange scheldkanonnades zijn ook een vorm van geweld. Hij had het niet in de hand en zag zijn leven in snel tempo afbrokkelen. Ontslag. Vrienden die steeds minder langskwamen en zijn vrouw die op een kwade dag niet meer thuiskwam. Dat laatste vond hij overi-gens niet zo erg – de echtscheiding was snel geregeld – maar al met al bleef er bitter weinig over. Naarmate zijn buik dikker werd en zijn adem viezer, werden zelfs de vriendinnen voor één nacht sporadischer. Alcohol en herinneringen. Als je in de schaduwen opereert, heb je weinig om over te praten.

Hij was een van de jongens geweest, een van de duizenden Nederlandse mili-tairen die op missies naar het buitenland worden gezonden. De één werkte in de keuken, de ander patrouilleerde, een derde zat bij de genie. Iedereen droeg zijn steentje bij. Job had zich aangemeld bij de marine en was ingedeeld bij de Ma-rine Inlichtingendienst. Al snel bleek dat hij goed was in wat hij deed. De beste. Hij kreeg twee eervolle vermeldingen wegens getoonde moed.

Tot dat ene moment, dat fatale moment in Bagdad, waarop hij te laat was, en verlamd als een etalagepop had toegekeken hoe de vrouw haar gordel... dat beeld zou altijd bij hem blijven, hoezeer hij ook zijn werk probeerde te vergeten.

Op het moment dat hij de onbekende man vanachter de lantaarnpaal naar zijn huis had zien loeren, werden al zijn professionele instincten in één keer aange-klikt.

De jongeman oogde als een amateur, maar iedereen die in het vak zit weet dat amateurs soms het allergevaarlijkst zijn. Hun onvoorspelbaarheid maakt dat je niet weet wat je aan ze hebt.

Job had zich razendsnel van het slaapkamerbalkon op de grond laten zakken en was via de achtertuinen naar het zijstraatje geklommen dat, vijf huizen verder, uitkwam op de Zeekant. Van daaruit sloeg hij de jongeman ongezien gade.

Een korte omgevingsverkenning leerde dat hij waarschijnlijk in zijn eentje opereerde. Toen dat eenmaal was vastgesteld, was het vrij eenvoudig hem te overrompelen.

Voor een amateur maakte hij niet eens zo'n heel slechte indruk. Na een eerste onhandigheid had hij zich goed hersteld. En nu liep deze Peter Vink zo'n dertig meter bij hem vandaan. Hij slenterde gespannen door het mulle zand. Tussen de mensen in hun vrijetijdskleren oogde hij als een dissonant, met zijn glimmend opgepoetste schoenen, zijn donkerblauwe maatpak en zijn stropdas, maar dat maakte weinig uit, hij hield zich aan zijn opdracht. Vink negeerde alle badgasten en keek nauwelijks om zich heen, alsof hij diep in gedachten verzonken was. Bij de prullenbak struikelde hij over zijn eigen voeten. Hij pakte zich vast aan de rand van de prullenbak en gooide er een papiertje in.

Dat deed hij goed, vond Job. Het wekte de indruk dat hij het onopgemerkt wilde doen, terwijl het voor iedere prof toch duidelijk zichtbaar zou zijn. Ja, precies goed.

Job had hem inmiddels herkend als die knul van het crisisteam, dat ambitieuze woordvoerdertje. Hij vroeg zich af wat die jongen hier kwam doen. Een boodschapper van Wennemars?

Wennemars was de enige geweest die na zijn ontslag nog af en toe langsgekomen was. Een borrel en een praatje. Job had dat altijd op prijs gesteld. Een handdruk, een schouderklop... dat soort dingen maakt uit.

Niemand van de dienst had de moeite genomen hem van diens dood op de hoogte te stellen; hij had het in de krant moeten lezen. Ze dachten niet meer aan hem, dat was duidelijk.

Eenmaal afgeschreven, altijd afgeschreven.

Job liet hem gaan. De prullenbak, daar ging het om. Als Vink gevolgd werd, zou iemand komen kijken wat hij in de prullenbak gegooid had. Er speelden kleine kinderen in de buurt, mensen scharrelden rond de bak, dus dat zou snel moeten gebeuren. Genoeg mogelijkheden om te kijken wat erin zat. Om een briefje eruit te halen. Zo zou Job het doen.

Gespannen hield Job de prullenbak in de gaten. De eerste twee minuten gebeurde er niets.

Toen naderde een vrouw de prullenbak. Ze droeg een kleine, knalrode rugzak en had rubberlaarzen aan. Een vreemde verschijning; Job maakte voor de zekerheid een foto. Maar ze liep door zonder te kijken.

Een meeuw landde op de bak, probeerde er tevergeefs iets eetbaars uit te pikken en vloog weer op. Dat was alles. Niemand was in de prullenbak geïnteresseerd. Zijn bezoeker was brandschoon.

Hij trok een snelle sprint naar zijn auto, die een kleine honderd meter verderop stond. Vroeger was het vanzelfsprekend geweest dat de auto meteen startte. Indertijd had hij het zich niet kunnen veroorloven onzekerheden op dat vlak te accepteren, maar nu was dat al een paar maanden helemaal niet zo vanzelfsprekend meer. Ook dit, besefte hij, zou gauw weer anders moeten.

De auto startte gelukkig meteen.

'Stap in!'

Het was dezelfde hese stem, nu vanuit een auto die stapvoets naast hem was komen rijden.

Nadat Peter het briefje in de prullenbak gegooid had, was hij doorgelopen, precies zoals de man met het mes hem had opgedragen. Zijn schoenen zaten vol zand en hij had geen idee wat er ging gebeuren. Misschien niets. Misschien zou hij morgen of overmorgen opeens door Slotemaker worden opgebeld of aangesproken. Het kortaf uitgesproken bevel kwam in elk geval veel sneller dan verwacht.

Het portier stond open en hij ging zitten. Rustig trok de auto op.

Voor het eerst kon hij de man van wie hij dacht dat het Job moest zijn, goed bekijken. Hij viel eerlijk gezegd nogal tegen. In bijna alle opzichten was het een gemiddelde man: niet lang, niet kort; niet te oud, niet te jong; niet bijster fit of sportief, maar ook niet al te houterig of ongezond. Hij had een ongeschoren gezicht, een beginnend buikje en een smoezelig overhemd.

De man negeerde hem volledig. Hij reed als een taxichauffeur, zijn ogen strak op de weg of in het spiegeltje. Pas toen ze een flink aantal straten en vooral ook afslagen verder waren, keek de man hem aan.

'Goed, vertel je verhaal.'

Geen verontschuldigingen voor het mes in zijn rug en ook geen beleefde zinnetjes om hem op zijn gemak te stellen.

'Voordat ik dat doe,' zei Peter, 'wil ik eerst zeker weten wie je bent.'

Tot zijn verbazing deed de man daar niet moeilijk over. Hij trok een portefeuille uit zijn achterzak en hield Peter zijn rijbewijs voor.

Naam en foto klopten. Job Slotemaker.

En dus ging Peter praten. In korte, afgemeten zinnen vertelde hij over zijn contact met Wennemars, vanaf het begin van de vergadering en het onthutsende gesprek buiten voor het ministerie tot aan de moord en het briefje in het sigarettenpakje.

'Kortom, het zegt mij niets, maar jou hopelijk wel: de man in het klooster,' besloot hij zijn verhaal. 'Daar moest ik je aan herinneren.'

Slotemaker had hem niet één keer onderbroken. Hij kon goed luisteren. Na nog een minuut zwijgend gereden te hebben, stopte hij vrij abrupt bij een bushalte en liet Peter uitstappen.

'Doe voorlopig niets. Doe gewoon,' droeg hij Peter op. 'Ga normaal naar je werk, maar hou je ogen open. Praat hier verder met niemand over en wacht tot ik contact met je opneem.'

'Het kan best zijn dat je in de gaten wordt gehouden. Als dat zo is en je komt daarachter, laat er dan niets van merken. Je bent een hardwerkend man,' had Job benadrukt, 'en mensen die onder veel stress staan, maken sneller fouten en praten ongewild hun mond voorbij. Zorg ervoor dat je je voldoende ontspant. Wijk niet af van je routine. Doe wat je normaal zou doen. Ga naar bed met je vrouw of je vriendin. Drink een pilsje voor de televisie.'

Maar Peter had geen vrouw en met zijn laatste vriendin had hij het al twee maanden geleden uitgemaakt. Hij besloot om komend weekend in elk geval weer te gaan voetballen, zoals hij dat jaren gewend was. Het sloeg nergens op, voetballen terwijl de wereld om hem heen op springen stond, maar voor de buitenwereld was dit waarschijnlijk het meest 'gewoon'.

De volgende ochtend om kwart voor elf zat hij als vanouds op een hoek van het bureau van Angela, met een kop koffie in zijn hand. De ochtendkrant lag half opengeslagen op zijn schoot. Het was een goed moment om zijn nieuwe voornemen te toetsen.

'Ik heb al een stuk minder pijn van die kloppartij met die straatjongeren. Het wordt tijd dat ik het gras weer eens onder mijn voeten voel. Ik denk dat ik deze week maar weer ga voetballen.' Hij wierp een snelle blik op haar gezicht om te zien hoe ze hierop reageerde. Angela, die bezig was een stapel oude rapporten uit te sorteren, glimlachte zwijgend.

'De boog kan niet altijd gespannen zijn,' mompelde hij er bij wijze van uitleg achteraan.

Tot zijn verbazing knikte ze instemmend.

Ze waren dit soort informele pauzes in de loop der jaren gaan waarderen. Het waren ontspannen kletspauzes, meer als vrienden onder elkaar dan als collega's. De eerste paar keer had het Angela verward dat haar baas zo bij haar kwam zitten. Ze had het als een onbeholpen versierpoging gezien en had serieus overwo-

74

gen een relatie met hem te beginnen. Peter was een knappe man en veel aardiger dan je op het eerste gezicht zou zeggen. Het was er nooit van gekomen. Af en toe bedacht ze dat ze het gewoon moest doen. Een hand op zijn schouder, iets meer warmte in haar stem... Zonder al te veel nadruk, voorzichtig...

Peter was zich van dit alles niet bewust.

De krantenkoppen trokken zijn aandacht. De minister-president had voor de derde dag op rij een toespraak gehouden waarin hij uitlegde waarom de noodtoestand was uitgeroepen en waarin hij 'alle burgers van Nederland' opriep tot kalmte. Op de foto waren naast de premier, schuin achter een hele batterij microfoons, nog net de in het flitslicht van de camera's oplichtende brillenglazen van Klaas Bol te zien.

Ook over het verhaal van de 'sojaroof' bleef de pers maar schrijven. Nederland, dat kleine kikkerlandje dat dankzij zijn megastallen met miljoenen varkens, mestkalveren en kippen meer dan enig ander land door de hamsterwoede van de Chinezen werd getroffen, had bij de internationale gemeenschap geklaagd over wat de diplomaten de contractbreuk van de Argentijnen en Brazilianen noemden.

Maar de geschiedenis lag bezaaid met gebroken beloften. Ze hoorden er nu eenmaal bij, ook als het om wereldwijde honger ging. In een kort artikeltje werd de hoogste baas van de FAO, directeur-generaal Jacques Diouf, aangehaald. Die had jaren geleden al gesproken over een 'dramatische wereldvoedselsituatie', waarbij keer op keer 'eerdere beloften om de honger in de wereld uit te roeien niet zijn ingelost'. De commentatoren in het buitenland toonden dan ook weinig begrip voor het geweeklaag van de Nederlandse regering.

Een van de vaste columnisten van de krant wees erop dat mensen in landen als Ethiopië inmiddels televisie en internet hadden en dat ook de hongerige families in Afrika de sensationele televisieprogramma's konden zien waarin moddervette westerlingen, met patat in de handen, tranen met tuiten huilden omdat ze het zo moeilijk vonden om af te vallen. Die families wisten ook dat de Nederlanders peultjes uit Zimbabwe kochten, sperziebonen uit Senegal, aardappelen uit Marokko, broccoli uit Italië en Egypte en worteltjes en witlof uit Spanje, alleen maar om elk seizoen hun decadente eetgewoonten te kunnen voortzetten.

En wat denk je, vroeg de columnist met de voor hem zo gebruikelijke cynische ondertoon, dat wij Hollanders met dat eten doen? Van de zeshonderd kilo voedsel die de gemiddelde Nederlander vóór het uitbreken van de huidige graancrisis per jaar consumeerde, gooide hij maar liefst 125 kilo weg! Hoeveel hongerige mensen zou je alleen al met dit zogenaamde afval kunnen voeden?

'Gaat het een beetje?' vroeg Angela, die naast hem was komen staan.

Peter schrok op. 'Wat?'

'Met je verwondingen, bedoel ik, en... nou ja, na Wennemars en zo.'

Peter haalde zijn schouders op en probeerde zich er met een grapje van af te maken. 'Zolang jij van die heerlijke koffie voor me maakt, ben ik volmaakt gelukkig!'

Ze liet zich niet door zijn gespeelde nonchalance van de wijs brengen. 'Als er iets is, wat dan ook, kun je altijd bij me aankloppen, Peet. Dat weet je toch, hè?'

Het was de eerste keer dat ze hem Peet noemde, maar ook dat ging aan hem voorbij.

Zijn bezoek aan Job Slotemaker was niet voor niets geweest. Op verschillende plekken, allemaal ver van Peter Vink vandaan, werden de tandwielen in beweging gezet.

Dat begon in Langley, Virgina, in het hoofdkantoor van de Central Intelligence Agency, beter bekend als de CIA.

Het telefoontje kwam binnen op een geheime lijn, via een nummer dat gereserveerd was voor intern overleg tussen inlichtingendiensten van de NAVO.

De verbindingsofficier nam aanvankelijk ontspannen en geroutineerd op. 'Goedemiddag, wachtwoord en code graag.'

'Ja, hallo! Ik weet dat u de dagcodes van me wilt horen, maar die heb ik niet. Het is echter van levensbelang dat u me toch even aanhoort.'

De verbindingsofficier drukte onmiddellijk op een van de knopjes op het schakelpaneel voor hem. Drie van zijn collega's, onder wie zijn directe chef, lieten hun werk voor wat het was en luisterden mee. Een van hen typte het gesprek, dat natuurlijk ook werd opgenomen, meteen op de computer in.

'Mag ik uw naam en functie, alstublieft?'

'Nee, hoor eens, geef me één minuu...'

Job Slotemaker kende het juiste telefoonnummer van eerdere operaties, maar hij had niet de beschikking over de codes van de dag. Bovendien wilde hij zijn naam niet zeggen, uit vrees dat de CIA op basis van het protocol contact met de AIVD zou opnemen vóórdat hij had kunnen uitleggen waarom dat in dit geval niet verstandig was. Geen naam. Geen land van herkomst.

'Hoe bent u aan dit nummer gekomen, meneer?'

'Het is noodzakelijk, ik herhaal, noodzakelijk dat ik zo spoedig mogelijk in contact kom met officier Ron Coldman. Over precies een uur na nu bel ik terug. Dan wil ik hem aan de lijn hebben.'

'Meneer, we zullen toch eerst uw naam en functie moeten hebben.'

'O, *shut up*! Ik weet dat jullie dit gesprek opnemen, zodat jullie het rustig terug kunnen luisteren. Praat er niet doorheen! Hier mogen geen misverstanden over ontstaan. Het is absoluut noodzakelijk dat ik officier Coldman zo snel mogelijk spreek. Doe niets met dit gesprek voordat dat contact gelegd is. Over precies een uur, nee, 58 minuten na nu, bel ik jullie terug.'

En daarmee was de verbinding verbroken.

Het was een nogal onbeholpen methode, dat besefte Slotemaker zelf ook wel, maar veel alternatieven had hij niet.

Wennemars had weinig gegevens aan Peter Vink doorgegeven, maar hij was duidelijk íéts op het spoor geweest. Een probleem. En binnen het Nationaal Crisis Coördinatieteam én zijn eigen AIVD had hij niemand vertrouwd. Job had voldoende zelfkennis om te weten dat hij, in zijn toestand, niet de eerst aangewezen persoon was om een wereldwijd complot aan te pakken. Het feit dat Wennemars Peter Vink naar hem toe had gestuurd, betekende dat hij echt niemand anders kende die hij kon vertrouwen.

'De man in het klooster' was een heldere aanwijzing geweest. Daarmee kon alleen CIA-agent Ron Coldman worden bedoeld, 'de Monnik van Langley' zoals hij ook wel werd genoemd. Het probleem lag hem in het leggen van het eerste contact.

Aanvankelijk had Slotemaker geen enkele manier kunnen bedenken om met Coldman in gesprek te komen zonder dat de AIVD daarvan op de hoogte zou worden gesteld. Een telefoontje dat naar Nederland getraceerd kon worden was te risicovol. De voorschriften binnen de meldkamer van de CIA zouden er zonder twijfel toe leiden dat er een standaardmelding naar de Nederlandse inlichtingendienst zou gaan, als het al niet een verzoek om bijstand was om deze rare anonieme snuiter, die kennelijk over vertrouwelijke telefoonnummers beschikte, op te sporen.

Geen enkele situatie is zonder hoop. Als dat ene zinnetje er niet geweest was, had hij het waarschijnlijk opgegeven. Maar hij had zelf over de hele wereld inlichtingenmensen opgeleid en het er bij hen steeds weer ingestampt. 'Er is altijd een uitweg, daar gaat het om als je dit vak verstaat. De fijne kneepjes. Er zijn altijd trucjes, technieken waarmee je levens kunt redden.'

Behalve die ene keer. De vrouw met de boerka. Hij had haar gezien toen ze de bus uit stapte, hij had gewéten wat er zou gebeuren... waar waren zijn trucjes toen gebleven?

Eén keer in zijn leven had hij te traag gereageerd, en dat had het leven van drie van zijn kameraden gekost en zeven onschuldige burgers daarbij. De beelden van afgescheurde ledematen bleven hem achtervolgen, op de ongelukkigste momenten kwamen ze weer in hem op. Maar Job Slotemaker wilde niet langer toegeven aan angst of waanzin. Deze keer zou hij het er niet bij laten zitten.

Wennemars had volgens Peter Vink gesuggereerd dat er iets met het virus zelf niet in de haak was, maar wat moest hij, Job, daarmee? Moest er echt aan biologische oorlogsvoering worden gedacht en was het virus ontwikkeld en uitgezet door Al-Qaida of een andere terreurgroep? Zonder extra informatie waren deze vragen niet te beantwoorden.

De boer met de drie aan hun achterpoten bij elkaar gebonden kippen onder zijn arm... de vrouw met de boerka... de twee tieners... zijn eigen mensen... De vrouw met de boerka wist waar ze mee bezig was. Zij deed waar ze voor gekomen was. Een vuile blik naar Job en een ruk aan het touwtje om haar middel. Ze werden uiteengereten...

Het was te groot, te veel voor hem. Ron Coldman moest het maar overnemen. Als die tenminste niet ook al was ontslagen.

Hij keek op zijn horloge: nog zeventien minuten.

In Langley was nog geen groen licht gegeven om Coldman daadwerkelijk te benaderen.

Een snelle eerste check leerde dat de telefoonverbinding via een Afrikaanse website tot stand gebracht was. De kans was klein dat ze binnen afzienbare tijd zouden kunnen achterhalen vanuit welk land, laat staan vanaf welke precieze locatie, de beller contact had gelegd. Het zou minstens een uur duren voordat op basis van stemanalyse zijn nationaliteit met zekerheid zou zijn achterhaald.

'Nog dertien minuten,' klonk het door de analistenkamer, waar het 'dossier' inmiddels naar was doorverwezen.

'Waar is Coldman?' werd er gevraagd.

Een computer werd geraadpleegd.

'In Europa. Details zijn... shit... *Classified*.'

'Niks classified, verdomme. Bel naar boven. Nu!'

De klok toonde geen compassie. 'Nog negen minuten.'

Dit was precies het soort zaken waar de analisten van de CIA zo'n hekel aan hadden. De procedures boden geen houvast en afdoende informatie ontbrak. Je kon er niets mee. Maar als er opeens ergens een aanslag werd gepleegd: o wee als de anonieme beller hen juist daarvoor had willen waarschuwen!

'Permissie!' klonk het opgelucht. In razendsnel tempo werden de vrijgegeven wachtwoorden in de computer ingevoerd.

'Hier! Ik heb het... Europa... een momentje.'

'Acht minuten.'

'Bingo. Hij zit in Bratislava, Slowakije. Oproepcode...'

De Monnik was bereikbaar. En ja, hij wilde de spreker wel te woord staan.

Intermezzo

Er waren honderden mensen naar de begraafplaats gekomen om Geert Wennemars de laatste eer te bewijzen. De minister-president sprak enkele woorden over 'een leven van dienstbaarheid' en de moed en toewijding die Wennemars tijdens zijn loopbaan had getoond.

Hij vroeg er begrip voor dat hij het noemen van concrete voorbeelden achterwege liet ('inlichtingenwerk speelt zich nu eenmaal per definitie in de schaduw af'), maar verzekerde de toehoorders dat Wennemars' kennis, empathie en doorzettingsvermogen in talloze lastige en soms gevaarlijke situaties van onschatbare waarde voor het land bleken.

Vanwege de enorme drukte kon Peter het niet goed verstaan. Hij stond met alle andere toeschouwers dicht opeengepakt op de lange strook gras, langs het pad dat van de kapel naar het graf voerde. De zon strooide aarzelend een gouden tint over de zee van rouwende, in het zwart geklede mensen.

Het was een indrukwekkende bijeenkomst vol tranen en gebed. Wennemars was een trouwe kerkganger geweest; iets wat Peter niet wist, maar hem op de een of andere manier heel diep ontroerde.

Vlak voor de teraardebestelling trad de weduwe naar voren, een rijzige journaliste, Jacqueline Schuurman genaamd, die uitgebreid vertelde over de manier waarop ze haar man had leren kennen. 'We ontmoetten elkaar in de Bijenkorf. Hij was een heer, een echte vent en vooral een heel lieve, lieve man.'

Daarna trad een vriend van de familie met een trompet naar voren. Onder droeve koperklanken liet men de kist de grond in zakken.

In een kort item van nog geen vijftien seconden toonde de televisie daar opnamen van op het journaal.

De weduwe bleef alleen achter.

DEEL 2

10

In 2005 deed de AIVD onderzoek naar de illegale verkoop van nucleaire techno-
logie vanuit Nederland naar Pakistan. Geert Wennemars was toen al hoofd van
deze dienst en gaf opdracht onopvallend microfoons en camera's in de woning
van een verdachte Nederlandse zakenman te installeren. Binnen enkele dagen
konden ze precies filmen wat er zich in en rond het huis van de verdachte afspeelde.

Tot hun grote verbazing zagen ze een team van de CIA in beeld verschijnen,
Amerikaanse agenten die ijskoud het bewuste pand binnen gingen. Zo werd duidelijk dat de CIA, buiten medeweten van de Nederlandse regering en de collega's
van de Nederlandse veiligheidsdiensten om, operaties in Nederland uitvoerde.
Dit was tegen alle afspraken in en werd niet gewaardeerd. De gezamenlijke hoof-
den van de Nederlandse veiligheidsdiensten zeiden hun vertrouwen op in Ron
Coldman, die in die dagen de Nederlandse *station chief* van de CIA was. Hij werd
gesommeerd het land binnen 48 uur te verlaten. Achter de schermen van diplomatieke verontwaardiging en boze woorden had Wennemars echter begrip gehad voor de opstelling van zijn Amerikaanse partner. De twee hadden een goede
werkrelatie opgebouwd en bleven sindsdien contact met elkaar houden.

Coldman werd op zijn eigen verzoek in Centraal-Europa gestationeerd, tussen
de verweesde communisten, de moordende Serviërs en de Russische maffiosi.
Coldman hield van dit gebied met zijn rijke, fascinerende geschiedenis en de
bonte verzameling aan tradities, talen en volken. Warschau was min of meer zijn
thuisbasis, als hij tenminste niet in Langley met zijn neus in de rapporten zat,
maar daar was hij al een tijdje niet geweest. Vage geruchten, een rondzingende
naam en een valse creditcard hadden hem ruim een week geleden naar Bratislava geleid.

Hij was op jacht naar een internationaal netwerk van machtige criminelen die
keer op keer aan vervolging wisten te ontsnappen. Het Syndicaat – zoals dit netwerk genoemd werd – zou aan de bron van de voedselcrisis staan. Hoe, kon

niemand zeggen. Het leefde van de ellende van anderen, van de weeffouten van de moderne economie, die naast winnaars nu eenmaal altijd ook verliezers kent. Niemand wist wie er aan het hoofd van deze organisatie stond, niemand wist hoeveel mensen er deel van uitmaakten en niemand wist hoe ze contact met elkaar onderhielden. Vermoedens waren er genoeg, maar die waren dermate vaag dat zelfs organisaties als Interpol en de CIA er geen brood van konden bakken. Coldman schrok daar niet voor terug.

Hij nam zijn intrek in een oud, vervallen hotel net buiten de oude binnenstad van Bratislava. De communistische hoogtijdagen hadden het hotel geen goed gedaan. De hoge plafonds met protserige kroonluchters vertoonden schilfers, vochtplekken en scheuren. Alles stortte een beetje in; ongeveer zoals zijn eigen lichaam. Want ook Coldman zelf was aan slijtage onderhevig; zijn gezicht vertoonde met de dag meer rimpels en hij kon zich de dag nauwelijks herinneren dat hij nog haren op zijn hoofd had.

In de aangrenzende badkamer lekten dof gekleurde kranen van nepgoud mistroostig als huilende weduwen en het hoogpolige tapijt was in geen jaren schoongemaakt. Het had een vreemd soort schoonheid.

Coldman hield van dit soort plekken. Hij zag de verhalen achter de scheuren. Waar anderen Bratislava afdeden als een grauwe, grijze stad waar weinig te beleven viel, ervoer hij het als een oase, een parel aan de Donau.

De communisten hadden een gebroken volk achtergelaten. Persoonlijk initiatief was generaties geleden uitgebannen en de gedachte dat je je lot in eigen hand kon nemen, ging er bij de meeste mensen niet meer in. De hongersnood die nu als gevolg van het graanvirus was uitgebroken, verraste hen ook helemaal niet. Dit was niet meer of minder dan de volgende episode in een reeks klappen die de geschiedenis aan hen had toebedeeld.

In deze druilerige werkelijkheid kropen de kapitalisten uit het Westen langzaam naderbij. Een snelle jongen met slinkse plannen en een vlotte babbel kon in deze omgeving veel verdienen. Mensen waren eraan gewend te worden opgelicht en boden weinig weerwerk. Het geld lag bij wijze van spreken voor het oprapen.

De man die zich Derrick noemde had daar kennelijk gebruik van willen maken. Maar elektronische overboekingen vinden zelden ongemerkt plaats en het gebruik van een valse creditcard had alarmbellen doen rinkelen die tot ver over de grenzen werden gehoord.

Als een steppewolf was Coldman de stad in geslopen, het geurspoor volgend van zijn intuïtie.

De Monnik zat op de rand van het hotelbed. Het matras was dik en veel te zacht, zoals in zoveel Slowaakse hotels, maar dat leek hem niet te deren.

Hij zat volkomen roerloos, in kleermakerszit met zijn benen gevouwen en zijn rug kaarsrecht. Afgezien van zijn uiterlijk, waarvan vooral zijn kale schedel hem een religieus aureool verleende, was het deze eigenschap waaraan hij zijn bijnaam te danken had: zijn gewoonte om soms urenlang zo stil te zitten. 'Coldman mediteert' werd er wel gezegd, maar dat was niet waar. Coldman deed niets. Dat was alles.

Hij had een seintje gekregen dat zijn gast gearriveerd was. Job Slotemaker, de getraumatiseerde Nederlandse ex-militair die hem via het hoofdkantoor telefonisch had weten te bereiken, zat beneden in de hal van het hotel op hem te wachten.

De twee jongens die in dezelfde trein als Slotemaker via Frankfurt naar Wenen waren gereisd, waren achttien jaar, lefgozertjes uit de stal van Arie Roozendaal. Arie hield ervan om met dit soort jongelui te werken. Hij had er honderden van achter de hand; ze stelden geen vragen, waren zo geslepen als de haaien en konden niets verraden als het misliep.

Ze wisten niet wie hun baas was, omdat ze via de gebruikelijke tussenpersonen benaderd waren. Reis- en verblijfskosten, honderd euro zakgeld en wat ecstasy. Een reisje voor de kick.

Ze hadden een compositietekening van Coldman op zak, gemaakt aan de hand van het ooggetuigenverslag van de receptioniste in het oude hotel van Derrick. Het vel papier toonde een kale man met flaporen en vriendelijke rimpeltjes rond zijn ogen. Een scherpe, wat harde neus en een vrij volle mond daaronder. Het zag er allemaal wat karikaturaal uit, en je zou nooit denken dat er in het echt iemand kon bestaan die er zo uitzag, maar hier moesten ze het mee doen. Hun opdracht was simpel: vind de man die hier getekend is, maak een foto en blijf uit de buurt.

Ze kregen een tip mee: concentreer je op hotels en krantenkiosken. Buitenlanders verraden zichzelf altijd als ze een krant uit hun vaderland willen lezen. En bedenk een smoes voor het geval iemand je in een hoek drijft.

Een weddenschap, zouden ze zeggen. Een vriend van een vriend heeft een willekeurig iemand getekend. Hij hield vol dat hij zo goed kan tekenen dat we de persoon meteen zouden herkennen. Wij geloofden daar natuurlijk niets van.

Terwijl de trein door Duitsland reed, had Kevin, de brutaalste van hen, een joint gerookt. Wel geinig vonden ze dat. Ze hadden de mensen in de coupé geen blik waardig gekeurd, behalve die ene mooie meid, natuurlijk. Maar die was al snel naar een ander treinstel gelopen.

Job Slotemaker, die een paar banken verderop zat, was in hun ogen een van die saaie, grijze burgermannetjes van wie er dertien in een dozijn gaan. Ze vonden hem niet interessant en hadden geen reden gehad om op hem te letten.

Waarschijnlijk zou hij hun zijn opgevallen als ze alle drie in de aansluitende trein naar Bratislava waren gestapt. Maar Job stapte in Wenen uit en verliet zonder verder op of om te kijken het station. Het was een routine die hij tijdens zijn vele jaren veldervaring had ontwikkeld: nooit rechtstreeks naar je bestemming gaan.

Tot hun grote hilariteit liepen de twee in de trein naar Bratislava de mooie meid weer tegen het lijf, die geprobeerd had hun te ontlopen. Wat onwillig ging ze een gesprek met hen aan. Ze werkte als schoonmaakster in een benzinestation in Frankfurt en was nu op weg naar haar ouders, die in een klein dorpje in het Tatragebergte ten noordoosten van Bratislava woonden. En ja, ze had een vriend. Dat maakte haar meteen een stuk minder interessant. Toen ze vervolgens in alle ernst over haar toekomstplannen begon te vertellen, was de lol er voor hen snel af.

Bratislava sprak hen ook niet aan. Het station oogde als een reusachtige metalen sandwich, een dubbel geklapte boterham van glas en beton, en dat was het enige in de wijde omgeving dat enigszins aan eten deed denken. De kraampjes waren dicht, de stationsrestauratie was gesloten en de automaten waar je normaal Marsen en Snickers uit kon halen, waren leeg. De vrouwen waren onaantrekkelijk in hun goedkope, grauwe kleren en er liep overal politie op straat. Ze waren het erover eens dat dit een klus was die zo snel mogelijk geklaard moest worden, zodat ze meteen weer rechtsomkeert naar Amsterdam konden maken.

Koot, de kleinste van de twee, die een tijd in de Achterhoek gewoond had en dus redelijk goed Duits sprak, hield de tekening aan alle krantenverkopers op het station voor, maar ving bot. Met een plattegrond van de stad in hun hand, begonnen ze vervolgens systematisch alle hotels in het centrum af te gaan.

Het Syndicaat keerde de rollen gewoon om. Zij zaten achter de man aan die achter Derrick aan zat. De jager was een prooi geworden.

'Geen licht en geen schaduw,' had Slotemaker geëist, maar ze wisten beiden dat die eis niet ingewilligd kon worden. Natúúrlijk zou de bezoeker worden geschaduwd. Nog voor hij voet op Slowaakse bodem had gezet, zouden er al foto's van hem zijn gemaakt. Als de man de professional was die hij claimde te zijn, wist hij dat de CIA nooit over één nacht ijs ging.

Er werd op de deur geklopt. In een vloeiende beweging kwam Ron Coldman overeind. Met één hand om de kolf van het pistool dat hij onder zijn jasje in een schouderholster verborgen hield, liep hij naar een hoek van de kamer.

'De deur is open!'

De man kwam rustig binnen; beheerst en met ogen die alles zagen.

Coldman wees zijn gast naar een stoel, midden in de kamer, goed zichtbaar onder de lamp, en bleef zelf met zijn rug tegen de muur staan.

'Vertel.'

De deur naar de badkamer stond open. Slotemaker controleerde of er niemand was. Vervolgens pakte hij de stoel en verschoof die zo dat ook hij overzicht over de hele kamer had.

'Voor ik praat, wil ik uw verzekering dat niemand dit gesprek afluistert en dat u vertrouwelijk zult omgaan met wat ik ga zeggen.'

'Waarom?'

'Dat u opnamen maakt, kan ik begrijpen, maar ik wil dat u na afloop zelf beoordeelt aan wie u die laat horen. Niet nu meteen. Niet rechtstreeks.'

Coldman aarzelde.

'Nogmaals, waarom?'

'Dat wordt duidelijk wanneer ik mijn verhaal vertel. Ik vraag het niet voor niets.'

Het was een redelijk verzoek.

'Je hebt vijftien minuten,' zei Coldman.

'Ik ben een oud-collega van Geert Wennemars, nou ja, vanuit de Marine Inlichtingendienst dan. En ik heb goede redenen om aan te nemen dat u met hem samenwerkte. Weet u dat Wennemars dood is?'

Geen reactie. De Monnik knipperde niet eens met zijn ogen.

'Hij is op straat vermoord. Hij zag het aankomen en is er op het laatste moment nog in geslaagd mij via een tussenpersoon een berichtje toe te spelen waaruit blijkt dat hij bij een zaak betrokken is waar hij zijn eigen mensen binnen de inlichtingendiensten niet in vertrouwt. En niemand binnen de Nederlandse regering. Misschien ook niemand binnen Interpol of MI6 of de CIA. Alleen mij en u. Dáárom wil ik niet dat anderen met dit gesprek meeluisteren. Ik denk dat Wennemars wilde dat wij gaan samenwerken.'

Job vouwde zijn handen open en zweeg. Hij hield er niet van tegen iemand te praten die niets terugzei. Geen enkele agent houdt ervan meer informatie te geven dan hij terugkrijgt.

'Wat is je naam?' vroeg de man na een minutenlange stilte. Hij wist het antwoord, maar gebruikte de routine van vraag en antwoord om het gesprek op gang te brengen.

'Job Slotemaker.'

'Functie?'

'Ik was marinier, inlichtingenofficier, veldtrainer, reiziger...'

'Je wás?'

'Ja, het is verleden tijd. Ik ben afgekeurd en ontslagen. Ziektewet. Posttraumatische stressstoornis.'

Job vertikte het zich voor zijn ontslag te schamen.

'Geen al te sterke geloofsbrieven,' merkte Coldman droogjes op.

'Ik heb geen geloofsbrieven nodig. Wennemars heeft me iets gevraagd. Dat is wat ik doe. U weet wat er gaande is, niet ik.'

Coldman veroorloofde zich voor het eerst een flauwe glimlach.

'Was alles maar zo simpel.'

De één was voorzichtig en de ander wilde niet te veel toegeven. Geen al te beste basis voor overleg. Maar juist daardoor ontstond er een merkwaardige sfeer van saamhorigheid. Ze zaten in hetzelfde schuitje. Twee collega's onder elkaar.

'Waar was Geert Wennemars mee bezig?' vroeg Job. 'Waarom vertrouwde hij zijn eigen collega's niet? Míjn oud-collega's. Waarom kon hij zelfs zijn eigen ondergeschikten niet vertrouwen?'

De vragen bleven een tijdje doelloos in de ruimte hangen. Het was duidelijk dat de Monnik ze niet zou beantwoorden.

'Is Job Slotemaker je echte naam?'

'Ja.'

'Wie was die tussenpersoon die Wennemars heeft ingeschakeld?'

'Dat is de woordvoerder en landbouwdeskundige van het Nationaal Crisis Coordinatieteam. Een soort Nederlandse noodregering in crisistijd. Vink is zijn naam. Hij heeft geen benul van waar hij in verzeild geraakt is. Ik trouwens ook niet. Daarom zit ik hier. Ik heb geen keus.'

11

De oude Hamsterwet uit 1962 was uit de mottenballen gehaald. Hij was opge-
poetst, van alle kanten bekeken en vervolgens weer weggelegd. Juristen doken
een Noodwet voedselvoorziening op die nog veel bruikbaarder was. Op basis
van deze wet kon Klaas Bol regels vaststellen met betrekking tot, zo viel letterlijk
in het wetboek te lezen, *het telen, kweken, fokken, vangen, broeden, bereiden, ver-
vaardigen, oogsten, voorhanden hebben, in voorraad hebben, bewaren, opslaan,
inzamelen, bewerken, verwerken, gebruiken, verbruiken, voederen, verpakken,
slachten, vervoeren, aanvoeren, veilen, ontvangen, afleveren, te koop aanbieden,
kopen en vervreemden van alle voortbrengselen welke, al dan niet na bewerking of
verwerking, kunnen dienen als voedsel voor mens of dier, alsmede de bij bewerking
of verwerking van die voortbrengselen verkregen derivaten of afvallen.*

De schrijvers van deze wet hadden zich ongetwijfeld suf vergaderd over de
precieze woordkeuze en je kon je afvragen of er iemand was die precies kon
overzien wat er allemaal stond, maar het kwam erop neer dat Bol en de zijnen zo
ongeveer alles konden doen wat ze zelf nodig vonden, van het introduceren van
voedselbonnen tot het aanleggen van pakhuizen met voorraden voor de komende koude wintermaanden.

De grootste problemen werden voorzien in de grote steden. Op het platteland,
waar veel mensen ruimte hadden voor een moestuintje en waar ze het bos in
konden om kastanjes, eikels of andere eetbare vruchten, bollen en zaden te zoeken, zouden de meeste mensen de winter waarschijnlijk vrij eenvoudig overleven. Boeren was een meldingsplicht opgelegd van alle voorraden die ze in huis
hadden. Theoretisch zou elke suikerbiet, aardappel, boon of kip gemeld moeten
zijn, maar daar hielden maar weinigen zich aan. In verborgen hoeken achter in
de stal en in haastig gegraven ondergrondse hutten werden flink wat appeltjes
voor de dorst bewaard. Stadsbewoners die familie of vrienden op het platteland
hadden, waren daarom relatief goed af. Maar het merendeel van de grotestads-
bewoners had geen plattelandsvrienden om op terug te vallen.

Voor een gemiddeld gezin waren er onvoldoende groenten en zuivelproducten om het gemis aan graanproducten op te vangen. Kinderen mochten blij zijn met een paar bonen of een hap spinazie bij het ontbijt, een aardappelkoek als lunch en 's avonds opnieuw wat aardappelen en groenten. Het probleem was natuurlijk dat iedereen sinds het uitbreken van de graancrisis van de ene dag op de andere massaal groenten was gaan kopen, waardoor deze voorraden snel uitgeput raakten. Klaas Bol had een rem op de verkoop gezet om ook voor de komende maanden nog wat eten te hebben. Het motto van de regering werd: de honger zo goed mogelijk verdelen. Samen komen we er wel uit. De voedselbonnen boden enige verlichting, maar maakten wel dat de mensen elke dag opnieuw vele uren in de rij moesten staan. Met name werklozen, arbeidsongeschikten, ouderen, zieken en mensen als Carolien en Jasper, die van een laag loon rond moesten zien te komen, hadden het moeilijk. De rijken kochten gewoon in via de zwarte markt.

De honger eiste een steeds zwaardere tol. De aanvankelijke opwinding maakte plaats voor een moedeloosheid die men voorheen alleen kende van foto's van arme mensen uit verre landen. Een lege blik in de ogen. Lusteloosheid. Met onder de oppervlakte een smeulende woede. Nederland raakte in schrikbarend korte tijd zijn gezapige welvaart kwijt en begon op een hulpbehoevend ontwikkelingsland te lijken, met alle spanningen en zorgen die daarbij komen kijken.

Carolien wist dat de weeën elk moment konden beginnen en maakte zich grote zorgen. Ze voelde zich slap en hongerig. Jasper werkte zo hard hij kon, hij maakte overuren en beunde daarnaast nog drie avonden per week bij, maar zelfs dan konden ze het schaarse voedsel dat nog in de winkels lag nauwelijks betalen. Het eten dat ze met hun bonnen bij het nooddistributiecentrum in de straat konden halen, was goed maar veel te weinig. Zo vlak voor de bevalling zouden haar borsten vol moeten zijn en strak moeten staan van de melk, maar ze gingen steeds meer hangen, slap en leeg. Zelfs met het extra eten dat Lara haar regelmatig toestopte, kreeg ze bij lange na niet genoeg binnen.

Het behoorde inmiddels tot haar dagelijkse ritueel om in de rij te staan bij de voedselbank. Anderhalf uur van gezanik en gezeik. Want wie er ook voor je, achter je of naast je stond te wachten, iedereen had wel iets om over te klagen. Buikpijn, spierpijn, rugpijn... Mannen die ontslagen waren van hun werk omdat ze, verzwakt door honger en door ziekten, te traag waren of te vaak met koorts op bed hadden gelegen zonder dat de baas daar begrip voor had. Mensen waren geprikkeld en begonnen om het minste of geringste met elkaar te bekvechten.

Vandaag leek de rij weer langer dan gisteren. Voor haar zag Carolien niets dan paraplu's en natte regenjassen; vanwaar ze nu stond, kon ze het gebouw van de voedselbank niet eens zien.

Ze was zo stom om haar voedselbonnen in haar hand te houden. Meestal hield ze die diep weggeborgen in haar zak. .

'Waarom heb jij blauwe bonnen?' vroeg een man die schuin achter haar stond argwanend. Hij was een akelig ventje met slechte tanden en een stinkende adem; ze kende hem niet goed, maar wist waar hij woonde.

'Het zijn gewone bonnen, hoor,' zei Carolien ontwijkend, terwijl ze de bonnen snel wegstopte.

'Zagen jullie dat? Zagen jullie dat? Zij heeft blauwe bonnen! Dat betekent toch extra rantsoen? Waarom? Die man van je is toch niet invalide of zo? Waarom krijg jij meer dan ik?'

Carolien had hier helemaal geen zin in en keek de andere kant op, maar dat leidde er alleen maar toe dat hij haar een fikse douw tegen haar schouder gaf.

'Ik heb het wel tegen jou, hoor.'

'Hé, hé, kalm aan, Sjakie,' zei een andere man in de rij. 'Er is geen reden om handtastelijk te worden.'

'Nou, dan heb jij zeker nog nooit van elementaire beleefdheid gehoord. Als iemand je iets vraagt, geef je antwoord, zo is het toch?'

'Sjakie, we hebben er allemaal de pest in dat we hier moeten staan, dus hou je gemak een beetje, ja?' probeerde de man de boel wat te kalmeren. Carolien wierp hem een dankbare glimlach toe. Maar nu mengde een andere vrouw zich in het gesprek, iemand die Carolien nog nooit gezien had.

'Voortrekkerij, dat is het. Zij is de zus van een van die lui uit Den Haag. Denk maar niet dat ik dat niet weet. Híj heeft zeker wat extra bonnen voor haar geritseld. Zo gaat dat altijd.'

Als door een wesp gestoken keek Carolien om.

'Niks van waar,' bitste ze. 'Ik heb blauwe bonnen omdat ik zwanger ben. Daar heeft mijn broer helemaal niets mee te maken!'

'Nou, alsof dat eerlijk is. Neuken met je man omdat je extra voedselbonnen wilt. Als het je eigen man is, tenminste.' Het ventje was ongelofelijk onbeschoft, maar geen van de omstanders ging ertegenin. Integendeel.

'Daar heb ie wel een punt,' zei de vrouw weer. 'Het is toch d'r eige keuze dat ze zo nodig een kind wil maken? Waarom motten wij daarom minder te eten krijgen dan zij?'

Het was allemaal niet persoonlijk, dat wist Carolien ook wel, maar daarom zeker niet minder pijnlijk. Elke dag was er wel iemand anders aan de beurt om afgezeken te worden. De mensen waren simpelweg te chagrijnig en te verzwakt om zo lang gedwee in de rij te staan, elke dag opnieuw, iedereen met een lege tas

lastic zak waar uiteindelijk veel te weinig eten in zou worden gedaan en
rvoor ze nog moesten betalen ook. Want de voedselbon zorgde er niet voor
dat je het eten kreeg, die gaf je alleen het recht om het te kopen. Tegen een 'gere-
duceerd tarief', zoals dat heette. Niet tien keer zo duur als voor de graancrisis,
maar 'slechts' vier keer zo duur.

Moe van alle kritiek en aandacht om haar heen, stapte Carolien de rij uit om
zich een paar meter naar achteren bij een buurvrouw aan te sluiten. De vrouw
knikte goedmoedig dat dat oké was, maar het betekende wel dat Carolien nog
tien minuten later aan de beurt zou zijn.

In Duitsland, België en Frankrijk vonden vergelijkbare taferelen plaats. Ook in
deze landen was de noodtoestand uitgeroepen. In veel andere landen, waaronder
Engeland en de meeste landen in Centraal-Europa, zag men er voorlopig nog
van af. In Slowakije werd de mogelijkheid van een noodtoestand niet eens serieus overwogen. Veel mensen daar waren armoede en dus ook honger gewend en
zouden het ook deze keer wel overleven.

Van Europese samenwerking was geen sprake. Iedereen dacht in eerste instantie aan zichzelf, en waar een enkele diplomaat nog probeerde tot een zekere samenwerking te komen, stak het Syndicaat daar wel een stokje voor.

'Jij bent niet de enige die geen keus heeft,' merkte Coldman op. 'Omgekeerd geldt
precies hetzelfde, ik ben evenveel tot jou veroordeeld als jij tot mij. Je weet dat
mijn dienst niets in Nederland kan beginnen zonder jullie AIVD daarover in te
lichten. Zolang we niet weten waarom Wennemars zijn eigen mensen niet vertrouwde, is dat geen optie. We zullen het met jou moeten doen.'

'Helaas,' voegde Slotemaker daar met enige zelfspot aan toe. 'Jammer dat je
geen betere hebt.' Hij verwachtte dat de Monnik nu iets vriendelijks zou zeggen,
iets om de pijnlijke situatie wat te verzachten, maar hij kwam bedrogen uit.

'Precies. Jij bent niet voor niets afgekeurd, neem ik aan. Onze samenwerking
heeft geen zin als we dat niet onder ogen zien.' Hij eiste dat Slotemaker hem van
minuut tot minuut vertelde wat hem in Irak was overkomen.

Job had inmiddels al zoveel therapeutische sessies achter de rug, dat hij dit
zonder al te veel problemen kon. Monotoon, schijnbaar ongeïnteresseerd beschreef hij de situatie: het busstation, de brandende zon, de gesluierde vrouwen,
de kippen, de kraampjes, zijn kameraden.

'Ik zag wat ze ging doen, maar deed niets om haar te stoppen. Ik reageerde
gewoon niet; ik heb mijn kameraden in de steek gelaten. Ik had de klap van de
explosie moeten opvangen. Mijn lichaam als buffer en als filter. Als ik me op die
vrouw gestort had, zouden al mijn kameraden nog leven. Het enige wat ik deed,

was toekijken, ondanks mijn training, ondanks mijn geloften. Ik denk dat ik ziek ben van mezelf, misschien is dat wel wat ik heb. Ik kan me nergens meer op concentreren zonder meteen aan dat busstation te moeten denken.'

Coldman kende het verhaal al uit het dossier dat hem voorafgaand aan dit gesprek vanuit Langley was toegezonden, maar liet daar niets van merken. Hij wreef over zijn kale schedel en keek peinzend voor zich uit.

Job beschouwde zijn zwijgen als een uitnodiging om door te praten. Nu hij eenmaal begonnen was, deed hij dat maar wat graag. 'Ken je toevallig die Saoedische ambassadeur in London, Ghazi Al-Gosaibi? Hij is niet alleen diplomaat, maar ook dichter. Hij heeft een gedicht geschreven dat *De martelaren* heet. Ik ken het uit mijn hoofd.

> *O, Arabische natie! Wij stierven...*
> *We zijn onschuldig geworden...*
> *Wanneer de elite, de crème van mijn volk, is gecastreerd*
> *staat een schoonheid op tegen de misdadiger.*
> *Ze kust de dood met een lach...*

De Engelse regering was *not amused* toen ze ervan hoorde. Een schoonheid kust de dood met een lach... Ik word al misselijk bij de gedachte alleen.'

'Het is een raar gedicht,' vond Coldman. 'Maar vertel me eens waarom je in de ziektewet bent gegaan. Waarom ben je niet gewoon blijven werken? Het lijkt me dat je genoeg motivatie had om juist door te gaan. Nu weet je tenminste waartegen je vecht, nietwaar?'

Job was verbijsterd over de ongevoeligheid van de Monnik. Geïrriteerd liep hij naar de badkamer en schonk zich een glas water in. De kraan deed kreunend en gorgelend wat hem gevraagd werd.

'Waarom ik in de ziektewet loop?' vroeg Job over zijn schouder. Coldman zat nog steeds op het bed. Hij had zich nog steeds niet bewogen. Job dronk het glas in één teug leeg en liep weer naar de stoel. 'Omdat ik afdwaal. Omdat ik ze hier in mijn hoofd niet op een rijtje heb. Omdat mijn vrouw bij me is weggegaan. Wat wil je horen, verdomme?'

'Vertel jij het maar.'

'Je weet precies hoe het daar was, dus hou je niet van de domme. We waren vlak buiten de groene zone in Bagdad. De vrouw had een explosievengordel om. Ze liep de bus uit en keek me recht in de ogen. Zwarte ogen, brandend van haat. Ik wist meteen wat ze ging doen, maar ik deed niets. Helemaal niets.'

Job voelde zijn keel droog worden. Het was een warme, droge dag geweest. Warm als allesverzengend vuur...

Coldman toonde een stuk minder begrip dan alle artsen en zielenknijpers die Job bij zijn terugkeer in Nederland onder handen hadden genomen.

'Wat een onzin om vanwege zo'n gebeurtenis af te haken.'

'Je werkt bij de CIA, maar bent geen haar beter dan alle anderen,' beet Job hem toe. 'Alsof je in één klap al die duizenden veteranen die met stress van hun missie terugkeren tot zeurpieten kunt degraderen. Ik ken dat. Wanneer Nederlandse militairen naar Servië, Irak of Afghanistan werden uitgezonden, hield iedereen van hen. Het ware 'onze jongens', helden. Aan mooie woorden geen gebrek, maar wanneer ze weer terugkwamen naar Nederland was van al die liefde weinig meer over. Klachten, zeker psychische klachten, werden gauw als aanstellerij gezien. "Doe maar gewoon, dan doe je gek genoeg. Je bent toch levend thuisgekomen?" Precies zoals ook jij nu reageert.'

Maar Coldman was niet dom. In één vloeiende beweging kwam hij overeind en sommeerde hij Job om mee naar buiten te gaan. Daar was het onverwacht koud. De eerste natte herfststormen vochten zich door de smalle straten van Bratislava, maar de Slowaken vertikten het om zich in hun huizen terug te trekken en liepen star en koppig door de winkelstraten alsof er niets gebeurde.

'Waar gaan we heen?' vroeg Job.

'Dat zul je zo wel zien.'

Ze kwamen aan bij het Centraal Station. Job, die met een huurauto vanuit Wenen naar Bratislava was gereden, was hier niet eerder geweest. Even dacht hij dat Coldman hem persoonlijk op de trein zou zetten. Afgekeurd. *Return to sender*. Maar Coldman liet het treinstation links liggen en beende met grote stappen naar de bussen.

'Dáár. Die bus. Hoe ver stond je ervan af toen de bom ontplofte?'

Bagdad was opeens griezelig dichtbij.

Hoeveel afgescheurde lichaamsdelen had hij niet gezien? De arm van zijn beste vriend, die als een dode tak door de lucht zwiepte.

Een waaier van bloed.

'Ik stond erbij. Dat zei ik toch. Pal bij de deur.'

Coldman nam hem bij de schouder en zette hem vlak voor de bus.

'Zo?'

'Nee, meer daar. Moeten we dit echt doen? Ik bedoel, het heeft echt geen zin om...'

'Waar stonden je kameraden? Hier? Waar ik nu sta?'

Samen wachtten ze tot het portier van de bus openging en de passagiers naar buiten stroomden.

Het zweet brak Job uit.

Een aanhoudend, jankend geluid in zijn oren.

Het eeuwigdurende besef dat hij te laat geweest was.

'Vertel me wat je zag. Waarom keek je naar de gesluierde vrouw? Hoe wist je dat ze een explosievengordel om had?'

Stap voor stap werd de hele gebeurtenis nagespeeld. Onverbiddelijk bleef Coldman Job met vragen bestoken.

'Hoe?'

'Waarom?'

'Wat?'

En ten slotte de grote vraag, de allesoverheersende vraag, die ene vraag waar hij, overmand door stress en schuldgevoelens, nooit aan toegekomen was.

De Monnik stelde hem strak en zakelijk: 'Wat had je dan moeten doen?'

Job draaide eromheen, zijn pijn gaf hem daar een vrijbrief voor, maar Coldman weigerde daarin mee te gaan.

'Vertel het me, soldaat! Wat had je moeten doen?'

Job kreeg een brok in zijn keel. 'Doen? Ik weet niet wat ik had moeten doen! Ik had mijn vrienden moeten redden. Ik had de vrouw moeten stoppen.'

'Hoe?'

'Gewoon. Ik had haar moeten overmeesteren voor ze de gordel tot ontploffing bracht.'

'Hoe had je dat dan gedaan?'

Job zweeg verward.

'Geef antwoord! Hoe had je haar dan moeten overmeesteren?'

'Een klap tegen haar slaap, of tegen haar luchtpijp.'

'Maar je zei dat ze je in de ogen keek, nietwaar? Ze zag je. En er stonden nog flink wat mensen tussen jou en haar. Hoe had je haar kunnen bereiken voor ze aan de ontsteking trok en alles opblies?'

'Ik weet het niet,' zei Job. 'Het ging allemaal zo snel.'

'Wees reëel, soldaat. Overmeesteren was geen optie. Denk na! Wat had je moeten doen?'

'Ik had haar dood kunnen schieten.'

'Wist je voor honderd procent zeker dat ze een explosievengordel droeg? Nee, natuurlijk niet. Hoe zou je dat kunnen weten? Kun je iedereen doodschieten die haatdragend kijkt en schichtig aan haar boerka frommelt?'

'Maar wat dan, Coldman, wat had ik dán moeten doen?'

'Dat vraag ik aan jou, soldaat.'

Ze liepen nu bij de bus vandaan. Een huilende man trekt te veel aandacht, dan kun je beter in beweging blijven.

'Ik had naar voren moeten duiken. In mijn dromen is dat wat ik doe. Met gespreide armen duik ik over de vrouw heen en vang daarmee alle granaatscherven met mijn lichaam op. Alleen ikzelf zou dood zijn; mijn vrienden, de mannen voor wie ik verantwoordelijk was, zij niet.'

Coldman keek hem ijskoud aan.

'Hou jezelf niet voor de gek, man. Dichterbij dan een meter of drie was je niet gekomen. De scherven waren je links en rechts voorbijgesuisd.'

'Maar wat dan? Dan... Wil je mij laten geloven dat ik helemaal niets had kunnen doen?'

'Jij zegt het, Slotemaker. Het zijn jouw woorden. Maar volgens mij is dat de enige juiste analyse. En het betekent dat er ook geen sprake is van schuld. Dus vind je niet dat het hoog tijd wordt dat je weer eens gewoon aan het werk gaat?'

Het was niet helemaal waar wat Coldman zei en Job Slotemaker was er de man niet naar om daar de ogen voor te sluiten. Een goede veldagent heeft áltijd opties; er is altijd iets wat je kunt doen. Maar hij realiseerde zich dat zijn opties in dit geval inderdaad beperkt waren geweest en dat, logischerwijs, ook zijn schuldgevoel daarom binnen de perken zou moeten blijven.

Na twaalf hotels en zeven krantenkiosken waar ze louter vragende en onverschillige blikken scoorden, hadden de twee jongens van het Syndicaat succes. Of liever gezegd geluk: ze zagen de man gewoon op straat lopen. Ze liepen hem zo ongeveer tegen het lijf en herkenden hem op slag.

De tekening, die zo armetierig en karikaturaal geleken had, bleek toch beter dan ze hadden gedacht. Er kon geen misverstand over bestaan dat hij hun man was. Zelfs de flaporen aan weerszijden van de gladde, kale schedel waren goed.

Kevin schrok en gaf Koot een stomp in zijn zij.

'Gewoon doorlopen,' siste hij, terwijl hij zijn verbouwereerde makker bij de arm nam. Hij loodste hem een hoek om en begon, zo gauw ze uit het zicht verdwenen waren, aan een sprint die hen het hele woonblok rond leidde tot ze weer in dezelfde straat waren, maar nu een kleine honderd meter verderop. De kale man kwam vanuit de verte aanlopen.

Nog nahijgend van het rennen zoomde Koot met zijn camera in en maakte een foto, die ondanks de regendruppels op de lens heel goed lukte. De man liep tussen andere winkelende mensen in, maar keek net hun kant op, waardoor zijn gezicht er heel herkenbaar op stond. Kevin en Koot keken elkaar aan. Missie geslaagd, wegwezen nu. Ze draaiden zich om en gingen ervandoor.

Het was de jongens niet opgevallen dat de man niet alleen was. Job Slotemaker liep naast hem en kwam ook op de foto. Zijn blik was opzij gericht naar een winkeletalage buiten beeld, maar ook hij was redelijk herkenbaar.

Toen Job weer voor zich keek, zag hij twee jongens in de verte die zich uit de voeten maakten. Iets in hun gedrag trok zijn aandacht, maar hij was met zijn gedachten nog bij Coldmans confrontatie bij het busstation en hij besteedde verder geen aandacht aan de twee.

12

Kevin en Koot plaatsten de foto diezelfde middag nog op internet. De beste manier om een foto te verstoppen was hem openlijk in een veelvoud van informatie op te nemen. Ze hadden speciaal daartoe een weblog toegewezen gekregen, een van de vele miljoenen die op het wereldwijde web gehuisvest zijn. Het was een saaie weblog, zonder populaire kernwoorden die op zoekmachines bezoekers zouden kunnen trekken. De foto werd onder aan de tekst geplaatst. *Lekker dagje winkelen* typten ze erbij. *De man in het midden lijkt op mijn opa, die goeie ouwe klojo.* Vakwerk, vonden ze zelf.

Vanuit Nederland werd een uitsnede van de foto door medewerkers van Arie Roozendaal aan een select gezelschap van overlopers en infiltranten uit diverse inlichtingendiensten voorgelegd. Coldman werd herkend door drie verschillende mensen, in drie verschillende landen. Om halfelf 's avonds werden de gecodeerde gegevens verzonden naar de zolderkamer in de Amsterdamse PC Hooftstraat.

> *Naam: Ron Coldman, alias 'de Monnik' of 'de Monnik van Langley'.*
> *Functie: senior officier bij de* CIA.
> *Voormalig hoofd van de Nederlandse vestiging, momenteel voornamelijk werkzaam in Midden- en Oost-Europa.*

Bijgevoegd was een korte biografie van Coldman, compleet met de belangrijkste wapenfeiten uit zijn carrière en de expliciete kanttekening dat deze carrière opvallend veel witte vlekken vertoonde. Er waren twee foto's bijgevoegd: de uitsnede waarop alleen het gezicht van Coldman te zien was en de volledige, originele foto van de man te midden van het winkelende publiek in een winkelstraat in Bratislava.

Het feit dat de CIA hem op het spoor was, deed Arie Roozendaal niet zoveel. Hij zat achter zijn computer en woog zijn kansen. Het was duidelijk dat hij Coldman vrij eenvoudig kon laten vermoorden. Derrick was al uit Bratislava weggehaald en de kans bestond dat Coldman zich open en bloot door de stad zou blijven bewegen, onvoorzichtig geworden door het koud geworden spoor en een missie zonder resultaat. Een paar duizend euro en het was geregeld. Roozendaal zou de moordmeid erheen kunnen sturen, of een van de anderen.

Die gedachte was verleidelijk. Een *senior officer* van de CIA, een man met zo'n grote staat van dienst en decennia van veldervaring, was niet iemand om te onderschatten. Ook een koud spoor is een spoor en je wist nooit of zo'n man al dan niet bij toeval alsnog ergens op zou stuiten. En als er ooit een moment was geweest waarop het Syndicaat zich geen gedoe kon veroorloven, dan was dat nu wel.

Daarbij kwam dat Roozendaal goede moordaanslagen wel kon waarderen. Moord is mooi. Moord is simpel, definitief en boven elk misverstand verheven. Een dode Coldman zou nooit op nieuwe sporen stuiten. Redenen te over dus om hem te liquideren. Maar het was bekend dat de CIA er zwaar aan tilde als een van hun agenten werd omgebracht. Ze zouden met man en macht naar de moordenaar op jacht gaan, en daar zat Roozendaal niet op te wachten.

Eén glas whisky gaf hem voldoende tijd om zijn plan te trekken. Geen moord, besloot hij, maar een rookgordijn.

Hij sloot zijn computer af en deed zijn regenjas aan. Op de eerste verdieping liep hij langs de zaal waar zijn mensen, zoals altijd, volop met aandelen heen en weer schoven. Deze keer gunde hij hun geen blik waardig. Hij liep de trap af, naar buiten, en liet de auto staan. Het was een flink stuk lopen naar de Wallen, maar dat moest maar even.

Te midden van de hoeren, de pooiers en de junks viel hij als eenzame, goedgeklede blanke man niet op. Een dikke, veel te oude hoer lonkte en wenkte plichtmatig toen hij voor haar raam langs liep. Tot haar grote verbazing stapte hij inderdaad bij haar naar binnen. Ze had weinig klanten, de laatste tijd, en zeker geen mannen die zich betere hoeren konden veroorloven.

De man keurde haar echter geen blik waardig en liep via de half verborgen binnendeur naar achteren. Haar pooier zat daar, de Pakistaan. Die zou woedend zijn.

Arie Roozendaal en zijn medewerkers hadden tot op dat moment geen aandacht besteed aan de half wegkijkende Job Slotemaker, die toch een groot deel van de foto vulde. Ze zagen hem als een anonieme, toevallige voorbijganger die niets met hun zaak van doen had.

Puur geluk, zou Job later beseffen.

Hij was ongestoord in zijn huurauto gestapt en was inmiddels de grens naar Oostenrijk overgestoken. Het verhaal dat Ron Coldman hem uiteindelijk had verteld, was hem rauw op zijn dak gevallen.

'Ik noem het een verhaal, omdat we het niet zeker weten,' had Coldman gezegd. 'Een veronderstelling, dus. Een sprookje, zo je wilt. Het verhaal van een graanvirus dat plots over de wereld waart. Honger. Crisis. Politieke spanningen. Economische spanningen. Iedereen doet zijn best om te overleven, om aan eten te komen, om blinde paniek te voorkomen. Maar ik ben aangesteld om op andere dingen te letten, om mezelf andere vragen te stellen. Vragen waar de meeste mensen geen tijd voor hebben, zoals: wie heeft er belang bij deze crisis? Of: zou het zo kunnen zijn dat deze ramp bewust door iemand is veroorzaakt?'

Ze zaten weer in de betrekkelijke veiligheid van Coldmans hotelkamer. De Monnik gedroeg zich alsof hij alleen was, zijn starende ogen leken dwars door Job heen te kijken.

'Geert Wennemars en ik concentreerden ons op de vragen die áchter deze eerste vragen liggen. Of er eerder rampen in de wereld zijn geweest waar mensen baat bij hadden, bijvoorbeeld. Of het vaker voorkomt dat een schijnbaar 'spontane' crisis door mensenhanden veroorzaakt had kunnen zijn en of er een patroon te ontdekken is.'

Hij stond op en begon door de kamer heen en weer te lopen.

'Kun je me nog volgen, Nederlander? Heb je je kop er nog bij? Let op dan, want nu begint het pas. Stel dat de voedselcrisis niet op zichzelf staat. Stel dat het niet meer is dan een van de gezichten van een veelkoppig monster dat keer op keer op een andere plek een andere kop boven het zand uitsteekt. Heb je daar weleens aan gedacht? Oliecrisis. Voedselcrisis. Geldcrisis. Klimaatcrisis. Vluchtelingencrisis. Iedereen wil ons doen geloven dat we steeds een ander probleem voor de kiezen hebben, maar stel nou eens dat ze allemaal dezelfde oorzaak hebben. En dan bedoel ik niet dat 'alles met alles te maken heeft' of dat elke crisis vanzelfsprekend van invloed is op andere zaken. Nee, stel je heel letterlijk een groep personen voor die achter de schermen een smerig, een héél smerig spel aan het spelen zijn. Een dodelijk spel.'

'Een terreurgroep, bedoel je?'

Coldman wuifde deze vraag geïrriteerd weg.

'Terreur, terreur, wat zegt dat woord nou? Vergeet nooit dat de overwinnaars altijd bepalen hoe iets in de geschiedenisboekjes wordt bijgeschreven. Als je wint ben je nooit een terrorist, maar een leider, een heerser.'

Hij ging weer zitten, recht tegenover Job.

'Stel dat er zo'n groep bestaat. Laten we deze voor het gemak "het Syndicaat" noemen. Geen terreurgroep, zoals jij zegt, maar vele malen machtiger. Misschien kun je ze nog het best vergelijken met een kleine superstaat. Zoals Amerika de wereld probeert te domineren met militaire overmacht, en zoals de Russen hun macht weer aan het vergroten zijn door wereldwijde manipulaties met gas en olie, zo zou dit Syndicaat misschien heel andere middelen tot zijn beschikking hebben. Stel dat dat het geval is, wat kunnen wij daar dan aan doen?'

Coldman opende een aantal vertrouwelijke rapporten van zijn eigen inlichtingendienst op zijn laptop en schoof het apparaat Jobs kant op.

'Lees dit maar.'

De gegevens die Job te zien kreeg, waren niet bemoedigend. De bewijzen stapelden zich op dat er zowel in Amerika als in verschillende Europese landen, waaronder Nederland, krachten aan het werk waren om de crisis aan te wakkeren. Dit gebeurde met militaire precisie, steeds op kwetsbare momenten en op plekken waar dat het meest zeer deed. Het had er alle schijn van dat de toename van straatrellen en overvallen door onbekenden was gecoördineerd, of op zijn minst gestimuleerd. Onlangs was in Duitsland en in Mexico in één nacht het merendeel van alle voedselpakhuizen in vlammen opgegaan.

De grote vraag was waarom dit alles plaatsvond. Het meest waarschijnlijke motief, schreven de analisten, was wraak. 'Armoede is de ergste vorm van geweld,' had Gandhi ooit gezegd. Als er iets is wat de laatste decennia in grote delen van de wereld wrok en afkeer tegen het rijke Westen teweeg had gebracht, dan was het de arrogante westerse voedselpolitiek. Het was een wonder dat de armere landen daar niet al veel eerder keihard tegen in verweer waren gekomen. Job Slotemaker, die zich nooit zo met hongerproblemen had beziggehouden, las met groeiende ontzetting wat Coldmans analistenteam hierover opgeschreven had:

Terwijl in grote delen van Afrika en Azië jaar in jaar uit vele miljoenen mensen voor honger op de vlucht moeten of aan honger sterven, blijft zowel Amerika als Europa volharden in hun protectionistische politiek, die eruit bestaat dat eigen landbouwproducten worden gesubsidieerd en dat de import van voedsel uit andere landen naar believen wordt belast of op andere manieren aan banden wordt gelegd. Zo kan het gebeuren dat Europese tomaten op de markt in Marrakech goedkoper zijn dan de tomaten die de Marokkaanse boeren zelf kweken, waardoor die boeren hun voedselproductie moeten staken en Afrika in een voortdurende wurggreep van de Europese en Amerikaanse economie gevangen blijft.

Daarbij komt het, in de ogen van anderen, ongegeneerd decadente consumptiepatroon van het rijke Westen. Als iedereen op aarde evenveel zou consumeren als

de gemiddelde Europeaan, zouden we het dubbele van de huidige voedselpro-
ductiecapaciteit nodig hebben – het equivalent van 2,1 planeten als de aarde –
om ons voortbestaan te waarborgen. En als iedereen zoveel zou consumeren als
de gemiddelde Amerikaan, zouden we er bijna vijf nodig hebben.
Het hoeft geen betoog dat deze westerse decadentie wereldwijd steeds meer weer-
stand oproept.

Niet iedereen legde zich hierbij neer, las Job. De Wereldbank was een van de organisaties die onomwonden toegaven dat ze de landbouw in arme gebieden ver-
waarloosd hadden. Die probeerde zijn koers bij te stellen. In april 2008 had We-
reldbank-topman Robert Zoellick verklaard dat er dertig miljard dollar nodig
was om de landbouw te stimuleren in 33 door de Wereldbank aangewezen landen
waar honger tot grote spanningen en heftige sociale onrust leidde. Zoellick wilde
de landbouwproductie daar verhogen door betere wegen en bruggen aan te leggen en markten te creëren. Het ging hem daarbij vooral om gebieden waar families de helft tot driekwart van hun inkomen aan eten kwijt waren, waar dus geen
enkele marge om te overleven was en hongersnood voortdurend op de loer lag.

Maar voor velen is zo'n koerswijziging van de Wereldbank too little, too late,
zeker zolang het rijke Westen zijn eigen protectionisme in stand houdt en onder-
wijl door blijft gaan met de import van kunstmest en veevoer.

'We zitten dus met politieke motieven in ten minste 33 landen,' merkte Job op
toen hij alles had doorgenomen.
    Coldman knikte zwijgend. Met een bijna achteloos gebaar klikte hij door naar
een nieuw document, dat een eerste verkenning gaf tot een overzicht van mogelijke 'apolitieke motieven'.

We mogen niet over het hoofd zien dat er heel veel mensen zijn die baat hebben
bij het actief in stand houden van de crisis. Mensen die geen politieke motieven
hebben, maar heel andere belangen. Mensen uit de wapenindustrie of uit de
wereld van particuliere beveiligingsbedrijven, om maar wat te noemen, dezelfde
bedrijven die met rugdekking van de Amerikaanse overheid in de Irakoorlog
zoveel winsten hebben binnengesleept. Of mensen uit de tuinbouw.
De lijst van belanghebbenden kan helaas eindeloos worden uitgebreid. Wat te
denken van de eigenaren van een drukkerij van voedselbonnen? Handelaren in
augurken. Walvisvaarders. Of multinationals die bij al deze dingen betrokken
zijn? Onze computers werken momenteel aan een eerste inventarisatie van de
grootste concentraties of 'clusters' van belangen.

Terwijl hij met zijn huurauto het centrum van Wenen in reed, liet Slotemaker alle informatie op zich inwerken. Hij besefte dat het Syndicaat, als dat werkelijk zou bestaan, geen groot, getraind leger nodig had. Als de Monnik het bij het juiste eind had, was het Syndicaat geen kernmogendheid, het had geen vloot onderzeeërs of langeafstandsraketten of wat dan ook, omdat het die eenvoudigweg niet nodig had.

Het Syndicaat hóéfde zelf helemaal geen grote problemen of crisissen te veroorzaken. Het keek gewoon waar de wereld uit zichzelf in de knoei kwam, om die problemen vervolgens zo strategisch mogelijk uit te vergroten. Als je de hebzucht van mensen hier en daar wat aanwakkert, maak je ongekende krachten los. Ze hoefden alleen maar hier en daar een zetje te geven, af en toe een prikje op een gevoelige plek, waarna alles vervolgens uit eigen beweging in elkaar stortte. Waarom zou je zelf volksopstanden organiseren als je met weinig inspanning ook gewoon de bestaande politieke spanningen aan kon wakkeren?

Helaas waren er de laatste tijd zóveel spanningen in de wereld, van kredietcrisis, energiecrisis en voedselcrisis tot klimaatcrisis, en waren er zulke oplopende spanningen over drinkwatertekorten, ecovluchtelingen en grondstoffentekorten, dat een gerichte speurtocht naar een organisatie als het Syndicaat wel heel erg moeilijk werd.

Coldman had uitgelegd dat hij daarom naar patronen zocht, naar herhalingen van zetten, naar mensen die op verschillende tijdstippen op verschillende plaatsen opduiken. Steeds nét voor er ergens iets fout ging, bijvoorbeeld.

Het belangrijkste patroon, had hij gezegd, lag in de overal afkalvende macht van regeringen. Job was dat niet echt opgevallen, maar nu hij er bij stilstond moest hij erkennen dat de mensen de laatste jaren bijna sluipenderwijs waren gaan accepteren dat regeringen de wereld helemaal niet meer regeren. De macht lag bij de jongens van het vrije geld, heette het dan, alsof dat de gewoonste zaak van de wereld is. Maar wie had daarvoor gekozen? Hoe was dat zo gekomen?

Het kon goed zijn, zei Coldman, dat deze machtsverschuiving van politiek naar het vrije geld uit zichzelf, dus zonder bijbedoelingen, had plaatsgevonden. 'Maar wat als dat nou eens niet zo is? Wat als overheden doelbewust buitenspel worden gezet en crisissen heel gericht in stand worden gehouden? Kun je je voorstellen wat voor verlammende, desastreuze uitwerking dat op onze wereldgemeenschap heeft?'

De gedachte dat een kleine groep zeer intelligente topcriminelen ten koste van alles en iedereen in luxe baadde, was om woedend van te worden.

13

De Pakistaan deed wat hem was opgedragen. In bloemrijke taal plaatste hij een korte, Engelstalige verklaring op internet. Osama bin Laden werd geprezen. Het Westen werd verketterd. En in naam van de onafhankelijke cel, die hij na enig nadenken De Ster van de Islam noemde, claimde hij de ultieme wraak op de westerse decadentie. De Ster van de Islam had – zo stelde hij – met behulp van moderne biotechnologie verschillende bestaande virussen weten samen te voegen tot het graanvirus. 'De natuur is ons wapen, het Westen heeft geen kans.'

De verklaring was, in opdracht van Roozendaal, relatief bescheiden op een van de vele Arabische websites over de Heilige Oorlog, de jihad, gezet. Onopvallend. Afzender onbekend.

Alles wees erop dat hier een groep fanatieke moslims aan het werk was. Mensen die affiniteit hadden met Al Qaida, en daar misschien zelfs door werden aangestuurd, die kennelijk goed waren ingevoerd in de moderne biotechnologie, maar geen benul hadden van communicatie en te bang waren om zelfs maar een normaal persbericht de deur uit te doen.

Dat was ook niet nodig. Het bericht werd vrijwel meteen opgepikt door de Zhong Chan Er Bu – de militaire inlichtingendienst van China – en de Israëlische Mossad. De CIA werd geïnformeerd en via een *urgent message* kreeg Ron Coldman, net als al zijn CIA-collega's wereldwijd, nog geen kwartier later het bericht op zijn computer.

Coldman was volledig verrast. Hier werd het Syndicaat in één klap buiten beeld gezet.

De Monnik sloot zich op in zijn hotelkamer en wist niet wat hij hiermee aan moest.

Arie Roozendaal wist dat de aanval de beste verdediging was. Het waren oude lessen over oorlogsvoering: zorg dat je het initiatief in handen hebt; verwar de vijand; val hem aan waar hij dat niet verwacht; geef hem geen tijd om op adem te komen.

Als een volleerd generaal hield hij zijn mensen aan het werk.

Een van hen kreeg de opdracht een nieuwe tip door te spelen aan de bende van Nordin, Lara, Karel en Ibrahim. De voedselpakhuizen werden steeds beter beveiligd, maar de voedseltransporten over de weg waren kwetsbaar. Elk konvooi dat vanuit de provincie naar Amsterdam vertrok, kreeg standaard een escorte van twee voertuigen vol gewapende militairen mee. Maar in de chaos van het moment ging dat nog weleens mis. Met name de vrachtwagens die overdag vanuit Alkmaar kwamen, reden regelmatig alleen en onbeschermd.

Lara en haar vrienden hadden geen idee waar de tip vandaan kwam. 'Iemand' had het hun verteld, iemand die het van iemand had gehoord.

Omdat de tips in het verleden altijd juist waren geweest en hen keer op keer naar een vette buit hadden geleid, trokken ze er nog diezelfde dag op uit. De parkeerplaats bij het benzinestation langs de A10 werd druk bezocht en was dus, vanuit het oogpunt van de vrachtwagenchauffeurs, veilig. Lara had zich voor de gelegenheid in nette, lichtgekleurde kleren gestoken. Ze zag er met haar lange zwarte haren in een paardenstaart mooi en absoluut onschuldig uit.

'Gaat u Amsterdam in? Zou u mij een lift kunnen geven?'

De chauffeur keek haar aan. 'Het spijt me, pop. Op elke andere dag zou ik je een lift geven naar waar je maar wilt. Maar vandaag, met deze lading... Ik kan dat echt niet maken.' Hij had het portier al open en maakte aanstalten om zijn wagen in te gaan.

Lara pruilde. 'Het is maar een kwartiertje rijden. Vijftien minuutjes, dat kan toch wel?'

De man aarzelde, maar besloot toch voet bij stuk te houden. In crisistijd wil niemand zijn baan verliezen. Niet dat het ook maar iets uitmaakte wat hij dacht. Ibrahim was achter hem komen staan en hielp hem beleefd de cabine in te klimmen. Met zijn linkerhand ondersteunde hij de chauffeur bij het instappen. Met zijn rechterhand hield hij een vlijmscherp mes op diens keel.

'O, fijn!' zei Lara, voor het geval iemand vanuit een andere wagen naar hen luisterde. 'Wat aardig!' En met een vrolijk, er van een afstand alleraardigst uitziend hupje liep ze om de wagen heen om in de bijrijdersstoel te klimmen. Gedrieën reden ze de snelweg op. De radio werd niet aangeraakt.

'Je moet niet bang zijn,' legde Lara uit. 'Straks laten we je gewoon weer gaan.'

Maar het mes drukte hard op zijn adamsappel en de doodsbange chauffeur kon alleen maar hopen dat Ibrahim daar ook zo over dacht.

Ze namen afslag S109 en reden beneden na de verkeerslichten de stille straten van Buitenveldert in. Na enkele minuten beval Ibrahim de chauffeur te stoppen op het parkeerterreintje van een verlaten kantoorgebouw. Verscholen achter een paar bomen stond Nordin met de anderen. De lading werd snel in gereedstaande bestelbusjes overgeladen.

Groenten in blik.

Grijnzend reikte Lara de chauffeur een blikje aan. 'Voor jou.'

De laatste van alle duiven op de Dam werd gevangen. De gracht was leeggevist en elke reiger of meerkoet die zich durfde te vertonen werd binnen de kortste keren gestrikt, in de val gelokt, de nek omgedraaid en gebakken of gebraden.

De konijnen van Carolien en Jasper hadden jonkies gekregen, zowel mannetjes als vrouwtjes. De twee volwassen ouders werd meteen de wollige nek omgedraaid, waarna ze in de pan werden gegooid. Het was verbazingwekkend hoe weinig vlees de dieren aan hun botten hadden, hoe dik en zacht ze ook leken toen ze nog leefden.

Andere eetbare dieren waren nauwelijks nog te vangen. Er waren simpelweg te veel kapers op de kust. De kans dat je zelf nog iets ving was klein, en als je al iets te pakken kreeg, kwamen er binnen de kortste keren mensen met messen of stokken op je af, die je onder bedreiging de buit afhandig maakten. Zelfs op de Hoge Veluwe was er geen hert of ree meer te bekennen.

Jasper las een artikel waarin werd verteld over biologen die in de vorige eeuw onderzoek deden naar de ganzen in de Waddenzee. In de tijd van de Koude Oorlog hadden ze aan het aantal ganzen dat tijdens de wintertrek vanuit Siberië hun kant op kwam, kunnen zien hoeveel mensen er in de Russische Goelag Archipel gevangen werden gehouden. Hoe meer gevangenen er zaten, hoe minder ganzen de zomer doorkwamen. 'Die Russische gevangenen moeten zo ongeveer in hetzelfde schuitje hebben gezeten als wij nu zitten,' besloot de auteur van het artikel met gevoel voor drama.

Dagelijks probeerde Jasper vanaf de woonboot, door het slaapkamerraampje aan de waterkant, waar de mensen op straat het niet konden zien, met een touw en vishaakje nog een laatste vis uit de gracht te vangen. Hij had ook een soort lasso gemaakt – een stok met aan het uiteinde een lus van ijzerdraad – die hij om de nek van de laatste meerkoetjes probeerde te wriemelen, maar dat was nog nooit gelukt. Na de misselijkmakende duif was Carolien daar ook niet rouwig om. Niemand wist hoeveel gif die meerkoeten in hun lijf hadden.

's Avonds maakten ze ruzie over de vraag of Jasper naar het platteland moest gaan, om voedsel te kopen of om te bedelen bij boeren. Jasper zag dat niet zitten. Hij wilde bij haar in de buurt blijven voor als de baby zou komen en beweerde dat hij beter gewoon heel hard kon blijven werken, om vervolgens op de zwarte markt te kopen wat anderen de stad in sleepten.

Ze hadden geluk dat Lara hun regelmatig wat eten toeschoof. Bijna wekelijks kregen ze een zakje bonen, soms met potjes groenten en af en toe zelfs hele ingevroren kippenbouten.

'Voor een gezonde baby.'

Peter Vink had het drukker dan ooit. Hij was crisismanager en infiltrant, gezagsdrager en spion, maar had nooit voor deze dubbelrol gekozen en overwoog serieus om zijn handen af te trekken van alles wat met de AIVD, Wennemars of Job Slotemaker te maken had. Workaholic als hij was, had hij zich weer volledig op zijn taken binnen het kernteam gestort. Naast het bijhouden van de stand van zaken over het virus had hij de verantwoordelijkheid gekregen over de hygiëne en voedselveiligheid van al het eten dat van overheidswege werd gedistribueerd. Daarmee kreeg hij de meest onverwachte zaken op zijn bord, zoals het groeiende probleem van de varkens.

Meteen al na de sojaroof, op het moment dat duidelijk werd dat de voorraad veevoer – bij gebrek aan aanvoer uit Zuid-Amerika – razendsnel zou slinken, had het Nationaal Crisis Coördinatieteam opdracht gegeven om het slachten van varkens te intensiveren. Voordat de diervoeding helemaal op was, wilde men zo veel mogelijk dieren geslacht en schoongemaakt in koelcellen en diepvrieskisten hebben. Aan Peter de taak om dit in goede banen te leiden.

Waar moest hij zo gauw met dertien miljoen varkens heen?

Het was duidelijk dat de slachthuizen veel te weinig capaciteit hadden. Peter zorgde ervoor dat de regels voor hygiënisch slachten zo snel mogelijk werden versoepeld. Nood breekt wet, daar was niets aan te doen. Maar de varkens plantten zich voort met een snelheid waar je u tegen zei. Per maand werden letterlijk miljoenen biggen geboren, en die bleven maar eten. Binnen de kortste keren waren alle koelcellen en opslagplaatsen vol en alle slachters en slagers overwerkt. Varkens die te weinig eten kregen, vlogen elkaar naar de keel. Wat begon als een onbedoeld hapje uit een gewonde soortgenoot, sloeg algauw om in een bloedbad van varkens onder elkaar. In tientallen stallen lagen stapels rottende lijken en op menige veehouderij sloegen dierziekten toe. Het was een van de aspecten van de voedselcrisis die niemand had voorzien en waar Peter maar het beste van moest zien te maken. Het vormde zijn eerste serieuze introductie in het leven van een bestuurder: op de meest onverwachte momenten kreeg hij dit soort vreemde problemen voorgeschoteld, problemen waar hij helemaal niet voor was opgeleid en die hij ook helemaal niet kon overzien. Intussen stond de pers klaar om hem af te branden wanneer hij iets over het hoofd zag.

Ondanks de enorme druk die zijn nieuwe verantwoordelijkheden met zich meebrachten, genoot Peter van de uitdaging en het gezag dat hij hiermee afdwong. Met ministerieel elan gaf hij zijn staf opdracht tien grote varkensboeren om de tafel te roepen om de situatie te bespreken. Over drie dagen werd iedereen bij hem in de vergaderzaal verwacht.

Nadat hij dit gedaan had, sloeg hij het dossier over de varkensproblemen voorlopig dicht en schoof hij meteen een nieuwe stapel papieren naar zich toe.

'Angela!'

Zijn secretaresse kwam haastig aanlopen.

'Heb je professor Johnson al te pakken gekregen?'

Angela was altijd weer verbaasd dat Peter zo snel van het ene onderwerp in het andere kon duiken. Ze kon hem soms gewoon niet bijhouden. Dan weer dit probleem, dan weer dat probleem, eerst de ene professor en dan de andere, dan ging het over virussen en varkens en vervolgens over wetten en van alles en nog wat. Was het een kwaliteit van hem, om gas te geven nu het nodig was, of toonden zich hier de eerste tekenen van overspannenheid?

Met enige moeite herinnerde ze zich over wie hij het nu weer had. Johnson was de enige viroloog die in de periode voor de uitbraak van het Canadavirus op expeditie in Noord-Canada was geweest. Verschillende collega's hadden Peter geadviseerd hem te bellen, maar niemand wist precies waar hij uithing.

'Ik heb hem een paar keer gebeld,' haastte ze zich te zeggen. 'Volgens zijn secretaresse en zijn collega's op de Universiteit van Montréal is hij al een tijdje niet meer gezien. Maar ze zeiden er meteen bij dat dat niet ongebruikelijk was. Bing Johnson schijnt een beetje een eigenheimer te zijn die wel vaker onbereikbaar is. Vaak op expeditie ergens heen. Soms in zijn eentje.'

Peter kon het niet hebben dat zijn eigen werk, het werk van het Nationaal Crisis Coördinatieteam en feitelijk dat van het hele internationale netwerk dat het virus onderzocht, ernstig werd vertraagd omdat één man moeilijk te bereiken was.

'Ik wil dat je hem opspoort, Angela. Vandaag. Anders morgen. Maar niet later.'

Steeds meer wetenschappers vroegen zich hardop af hoe het kon dat de geboortegrond van het virus juist in het hoge noorden lag, terwijl het patroon van het DNA, de vingerafdruk van het virus, veel meer overeenkwam met sporen van erfelijk materiaal dat in tarwe en rijst uit de tropen werd aangetroffen. Het klopte gewoon niet dat het graanvirus het eerst in Canada was gesignaleerd. En in alles wat niet klopte, lag wellicht een clou verborgen. Als er iemand is die hier iets zinnigs over kan zeggen, is het Bing Johnson, werd beweerd.

Het was intussen meer dan een week geleden dat Geert Wennemars was begraven.

En Job Slotemaker had nog steeds niets van zich laten horen.

14

Job Slotemaker wist dat problemen zelden met hard werken werden opgelost. Geduld was vaak minstens even belangrijk. Terughoudendheid. Timing. Op precies het goede moment het juiste knopje indrukken.

Misschien had hij het mis. Dat kon.

Net als ieder ander had hij last van een zekere beroepsdeformatie. Iedereen die in de spionage werkzaam is, weet dat het leven van een veldagent het saaiste leven is dat je je voor kunt stellen.

Wachten. Geduld. En nog meer wachten. Zelden avontuur.

Hij liep een van de vele kleine, bruine cafés binnen, aan de rand van de Jordaan. Zelfs op klaarlichte dag was het er donker, muf en viezig. In ouderwetse fotolijstjes hingen babyfoto's aan de muur van alle stamgasten sinds 1968. Oude reclameborden van Tripel Karmeliet, Duvel Liefmans en Chimay-trappistenbier hingen vergeeld boven de bar. De hanglampen daarnaast waren deze eeuw nog niet afgestoft en wierpen een warm, vaalgeel licht op de oude houten vloer.

Job nam achter in de kroeg plaats, aan een van de verweerde tafeltjes, die eruitzagen alsof ze jaren aan weer en wind waren blootgesteld. Alle stamgasten hier oogden lusteloos en in zichzelf gekeerd en alleen al daarom was het een goede plek voor een gesprek.

Hij had Peter het adres doorgegeven. 'Een uurtje van je tijd. Ik praat je bij.'

Peter had nukkig gereageerd.

'Ik heb je de boodschap van Geert Wennemars doorgegeven, *that's it*. De rest is aan jou. Ik zit met genoeg eigen verantwoordelijkheden opgescheept en heb geen zin voor jou spionnetje te gaan spelen.'

En Job had natuurlijk begrip getoond, zoals dat gaat als je iemand aan het werk wilt zetten. *Slowly, slowly, catchy monkey...* Zachtjes, dan breekt het lijntje niet.

'Eén keer,' had Peter na veel heen-en-weergepraat besloten. 'Eén allerlaatste keer.'

Hij kwam ruim tien minuten later binnen. Job zag dat hij er gelukkig aan had gedacht buiten zijn jasje uit te trekken en zijn stropdas af te doen. Zelfs een amateur als Peter begreep dat het onverstandig was om nodeloos op te vallen.

Job liet een kan thee aanrukken en nam de tijd die nodig was om de juiste toon voor het gesprek te vinden. Het had iets van een paringsdans, twee mensen die elkaar het hof maakten. De verhoudingen moesten nog duidelijk worden: een spion en zijn rekruut. Maar ook een gestreste, getraumatiseerde werkloze en een gezagsdrager met de allure van een minister.

Job was blij dat Peter zich zo terughoudend opstelde. Zo hoorde het te gaan. Hij zag het als een eerste stap naar het opbouwen van de vertrouwensrelatie die in dit werk nu eenmaal onontbeerlijk was. Juist de mensen die zich aanvankelijk goed in de hand hadden, bleken later vaak de eersten die doorsloegen. Het was altijd beter om eerst weerstand te ontmoeten.

Bedachtzaam nam hij een slok thee. Job had al dagen geen alcohol gedronken, maar eerlijk is eerlijk, echt stressbestendig was hij nog niet. Irak, de bomgordel, het bloed...

De spoedbehandeling van Coldman had geholpen, maar het effect daarvan ebde alweer weg. Zijn schuldgevoel zat diep en drong zich op de meest onverwachte momenten naar voren.

'Heb ik je weleens verteld waarom ik uit dienst ontslagen ben?'

Als Peter al verbaasd was dat Job hierover begon, dan liet hij daar niets van merken.

'Je zei dat je ziek geworden was.'

Job knikte en proefde dit antwoord alsof het een slok goede wijn was.

'Ziek. Ja, dat is misschien wel de goede term. Ik ben ziek.'

Job dacht nog eens na over de woorden van de Monnik. De CIA-veteraan had geen gelijk, besloot hij. Hij had de klap van de explosie moeten opvangen, wat de Monnik ook zei. Zijn lichaam als buffer en als filter. Als ik me op die vrouw gestort had, zouden al mijn kameraden nog leven. Het enige wat hij had gedaan was toekijken, ondanks zijn training, ondanks zijn geloften.

'Ik heb de neiging af te dwalen. Kan me niet meer zo goed concentreren. Soms denk ik dat ik ze niet allemaal meer op een rijtje heb. Mijn vrouw is bij me weggegaan. Ik weet net als jij wat het is om een stervende in mijn armen vast te houden. Misschien kun jij er beter mee omgaan.'

Er werd een nieuwe kan thee besteld en ze lachten wat over het feit dat ze er geen koekjes bij konden krijgen. 'Dat is toch jullie werk? Daar in Den Haag, bedoel ik. Om te zorgen dat er weer genoeg eten komt?'

Ouderwetse soul klonk krakerig door de boxen, een paar mensen legden geconcentreerd een kaartje. De barvrouw knipoogde opzichtig naar Job.

Peter kwam enigszins tot rust. Hij zweeg over het koude, dode lichaam dat hij zelf in zijn armen gehouden had, maar wilde wel wat vertellen over zijn verantwoordelijkheden in de crisis.

Hij wilde zijn frustraties kwijt over de onmacht en vooral de middelmatigheid en zelfs de kneuterigheid waarmee hij werd omringd, die ervoor zorgden dat hij nooit kon doen wat er gedaan moest worden. Professoren die onbereikbaar zijn, medewerkers die gewoon dingen vergeten, mensen die hun snor drukken als het hun te moeilijk wordt.

Hij vertelde over de miljoenen varkens die bij gebrek aan voer elkaar naar de keel vlogen.

'We moeten ze slachten, Job. Bij miljoenen tegelijk. Maar er is niemand die dat kan en wil. Je kunt je nauwelijks voorstellen wat er allemaal komt kijken bij de situatie waar we in verzeild zijn geraakt.'

Job toonde zich een goed, geduldig luisteraar.

'Wat dan?'

'Neem alleen die varkens al. Op wereldschaal lijkt het een kleinigheid, en dat is het misschien ook. Maar ik zit ermee, ik mag het oplossen. Dertien miljoen!'

Hij keek Job aan alsof hij zich schaamde.

'Ken je dat verhaal van die gastarbeiders en de vogelpest?'

Nee, dat had Job nog nooit gehoord.

'Dit verhaal speelt in 2003. De vogelpest was uitgebroken en er moesten opeens miljoenen kippen worden geruimd. Vermoord en vermalen.

Alle deskundigen waren het erover eens dat dit de enige oplossing was, maar niemand wilde de taak uitvoeren. Geen enkele Nederlander, in elk geval.

De overheid zat met de handen in het haar. Ik had toen nog ander werk en heb er gelukkig weinig mee te maken gehad. Via het bedrijf Moonen Agroservice uit Stramproy werden zo'n vijfhonderd asielzoekers ingehuurd. Een typisch staaltje ouderwets denkwerk: wat we zelf niet willen doen, is goed genoeg voor asielzoekers, die van ons sowieso geen ander werk mogen doen. De Belastingdienst in Heerlen liet deze mensen werken onder één sofinummer en onder één fictieve naam: F. Vogelpest, ongehuwd, sofinummer 249488039, geboren op 14 april 2003. Ik weet dat nummer verdomme nog uit mijn hoofd. Mensonterende oplichterij.

Het televisieprogramma *Netwerk* kwam erachter. Volgens deskundigen die in de televisie-uitzending aan het woord kwamen was deze maatregel van de Belastingdienst zo ingrijpend dat de top van het ministerie van Financiën ervan op de hoogte moet zijn geweest.

Opeens viel iedereen hogelijk verontwaardigd over elkaar heen. Men sprak schande van de asociale werkwijze, over de ruggen van asielzoekers heen. Neder-land moet zich schamen! Dat ging zo een tijdje door, totdat iedereen het weer vergeten was.'

'Behalve jij,' probeerde Job. Hij deed geen moeite zijn aandacht bij dit verhaal te houden. Deze Peter Vink, besefte hij, zat anders in elkaar dan hij. Een carriè-reman, die het kennelijk leuk vindt om met zijn zware verantwoordelijkheden te koketteren. Iemand die het ver ging schoppen in het leven. Nog verder dan hij nu al had gedaan.

Hoe bouw je een vertrouwensband op met iemand met wie je geen enkele af-finiteit hebt? Varkens interesseerden hem niet en verhalen over belastingdien-sten en sofinummers konden hem ook gestolen worden.

'Het punt is,' legde Peter uit, 'dat ik dat soort beslissingen moet nemen. Dage-lijks neem ik discutabele besluiten, over zaken die ik helemaal niet kan overzien, alleen maar om te zorgen dat de ramp niet nog veel erger wordt. Je moest eens weten, Job, wat we daar allemaal beslissen.'

'Iedereen maakt vuile handen.'

'Ja, je hebt gelijk. Misschien is dat ook wel alles wat erover te zeggen valt. Altijd vuile handen.'

'En iedereen maakt fouten.'

Ze kletsten door tot Peter het gevoel had dat hij Job kon vertrouwen en Job zeker wist dat hij Peter nooit zou begrijpen.

Job nam de regie in handen, maar vertelde lang niet alles. De CIA bleef buiten schot en over het Syndicaat en de onbekende islamitische splintergroepering die zich De Ster van de Islam noemde, vertelde hij niet meer dan dat ze 'zo ongeveer' wel wisten waar Wennemars naar op jacht was geweest. Dat was niet waar. De verwarring die was ontstaan sinds de islamitische tekst op internet gevonden was, werd met de dag groter. De hele Arabische wereld stond onder druk. Men-sen werden van hun bed gelicht en aan intensieve verhoren onderworpen. Ande-ren werden juist in de watten gelegd, kregen geld en dromen, mits ze hun oor te luisteren wilden leggen in de grotten en achterkamertjes waar de inlichtingen-diensten zelf zo moeilijk kwamen. Maar het had geen zin Peter Vink daarover te vertellen.

'Het vinden van de verrader binnen het kernteam van het Nationaal Crisis Coördinatieteam of bij de AIVD heeft onze prioriteit,' verklaarde Job vol overtui-ging. 'Misschien zit het lek bij beide instanties, we hebben geen idee. We zouden jouw hulp erg goed kunnen gebruiken.'

Om de verrader te vinden, zou het ministerie afgeluisterd moeten worden. Later zouden er verborgen camera's in het hart van de organisatie moeten worden geplaatst. Computers moesten worden doorgelinkt, en als dat niet mogelijk bleek, moesten er ten minste enkele cruciale bestanden worden gekopieerd.

Omdat het kantoor van het Nationaal Crisis Coördinatieteam momenteel waarschijnlijk de best beveiligde plek van Nederland was, kon Job zonder Peters hulp weinig doen.

'Het is simpel,' verklaarde Job. 'Ik vraag je iets waarmee je weinig risico loopt. Het kan bijna niet fout gaan.'

Hij stak zijn hand in zijn jaszak en haalde er een klein zwart propje uit, dat hij, om zich heen spiedend om zeker te zijn dat niemand naar hen zat te gluren, voor Peter op tafel legde.

Het propje leek op een pinda, maar dan iets donkerder, als een klontje stof, of een insect, misschien.

Peter boog zich over het propje heen. 'Wat is dat?'

'Dit is een superklein zendmicrofoontje. Stop het in je zak, voordat iemand het ziet.'

Het was een oude truc die ook nu weer feilloos werkte: laat nieuwe medewerkers een handeling verrichten voordat ze in de verleiding komen om een opdracht te weigeren. De kloof tussen woord en daad is groot; groter dan de meeste rekruten zelf beseffen. Laat ze iets doen, het maakt niet uit wat, en ze zijn de drempel over voordat ze het zelf doorhebben. Zo zijn ze medeplichtig voordat ze goed en wel beseffen wat er is gebeurd. Job kon het niet laten; een vos behoudt zijn streken.

'Het enige wat je moet doen is zorgen dat niemand je hiermee betrapt, Peter. Dat zal veel vragen oproepen en veel problemen veroorzaken. Niet alleen voor jou.'

'Leg uit.'

'Dit microfoontje is het modernste van het modernste. Het kan stemgeluid opvangen van meters ver, zelfs als er wordt gefluisterd, en zendt in wisselende golflengten uit, die per seconde kunnen veranderen. Moeilijk te detecteren dus. Duidelijk geen apparaatje dat jij of ik gewoon bij de Mediamarkt op de hoek kunnen kopen.'

'Hoe kom jij er dan aan?'

'Weet je zeker dat je dat wilt weten? Kennis is nooit vrijblijvend, dat moet jij intussen toch weten. Misschien kun je maar beter niet naar dingen vragen die je niet echt weten moet.'

Toen Peter het café had verlaten bleef Job nog even zitten en keek of er iemand reageerde op het vertrek van zijn rekruut. Of er iemand opstond en, met een vluchtige groet naar zijn kroeggenoten, Peters spoor zou volgen. Of er iemand zijn mobieltje pakte om een seintje door te geven naar een partner die zich ergens buiten ophield.

In de periode dat hij in therapie zat, hadden zijn door de AIVD betaalde therapeuten en psychiaters er keer op keer op gehamerd dat de gevaren die hij zag, er helemaal niet waren.

'Dit is Bagdad niet,' bleven ze maar herhalen. 'Je bent hier in Nederland. Het vertrouwde, veilige Nederland. Ontspan je een beetje. Haal je geen problemen in je hoofd die er niet zijn, Job.'

'Doe niet zo naïef,' had hij hun toegeschreeuwd. 'Het is overal en altijd hetzelfde! Wat daar gebeurt kan ook hier gebeuren! Uiteindelijk zijn alle mensen hetzelfde. Bagdad of Berlijn, Kabul of Amsterdam, het maakt geen verschil!'

Achteraf, tsja, achteraf had hij gelijk gekregen. De dreiging was ook hier. Onderhuids, weliswaar, maar latent aanwezig in alle poriën van de samenleving. De zombies. De fanaten. Een beetje honger was genoeg om het slechtste in mensen naar boven te halen.

Vreemd genoeg schonk deze gedachte hem opluchting. De wereld klopte weer, wat eerst een trauma werd genoemd, was nu opeens weer realiteitszin, en dat voelde een stuk beter, hoe lullig dat voor iedereen ook was.

Peinzend keek hij Peter na.

De vrouw die achter de bar stond, een mooie, goedmoedige Amsterdamse, sjokte zijn kant op. Ze kwam dagelijks trieste mannen tegen, mannen vol schuldgevoel omdat ze hun vrouw en kinderen niet konden voeden, mannen vol zelfbeklag vanwege hun gebrek aan energie, vanwege de baan die ze niet volhielden, vanwege hun maag die maar bleef rammelen, vanwege die zweren en ziekten en dromen en angsten die hen van een succesvol zakenman tot een wrak hadden gemaakt, met dank aan de rum, de wodka, de jenever of, om alles in één woord samen te vatten, de honger, die stomme klotehonger die de wereld verstikte en zijn bewoners verlamde.

'Nog wat drinken, schat?'

Hij aarzelde.

'Oké, één glaasje kastanjelikeur kan er wel in.'

Van dichtbij zag hij er jonger, sportiever en beter verzorgd uit dan ze had gedacht. Er hing wel een waas van treurigheid om hem heen, maar zijn trieste en verlopen uitstraling leek niet meer dan een slecht zittend kledingstuk dat hij elk moment van zich af kon werpen.

Misschien is dat altijd wel zo bij depressieve mannen, bedacht de barvrouw. Ze zouden hun ellende zo achter zich kunnen laten, maar meestal trekken ze alleen maar nog meer lagen, nog meer kleren aan.

'Maar dan moet je me beloven dat je me niet meer bijschenkt,' voegde Job er snel aan toe. 'Zelfs niet als ik daar straks om vraag.'

'Krijg je anders problemen met de vrouw, lieverd?' Met haar platte Amsterdamse accent ontlokte ze Job een eerste glimlach.

'Zoiets,' mompelde hij zacht.

Het gesprek was goed gegaan.

15

Het door de Pakistaan opgestelde bericht op de Arabische website veroorzaakte veel verwarring. De inlichtingendiensten wisten niet wat ze ermee aan moesten en het wetenschappelijk onderzoek naar het virus werd op een verkeerd spoor gezet.

Het geniale aan de maskerade die hij opvoerde, vond Roozendaal, was dat zijn leugen alleszins aannemelijk was. Ook dat had hij in de loop der jaren geleerd: als je liegt, verzin dan niet zomaar iets, maar blijf dicht bij de waarheid. Leugens die tegen de waarheid aan schurken, zijn het moeilijkst te ontmaskeren.

Het verzinsel van De Ster van de Islam was effectief omdat het graanvirus belangrijke afwijkingen vertoonde ten opzichte van het normale patroon; het was geen normaal virus en kon daarom ook niet normaal bestreden worden. Virologen waren hier vrijwel meteen na de uitbraak van de crisis achter gekomen. Elk virus dat op aarde rondwaart laat sporen na. Maar weinig mensen weten dat ongeveer acht procent van al ons eigen genetisch materiaal bestaat uit sporen van virussen uit het verleden. Als iemand griep heeft, bijvoorbeeld, blijft er altijd wat materiaal van het virus achter in het genetisch materiaal in alle cellen. Zo gaat dat ook bij planten en dieren. Het probleem met het graanvirus was dat de sporen er in dit geval eerder waren dan het virus zelf. Kleine stukjes van het virus, precies díé stukjes van het virus die je normaal pas achteraf in de graancellen zou verwachten, hadden zich al in het graan genesteld voordat het virus uitbrak. Het leek erop alsof het proces zich in omgekeerde richting had voorgedaan. Alsof de wijzers van de klok opeens de andere kant op liepen.

Niemand wist hoe dat uit zichzelf, dus in de vrije natuur, kon gebeuren.

Biologische manipulatie leek de enige logische, zij het angstwekkende, verklaring. Het was niet voor niets dat Geert Wennemars en Peter Vink al eerder in die richting hadden gedacht.

De wereldgemeenschap was sowieso geneigd om alle veiligheidsproblemen die zich voordeden op het conto te schrijven van fanatieke terroristen. Vooral na de aanslag op 9/11. Deskundigen wezen er al tijden op dat de wereldgemeenschap veel meer gevaar te duchten had van zaken als klimaatverandering, een dreigend tekort aan drinkwater en overbevolking, maar de publieke opinie én de politiek bleven angstvallig, als in een soort pavlovreactie, gefocust op het gevaar van terrorisme. En wat is er nu eenvoudiger dan mensen op het spoor zetten van iets wat ze toch al vreesden?

Vroeg of laat zou de ware herkomst van het virus natuurlijk ontdekt worden, dat besefte Roozendaal maar al te goed. Maar hoe langer hij dat moment uit kon stellen, hoe beter. Het Syndicaat, en het Syndicaat alleen, wist wat er gaande was, en meer voorkennis dan dat kon je je niet wensen.

Charles, Patrick en hijzelf, die drie jongens die jaren geleden in Californië hun broederschap hadden bezegeld met het smeden van grootse, ambitieuze criminele plannen, hadden nooit durven dromen dat ze ooit in een situatie zouden komen waarin ze zóveel winst maakten. De graancrisis zette alles onder druk. Eén vingerknip van een van hen was voldoende om ergens in de wereld een nieuwe brandhaard te stichten, gevoed door de onvrede die er al volop was. Eén kleine dreiging was genoeg om complete handelsakkoorden van tafel te vegen. Omdat ze iedere handelaar op de beurs steevast ten minste één stap voor waren, stroomden de miljoenen letterlijk dagelijks binnen. Dagelijks! Hun winst was inmiddels zo onvoorstelbaar groot dat ze meer tijd kwijt waren met het zoeken naar bestemmingen en bestedingen voor al dat geld dan met het verdienen zelf. Roozendaal wist niet wat de andere twee met hun geld deden. Zelf had hij, onder een gefingeerde naam, een eiland gekocht. Een eigen koninkrijk waar hij zich terug kon trekken, mocht alles fout gaan. Op dit moment werd er door zijn mensen hard gewerkt om dat eiland zelfvoorzienend te maken. De villa die hij voor zichzelf had ontworpen was al klaar; hij had visvijvers en groentekassen laten aanleggen, zonnepanelen zorgden voor de energie, en hij beschikte over een hypermoderne, biologische waterzuiveringsinstallatie. Verder bood de villa ruimte voor de arbeiders en bedienden, die een eigen vleugel bewoonden. Met voldoende vrouwen, jong en oud.

Drie maanden had Roozendaal nog nodig. Drie luttele maanden. Dan was, als alles goed ging, zijn kapitaal meer dan verviervoudigd, en zou zijn eiland helemaal klaar zijn.

Misschien is chaos wel belangrijker dan iedereen denkt, bedacht Peter. Misschien is het terugdringen van chaos wel de belangrijkste taak die ik als bestuurder op mij nemen moet.

Hij was ervaren genoeg om dit te overwegen, maar nog te jong om te beseffen dat je van chaos ook gebruik kunt maken, dat je je erdoor kunt laten dragen zoals de branding stug maar gedwee een surfer draagt. De chaos irriteerde hem; die bedreigde zijn door hem zo gekoesterde helderheid van geest. In zijn hoofd liepen alle patronen door elkaar heen: het virus, de honger, zijn promotie als lid van het kernteam, de moord op Wennemars... En dwars door alles heen schemerde af en toe de gestalte van Lara, mooie Lara, die hem had gered. De chaos was niet iets van de laatste tijd. Terugblikkend op de laatste tien jaar van zijn leven moest hij erkennen dat de orde en helderheid die hij zo graag zag, al lange tijd verdwenen waren. De opkomst van Pim Fortuyn en de moord die daarop volgde. De hypotheekcrisis die uit Amerika was overgewaaid en in één klap tal van zekerheden wegvaagde. De opkomst en het uiteenvallen van steeds weer nieuwe rare politieke partijen, die volgens opiniepeilers het ene moment de grootste van het land waren, en waarvan de vertegenwoordigers het andere moment vechtend over straat rolden, zodat de partij even snel weer vergeten werd als ze ontstond. De oliecrisis. De dreiging van terreur.

Als gewoon burger had hij dat alles langs zich heen laten glijden, maar nu hij verantwoordelijk was voor de veiligheid van het land, kwam het besef dat hij er geen touw meer aan kon vastknopen. Hoe kun je een samenleving in goede banen leiden als je keer op keer door nieuwe problemen wordt ingehaald?

Met het mysterieuze zendmicrofoontje in zijn binnenzak dwaalde hij uren door de stad. Hij zag er piekfijn uit, met zijn glanzend gepoetste schoenen, zijn maatpak van Armani, zijn donkerblauwe stropdas en zijn chique overjas. Juist in deze tijd vond Peter dat belangrijk. Het paste bij zijn nieuwe status en, besefte hij nu, het hield de chaos op afstand.

Normaal gesproken zou hij nu naar zijn vertrouwde bureau lopen, waar hij van jongs af aan zijn gedachten placht te ordenen. Maar nu was hij daar te onrustig voor. Hij moest in beweging blijven. Hij stak de gracht over en passeerde het Rijksmuseum. Daarna sloeg hij links af en liep de PC Hooftstraat in. Misschien, bedacht hij, moet ik in het vervolg hier mijn inkopen gaan doen. Tenslotte heb ik dat verdiend. En ik kan het me veroorloven.

Hij overwoog om een willekeurige herenmodezaak binnen te lopen, gewoon voor de afleiding, maar zijn onrust was sterker. Er was geen tijd, er moest gewerkt worden. Sinds het moment dat Geert Wennemars, arme kerel, die kop gloeiend hete thee over hem heen gegooid had, was daar veel te weinig van terechtgekomen.

Al slenterend, met zijn handen in zijn zakken, dacht hij terug aan dat moment. De paar korte gesprekken die ze daarna gevoerd hadden, de summiere aanwijzingen die Wennemars gegeven had. Hij vond het moeilijk dat Wennemars hem niet meer had verteld. Alles zou zoveel makkelijker geweest zijn als hij openhartiger geweest was. Hij had meer details moeten geven. Een naam. Of een incident dat hem de ogen had geopend. Een tip voor Job Slotemaker of een van de mensen die na zijn dood het stokje van hem moesten overnemen.

Omdat het steeds harder ging regenen, sloeg hij snel weer links af. Over een andere brug liep hij terug het centrum in, naar zijn auto die daar geparkeerd stond.

'Mijn laatste sigaret,' had Wennemars gezegd. Het leek alweer zo lang geleden. Bijna weemoedig dacht hij aan hun laatste ontmoeting terug. 'Ik ga stoppen.' De kringetjes waarmee hij de zorgvuldig en met smaak geïnhaleerde sigarettenrook uitblies... het goedmoedige klopje op Peters schouder...

'Heb je trouwens al een keertje met professor Witter gesproken? Moet je doen.'

Onthutst klikte hij van een afstand de auto van het slot. Hij trok zijn jas uit en legde die netjes opgevouwen achterin.

Geen chaos. Orde. Helder blijven!

De laatste woorden van Wennemars galmden door zijn hoofd.

... moet je doen... moet je doen... moet je doen...

Hoe was het mogelijk dat hij deze woorden al die tijd vergeten was?

Terwijl hij het centrum uit reed, belde hij zijn kantoor. Dankzij het voorgeprogrammeerde nummer van zijn secretaresse kreeg hij met één druk op de knop verbinding.

Angela verzuchtte meteen dat ze de professor, Bing Johnson, nog steeds niet had bereikt. Ze begon zich daar inmiddels zorgen over te maken, bekende ze. Het kon die Johnson toch niet ontgaan zijn dat de hele wereld in rep en roer was door de uitbraak van het graanvirus? En dat zijn vakgenoten hier wellicht met hem van gedachten over wilden wisselen, moest ook niet zo moeilijk te bedenken zijn voor hem, vond ze.

Peter draaide de Overtoom op, om straks de snelweg naar Den Haag te kunnen nemen.

'Ja, Johnson,' zei hij. 'Dat is belangrijk, natuurlijk, blijf het proberen. Maar ik bel voor wat anders.'

Hij hoorde Angela, die kennelijk forse kritiek van hem verwacht had, opgelucht ademhalen.

'Ik ben op zoek naar een andere viroloog,' vervolgde Peter. 'Professor Witter of Wittan of zoiets. Iemand tipte me dat ik met hem moest praten. Alleen wil zijn exacte naam me niet meer te binnen schieten.'

Angela zat achter haar computer en wist binnen enkele seconden te melden dat er geen virologen bestonden met de naam Witter of Wittan. 'Als je Google mag geloven, tenminste. En ook niets wat daarop lijkt. Geen enkele viroloog, tenminste, wiens naam met w-i-t begint. Er is wel een stadje Witten, ergens in Duitsland, met een universiteit met een faculteit voor biowetenschappen. Zelfs een *Institut für Mikrobiologie und Virologie*, lees ik hier.'

Leuk, maar niet wat ik zoek, dacht Peter. Hij was bijna bij de oprit van de snelweg en stond op het punt de verbinding te verbreken.

'Wacht. Wacht even,' hoorde hij Angela zeggen, nog steeds door de handsfree. Peter hoorde haar typen. 'Nog even, Peet, ik geloof dat ik wat heb.'

Het duurde even voordat een triomfantelijk 'Yes!' bewees dat ze inderdaad iets had gevonden. 'Hij heet geen Witter,' wist ze hem te vertellen. 'En hij is ook geen viroloog.'

Angela had weinig aansporing nodig om te vertellen wat ze precies gedaan had. Ze had de zoekopdracht 'viroloog' laten vallen en op Google de woorden 'Johnson', 'Witten' en 'professor' ingevoerd. 'Vrouwelijke intuïtie,' pochte ze door de telefoon. 'Gewoon om te kijken of ik iets zou vinden. Er is een professor Witkam, dus niet Witten of Witter of Wittan, maar Witkam. En die man is geen viroloog maar werktuigbouwkundige. Aan hem heb je weinig als het je om het graanvirus gaat, lijkt me zo. Maar ik zie hier dat hij afgelopen voorjaar wel samen met die Bing Johnson op expeditie naar de Noordpool is geweest. Zal ik het voorlezen?'

Zonder zijn antwoord af te wachten las ze enkele zinnen op, waaruit bleek dat deze professor Witkam onderzoek had gedaan naar de gevolgen van extreme vorst voor technische apparatuur. Johnson had tijdens deze expeditie virussen onderzocht. De twee bleken vaker samen te werken.

Kennelijk verscheen er op haar scherm toch te veel informatie om telefonisch aan hem door te geven. Peter hoorde hoe ze van document naar document klikte. 'Is het goed als ik je zo even terugbel? Een paar minuutjes, dan zet ik alles even voor je op een rijtje.'

Peter bromde iets wat voor toestemming moest doorgaan. Het gesprek met Geert Wennemars kwam weer naar boven, heel helder nu. Niet Witter of Witten, maar Witkam, had Wennemars gezegd. Het waren zo ongeveer zijn laatste woorden geweest.

Peter herinnerde zich de arm, die bij wijze van groet even in de lucht bleef hangen. De flapperende jas. De aktetas.

Sneller dan hij had verwacht belde Angela terug.

'Ene professor Witkam van de Technische Universiteit Delft. Ik heb maar de vrijheid genomen om hem meteen te bellen om een afspraak voor je te maken, maar hij was niet bereikbaar. Dat begint een beetje een gewoonte te worden, vind je niet?'

'Hoezo niet bereikbaar?'

'Nou ja, ook Witkam komt de laatste tijd haast nooit meer naar zijn werk. Ze wisten niet goed te vertellen waarom, maar het is zo. Ze waren daar trouwens wel knap geïrriteerd over. Ik heb hem thuis proberen te bellen, maar daar nam niemand op. Hij woont in Amsterdam, misschien kun je er langsgaan.'

Ze gaf het adres. De man woonde vlak bij Carolien.

Verbijsterd verbrak Peter de verbinding.

Een toeterende auto gaf aan dat hij het verkeer vertraagde. Met een verontschuldigend gebaar manoeuvreerde hij zijn auto naar de kant.

Tijdens de evaluatie door de inlichtingendiensten die maanden later plaatsvond, zou de volgende episode met de nodige tegenzin worden besproken. Niemand had er trek in om al te lang stil te staan bij de fouten die gemaakt waren en de vraag wie hier de schuld voor droeg. Formeel zat de fout bij Job Slotemaker, maar Coldman wilde hem niet te hard afvallen. In het veld gebeurt dit soort dingen nu eenmaal, en het is helaas waar dat dat soms dodelijke gevolgen kan hebben. Kleine fouten... een enkel misverstand... een telefoontje dat net te laat komt.

In zekere zin ging ook de CIA natuurlijk niet vrijuit. Coldman, de koele Monnik, wist zelf maar al te goed dat hij een gigantisch risico nam door met een uitgerangeerde, getraumatiseerde ex-agent in zee te gaan. Misschien had hij er zelf dichter op moeten zitten. Wellicht hadden ze dan kunnen voorkomen dat Peter op eigen initiatief op pad ging.

Het was duidelijk dat Peter eerst contact met Job Slotemaker had moeten opnemen. Deze had hem meteen al tijdens hun eerste gesprek op het hart moeten drukken vooral niets, maar dan ook niets op eigen houtje te doen.

Achteraf is zoiets altijd makkelijk te constateren.

16

Op het moment dat Peter het huis van de professor naderde, was Job Slotemaker noch Ron Coldman in de buurt.

Coldman zat in Istanbul. En Job Slotemaker wist van niets. Hij ging ervan uit dat Peter Vink gewoon zijn werk deed, op het ministerie, bij Klaas Bol, of anders op zijn eigen werkkamer bij de land- en tuinbouworganisatie met Angela en zijn andere collega's. Tot het moment dat Peter hem een seintje zou geven dat het microfoontje was geïnstalleerd, had hij weinig tot niets omhanden.

De barvrouw uit het bruine café was vrij en zoals iedere man had Job op zijn tijd behoefte aan een verzetje. 'Kom maar langs,' had ze gezegd.

Ook dat, zo zou de CIA later concluderen, kon je hem niet kwalijk nemen.

Professor Ernst Albert Maria Witkam woonde in een prachtig hoekhuis aan de gracht. De minder statige wijken van Amsterdam, waar alle huizen dicht op elkaar, pal aan de straat stonden, lagen om de hoek, maar vanuit het huis van de professor was daar niets van te zien.

De tuin was een toonbeeld van elegantie. Het strak gemaaide gazon werd omgeven door rododendrons, haagbeuken en een tiental houten en metalen beelden die afkomstig waren uit exotische streken in verre werelddelen. De grote vijver in het midden lag er rimpelloos en vredig bij.

Peter liep naar de voordeur en belde aan. Mevrouw Witkam deed open. Peter stelde zich netjes voor, vertelde waar hij in het kernteam mee belast was en dat hij graag de professor wilde spreken.

De vrouw schrok zichtbaar en wierp een schichtige blik over haar schouder. 'Dat zal niet gaan,' stamelde ze. 'Ernst is niet thuis.'

Het was duidelijk dat ze loog en Peter was niet in de stemming om te doen alsof hij haar geloofde.

'Mevrouw, ik ben niet van de Belastingdienst, of van de politie, of van enig andere instantie waar u wellicht bang voor bent. Ik ben door de regering aange-

steld om de gevolgen van de noodtoestand en de graancrisis in zo goed mogelijke banen te leiden. Ik ben een drukbezet man. Ik moet uw echtgenoot spreken.
Nu, onmiddellijk.'

De vrouw greep zich aan de deurklink vast.

'In hemelsnaam, laat hem binnen,' klonk een zware mannenstem. 'Het moet er
toch een keer van komen.'

De professor ontving hem in de woonkamer. Een reus van een kerel, die ondanks
zijn 65 jaren nog een vitale, krachtige indruk maakte. Met zijn volle, goedge-
knipte baard oogde hij als een Viking uit langvervlogen tijden. Hij stond op, een
beetje stram, en gaf Peter een stevige hand.

'We hadden u verwacht,' zei hij. 'U, of iemand anders.'

Zijn vrouw stoof Peter voorbij en viel snikkend in haar mans armen.

Met een korte, verontschuldigende blik op Peter probeerde de professor
haar te kalmeren. Met een tederheid die je van zo'n grote, grofgebouwde man
niet zou verwachten, fluisterde hij haar geruststellend toe. Peter kon niet horen wat hij zei; hij zou het ook te gênant hebben gevonden als het anders was
geweest.

Na enig heen-en-weergefluister liep de vrouw de kamer uit.

'U moet ons vergeven,' zei de professor. 'Ze is bang.'

Peter knikte. Hij hoorde haar de trap op gaan.

'Bent u bang, professor?'

Professor Witkam haalde zijn schouders op. 'Een man wordt geboren, een man
leeft, een man sterft. Daar heb ik vrede mee. Dat boezemt mij geen angst in.
Maar er zijn verschillende soorten angst. En ik schaam me niet om toe te geven
dat ik bang ben, jongmens. Ja, ik heb angst, wellicht meer angst dan mijn vrouw
ooit zal kennen. Maar niet voor mezelf.'

Hij sprak rustig en beheerst, meteen duidelijk makend dat het geen zin had
om langer op dit onderwerp door te gaan.

'U bent al een tijdje niet op uw werk geweest,' zei Peter, een stuk rustiger dan
hij zich voelde. 'Moeilijk te bereiken.'

Het was een constatering die geen uitleg nodig had.

Na een kort gebaar van zijn gastheer ging Peter in een grote leren stoel zitten.
De kamer was prachtig ingericht. Het interieur straalde een rust en waardigheid
uit die zich moeilijk lieten rijmen met het gedrag van de nerveuze vrouw.

De professor oogde trots, maar breekbaar. De man had iets van een oude eik
waarvan, na honderden jaren voorspoed, de dikste takken op het punt van breken staan. Eén storm, één windvlaag, meer was er niet nodig.

Buiten, achter het dubbele glas van de grote glazen pui, reed een motor voorbij. Er zat een jonge vrouw op, zonder helm. In het voorbijgaan keken haar gif-groene ogen de twee mannen aan.

Als op afspraak bleven ze beiden roerloos zitten, luisterend naar het wegster-vende geluid van de motor die, zonder van snelheid te veranderen, de straat weer uit reed.

Voordat Peter iets kon vragen, nam de professor met zichtbare tegenzin het woord. 'Het is in het geheel mijn vak niet, meneer Vink. Virussen en planten-ziekten, daar weet ik niets van. Ik ben van de techniek, begrijpt u. Een werktuig-bouwkundige. Een klein halfjaar geleden ben ik met professor Johnson op expe-ditie geweest in Noord-Canada. Ik deed onderzoek naar de optimalisering van smeermiddelen in wetenschappelijke apparaten bij extreem lage temperaturen in de buitenlucht. Ik vraag me af hoe u mij gevonden hebt.'

'Ook professor Johnson is de laatste tijd moeilijk te bereiken.'

Ja, Witkam gaf toe dat hij daarvan op de hoogte was.

Om te voorkomen dat de man zich bleef verschuilen achter vaagheden en ver-ontschuldigingen, greep Peter in. 'De wereld heeft honger,' zei hij. 'U moet me vertellen wat u weet.'

'Ik wil geen paniek veroorzaken,' zei Witkam, terwijl hij tot Peters verbazing als een gek instemmend begon te knikken. 'Dat geeft ellende. Ik heb er met nie-mand over gepraat, afgezien van mijn vrouw dan. En met Bing. Bing Johnson. Die is dood. Maar ik kan niet langer zwijgen, u hebt gelijk. Ik hoorde u een keer op de radio, over het werk dat u doet, en toen dacht ik al dat u... dat ik... dat ik het misschien aan u vertellen moest.'

Het bloed steeg hem naar zijn robuuste Vikingkop, Peter zag hoeveel moeite het de oude man kostte om met zijn verhaal over de brug te komen. Hij begon een vaag verhaal over een schacht die jaren geleden, ten behoeve van een genen-bank, in het poolijs in Spitsbergen was geboord. Wetenschappers hadden er za-den in diepgevroren om deze voor het nageslacht te bewaren.

'Ingevroren zaden, begrijpt u wat dat betekent?'

Peter had moeite de woordenstroom van de professor te volgen.

'Het is niet makkelijk,' verzuchtte de professor. 'Je kunt je er niet op voorbe-reiden, op alles wat ik heb meegemaakt. Dat weet ik. Ik praat eromheen en dat heeft geen zin. Recht voor z'n raap is de enige manier. Welnu, vergeet de schacht, vergeet Spitsbergen... ik was op expeditie. In Groenland. Een paar maanden geleden. Bij de Inuit... de Eskimo's, begrijpt u. En daar heb ik het gezien.' Hij fluisterde de laatste woorden, alsof hij zoiets niet hardop durfde uit te spreken.

Peter zat als versteend in zijn stoel. 'Wat hebt u gezien,' vroeg hij, ook licht fluisterend.

'Het was nog vroeg op de dag. Schemerig. Toch weet ik het zeker. Het ijs was...'

Op dat moment stak Witkams vrouw haar hoofd door de deur. De professor wipte van schrik tien centimeter uit zijn stoel.

'We moeten nu echt gaan. Onze afspraak...' zei ze.

'Nog even, schat. Ik kom eraan. Nog even.'

Peter bleef de man strak aankijken. Hij wilde de ban niet verbreken en hoopte dat de vrouw zich zonder verder iets te zeggen zo snel mogelijk uit de voeten zou maken. Na een korte stilte pakte hij de draad van het gesprek weer op. 'U vertelde dat het schemerig was en dat u toen iets zag.'

'Ik weet niet of het slim is om het u te vertellen, begrijpt u? Ik weet niet... Ze hebben Bing Johnson vermoord, en mij bedreigd. Ik weet echt niet of het verstandig is om...'

'Ja, dat is uitermate verstandig,' zei Peter met alle autoriteit die hij in zijn stem kon leggen.

'Goed... ja... misschien hebt u gelijk... Nou, daar heb ik het dus gezien. In een smeltende gletsjer. Resten van een dode mammoet. En daarnaast lag het.'

'Wat?'

'Nou... het paarse graan, natuurlijk!'

Hij keek Peter aan alsof hij zojuist een grootse openbaring had gedaan. Peter begreep er niets van.

'Het komt door de klimaatverandering, begrijpt u. Het ijs begint te smelten. Planten die duizenden jaren diepgevroren zijn geweest gaan nu ontdooien. Planten en vruchten en zaden die eerder, lang, lang geleden, vanzelf bevroren zijn. En lijken van mammoeten en sabeltandtijgers. Rottend vlees in diepe gletsjerspleten. En daarin zitten allerlei ziektekiemen die in de prehistorie hebben gewoed. Virussen. Bacteriën. Alles komt vrij. Door het ijs hebben ze al die jaren overleefd en er is niets wat we ertegen kunnen doen. Het is het einde der tijden, begrijpt u. Het einde van onze beschaving. De ziektekiemen komen terug! Armageddon! De apocalyps is nabij!'

Peter wist niet wat hij hoorde. Wat beweerde deze man precies? Wat had hij gezien en wat bedoelde hij?

'U zegt dat u paars graan hebt gezien? Bij het rottende kadaver van een mammoet?'

De man knikte heftig. 'Ja! Ja, ja! Maar niet alleen dit graan. Ik heb veel meer gezien. Het smeltende ijs doet ons de das om. Alle ziekten uit het verleden komen weer tot leven. Het is een soort herrijzenis van het kwaad. Duizenden ziekten zullen over de aarde spoelen. Het zijn er te veel, begrijpt u? We zijn verloren.'

De professor wist dat hij zijn leven op het spel zette, maar hij moest het een keer vertellen, het moest. Koste wat kost.

'Het poolijs smelt... de oeroude virussen rukken op!' hijgde hij. Witkam was buiten zichzelf van opwinding. 'De apocalyps is begonnen!'

De mammoet was slechts één van de kadavers geweest die uit het smeltende poolijs tevoorschijn waren gekomen. Het gebied van de Inuit begon met het vallen van de winter weer dicht te vriezen, maar maandenlang was de zee open geweest. Het ijs had zich tot ver voorbij de einder teruggetrokken. Gletsjers verloren reusachtige brokken ijs en gaven zo hun millennia-oude geheimen bloot. Neushoorns, sabeltandtijgers, mammoeten. Maar ook, veel minder spectaculair, de zo vaak vergeten wereld van onopvallende mossen, schimmels, zaden, bacteriën, wormen, virussen...

Rottende mammoetmagen openden zich als de doos van Pandora, klunzige wormen gingen na eeuwen in het ijs geconserveerd te zijn, stinkend tot ontbinding over, waarbij ze een wolk aan ziektekiemen verspreidden.

Bing Johnson en Ernst Witkam hadden zich vol ontzetting een weg door de kou gebaand. Ze hadden monsters genomen, kleine stukjes rottend vlees of vrijgekomen bot geïsoleerd in hermetisch afgesloten glazen potjes.

Hun aanvankelijke opwinding, die altijd met een grote ontdekking gepaard gaat, had al snel plaatsgemaakt voor een zware, diepdoorleefde bezorgdheid. Iedere wetenschapper besefte direct wat voor risico's dit alles voor de aarde vormde.

Ze hadden samen een tent gedeeld. Terwijl buiten de sneeuwstormen woedden, hadden ze dagen- en nachtenlang achtereen niets anders gedaan dan wachten, praten, wachten en praten.

Johnson had hardop gedroomd van de Nobelprijs die hij met de ontdekkingen van deze tocht zou binnenslepen. Witkam gunde hem die van harte, maar beiden beseften dat hun ontdekking niet iets was om in vreugde mee uit te pakken. Bovenal hadden ze hun angsten gedeeld, want beiden begrepen maar al te goed waar deze uitbarsting van oude ziekten toe kon leiden.

Het probleem lag in de breuk in de tijd: de planten en dieren hadden vroeger ongetwijfeld enige immuniteit opgebouwd tegen de virussen van toen. Maar de evolutie was voortgegaan en zowel de virussen als de daarvoor gevoelige planten en dieren waren genetisch doorgegroeid. In de loop der tijd was de noodzaak tot immuniteit voor de betreffende virussen verdwenen. Die virussen die zich in de nu smeltende ijskappen hadden verscholen, hadden zich echter aan de tijd onttrokken. Ze doken op in een wereld die niet op hen was ingesteld.

Het moderne graan was er simpelweg niet tegen bestand.

Johnson en Witkam hadden het paarse graan onder de microscoop bestudeerd, maar hadden – eerlijk is eerlijk – het virus daarin niet gevonden. Dat kon later pas, in het lab, waar betere apparatuur tot hun beschikking stond. Waar ze geen handschoenen tegen de kou moesten dragen, en assistenten in de buurt klaarstonden om alle onderzoeksgegevens vast te leggen. Maar ondanks het gebrek aan direct bewijs waren de voortekenen overduidelijk.

In de breekbare geborgenheid van hun door kou en weer en wind geteisterde tent, midden op de ijsvlakte, hadden ze een heilige eed gezworen om niet lichtvaardig met de informatie om te gaan. Ze zouden de wereld goed gedocumenteerd en op verantwoorde wijze waarschuwen. Niemand zat op sensatieverhalen en valse geruchten te wachten. Paniek lag op de loer.

Hoe het Syndicaat hen op het spoor kwam, kon Witkam niet vertellen. Maar Bing Johnson was vermoord voor ze hun publicatie hadden kunnen afronden. En ook hijzelf, professor Ernst Albert Maria Witkam, was zijn leven niet zeker. Het Syndicaat had hem op niet mis te verstane wijze bedreigd.

Zijn vrouw stond al in de gang naast een stapel tassen en gepakte koffers.

Terwijl Peter Vink versuft, als in shock, voor zich uit staarde, liep Witkam de gang in, deed zijn jas aan, nam in elke hand een koffer en vluchtte samen met zijn vrouw door de achterdeur het huis uit.

17

Langzaam drong het tot Peter door dat hij alleen was. Hij bleef een tijdje dood-stil zitten, zich steeds bewuster van de leegte om hem heen. Het huis leek een spookhuis, als een wereld die van al het leven is ontdaan.

Ergens op de eerste verdieping klapperde een deur. Een windvlaag door een open raam.

Als een soort slaapwandelaar liep hij de gang in, de trap op.

Het was alsof de apocalyps die professor Witkam had aangekondigd al begon-nen was. Het beeld van smeltend ijs, en de duizenden eeroude virussen die daar-in weer tot leven kwamen, viel moeiteloos samen met dit lege, verlaten huis. Het gekraak op zolder. Het klapperen van de deur.

Peter voelde zich verdwaald in een nachtmerrieachtig scenario, waar behalve de professor en hijzelf niemand van op de hoogte was.

Boven aanschouwde hij de in haast opengetrokken kasten. Geen spoor van de professor en zijn vrouw.

Alleen hij, Peter Vink, bleef over. En alleen hij wist hoe het met het virus zat.

Beduusd ging hij op het tweepersoonsbed in de slaapkamer zitten.

De professor had hem een beeld voorgetoverd dat griezeliger was dan alles wat hij ooit gevreesd had. Langvergeten ziekten, die als een onstuitbaar voortwoeke-rend leger uit het smeltende ijs omhoogkropen, met het graanvirus als een voor-bode voor duizenden oeroude epidemieën... zijn gevoel zei hem dat het simpel-weg niet waar kon zijn.

Maar het was duidelijk dat Witkam hem niet iets op de mouw had gespeld. Het beeld van een vrijgekomen oeroud virus klopte met alles wat hij van deze graanziekte wist. Het verklaarde waarom er al sporen van het virus in het gene-tisch materiaal van het graan te vinden waren geweest. Ooit, lang geleden, had het graan waarschijnlijk de ziekte overwonnen, het had een resistentie tegen het virus ontwikkeld, maar in de loop van de evolutie, of misschien wel door de kunstmatige plantenveredelingstechnieken waarmee het graan de laatste eeuwen steeds productiever was gemaakt, was deze weerstand weer verdwenen. Een weerloze voedselketen was het resultaat.

Peter zag beelden voor zich van smeltend ijs en blootliggende kadavers, op de Noordpool, op de Zuidpool, in de smeltende gletsjers in de Alpen of de Himalaya. Letterlijk van alle kanten konden de virussen oprukken.

Mijn god, ze hadden al die tijd de verkeerde kant op gekeken!

Wie denkt er nu aan klimaatverandering als oorzaak van geheimzinnige virussen? Een golf van misselijkheid overspoelde hem.

Hij herinnerde zich tal van rapporten waarin gewaarschuwd werd dat klimaatverandering een kwestie van internationale veiligheid was. Iedereen had er de mond vol van gehad. Solana, bijvoorbeeld, Hoge Vertegenwoordiger van de Europese Unie. En een aantal hoge pieten in het Pentagon. En een aantal deskundigen in Nederland. 'Het broeikaseffect bedreigt onze veiligheid meer dan terrorisme of welke andere ramp dan ook.'

Maar wie had daarbij aan eeuwenoude, plots ontwakende virussen gedacht? Wie had kunnen voorzien dat een golf van oude virussen, na jaren van isolatie vrijkomend uit de smeltende poolkappen, zoveel rampspoed, rellen en hongersnood zou veroorzaken?

Licht wankelend stond hij op.

Hij moest Job waarschuwen, zo snel mogelijk. Of zijn collega's van het crisiscentrum. Of de krant. Iets, iemand, snel. Ontdaan liep hij de trap af, naar de woonkamer, waar de telefoon stond.

En toen hoorde hij het weer. Het geluid van de motor.

De meid met de gifgroene ogen gaf vol gas en kwam snel dichterbij. Ze ramde het tuinhek en reed de tuin in, waar ze met een luide knal tegen de voordeur tot stilstand kwam.

Peter hoorde hout kraken en begreep dat de vrouw zich met motor en al op de voordeur had gestort. Hij rende onmiddellijk naar achteren, naar de keuken, die uitkwam op de tuin. Hij dook de struiken in en begon op ellebogen en knieën om het huis te kruipen.

Van opzij zag hij dat de voordeur open was. De meid was binnen.

Zonder enige aarzeling sprong hij overeind. Hij rende naar de motor die op de oprit stond, gaf het ding een fikse trap zodat die omviel en sprintte vervolgens, voordat zijn belaagster reageren kon, zo hard hij kon de straat uit.

Als een haas schoot hij heen en weer, straat in, straat uit, tussen langsrijdende auto's, de stoep op, de stoep weer af. Hij had geen idee waar hij heen rende, de motorgeluiden achter hem bepaalden zijn vluchtrichting. Vrijwel meteen was het hem duidelijk geworden dat de vrouw niet in haar eentje opereerde. Niet één, niet twee, maar drie motoren kon hij horen. Steeds uit andere richtingen, voor hem, achter hem, naast hem.

Eén keer draaide een motor achter hem de straat in. Hij hoorde de bestuurder gas geven en dook achter een auto voor hij kon worden gezien. Hijgend bleef hij zitten. Onder de geparkeerde auto door zag hij de motor voorbijschieten. Hij kon niet zien wie erop zat, de meid of een van haar handlangers. Misschien een van de jongens die haar bij de moord op Wennemars hadden geholpen.

Jankend en knallend stierf het geluid weer weg. Maar niet voor lang. Elk moment kon een van de andere jagers de straat in rijden. Hij moest in beweging blijven. Weg uit deze buurt, tot hij veilig was. Tot hij kon bellen.

Het woord 'apocalyps' bleef maar door zijn hoofd spoken terwijl hij hijgend verder sprintte.

De Noordpool smelt en alles komt vrij. Een tsunami van virussen.

Peter hijgde als een bronstig paard en zijn hartslag dreunde in zijn oren, waardoor hij moeite had zich op de geluiden te oriënteren. Paniekerig keek hij om zich heen, rennend, half struikelend, tot hij in volle vaart op twee jochies knalde die nietsvermoedend over de stoep slenterden.

Een van hen gilde het uit van de pijn. Peter stuiterde tegen een lantaarnpaal. Maar hij wist dat hij verder moest. Hij rolde bij de krijsende kinderen vandaan, kwam overeind en rende voort.

De straat uit. De hoek om.

Het kerkplein stak hij langs de kanten rennend over, als een schuwe kat die niet rechtstreeks de open ruimte durft te doorkruisen. Hier was geen motorgeluid te horen, maar toch minderde Peter geen vaart. Hij moest verder, verder!

Een nieuwe straat en... grijnzend stond ze voor hem.

'Hoi!'

Regeren is vooruitzien. Daarom had Arie Roozendaal zijn beste moordenaar opdracht gegeven regelmatig rond Witkams huis te patrouilleren. Voor de zekerheid.

Het meisje had haar opdracht ietwat nukkig geaccepteerd. De klus was meer geschikt voor een groentje, vond ze zelf. Na de bijna perfecte moord op Wennemars had ze een betere behandeling verwacht. Geen domme klussen meer, alleen het echte werk. Maar klagen had geen zin. Met de regelmaat die haar was opgedragen had ze rondjes door de wijk gereden. Dom werk. Saai en tijdrovend.

Tot vandaag.

Ze had Peter Vink herkend toen hij bij de professor aanbelde en was zich wezenloos geschrokken. Ze had geen idee wie die Witkam was of waarom ze hem bewaken moest, maar het was duidelijk geen goede ontwikkeling dat hij bezoek kreeg van een collega van het door haarzelf vermoorde hoofd van de AIVD. Ze reed langzaam het huis voorbij om absoluut zeker te zijn dat ze het goed gezien had. Daarna sms'te ze meteen naar Roozendaal om de komst te melden van de man in wiens armen Wennemars gestorven was en te vragen welke actie zij moest ondernemen. Maar de sms werd niet beantwoord. Na een korte aarzeling besloot ze haar baas dan maar te bellen. Ze had een telefoonnummer voor noodgevallen. Ze kreeg echter niemand aan de telefoon.

Arie Roozendaal hield niet van mensen die eigenmachtig optraden, die bevelen in de wind sloegen of daar, als het hun zo uitkwam, een eigen draai aan gaven. Ze had het meerdere malen meegemaakt dat hij zijn soldaten daarvoor op hun nummer zette. Improvisatie werd gewaardeerd, maar dan toch alleen binnen de strikte grenzen van de opdracht.

Ze belde haar baas nog een keer. Ze had de motor inmiddels bij een bosje geparkeerd, schuin achter de bushalte. Vanuit deze redelijk beschutte plek kon ze het huis van Witkam in de gaten houden zonder zelf al te veel in het oog te springen. Nog steeds werd er niet opgenomen.

Ze wist even niet wat te doen. Omdat ze ook donders goed wist dat ze niet niéts kon doen, stuurde ze een berichtje naar de jongens van haar team. *Stand-by iedereen. Ik heb jullie hier nodig.* Vervolgens controleerde ze haar wapens. Ze had een pistool bij zich, een stiletto en haar met lood verzwaarde handtas, het model waar Geert Wennemars onzacht mee in aanraking was gekomen. Er waren weinig mensen op straat; als de situatie erom vroeg zou ze moeiteloos kunnen toeslaan.

Vanuit een ooghoek zag ze opeens de professor met zijn vrouw de hoek van de straat om lopen. Ze hadden kennelijk via de achterdeur het huis verlaten en maakten zich gehaast uit de voeten.

Ze had geen idee wie ze moest volgen, de professor of die hotemetoot van het Crisis Coördinatieteam die zich nu nog in het huis van de professor moest verschuilen.

In gedachten schreeuwde ze haar baas toe: Arie! Wat moet ik doen?

Het was een kwestie van seconden – het echtpaar Witkam liep in hoog tempo bij haar vandaan – voordat ze de knoop doorhakte. De jacht op Peter Vink werd geopend.

Het was een spel van kat en muis. Haar jongens waren net op tijd gekomen; Peter Vink had geen schijn van kans.

Dit was de meid die Wennemars vermoord had, dezelfde vrouw die hij onlangs bij zijn werk gezien had, en vandaag nog op de motor in de straat: de uitdagende, brutale blik, de leren jas, zelfs de kleine, ronde Vuitton-handtas ontbrak niet. Na haar eerste grijnzende begroeting liep ze langzaam op hem af, ontspannen, soepel en volmaakt in balans. Ze had werkelijk bijzonder fraaie ogen, zag Peter. Maar daar was nu geen tijd voor.

In één vloeiende beweging, zonder ook maar een seconde te verliezen, sloeg Peter links af, de straat over, weg van haar.

Het had geen zin. Aan de overkant doken twee van haar vrienden op. Halverwege de straat keerde hij zich om, terug in de richting vanwaar hij was gekomen. Als een soort snelwandelaar probeerde hij zijn achtervolgers voor te blijven. Maar ook die vluchtweg werd afgesneden. Voor hem op de hoek stond vriend nummer drie. Met gespeelde nonchalance leunde hij tegen een lantaarnpaal. Hij had geen haast, Peter was van alle kanten ingesloten. Het meisje kwam steeds sneller dichterbij. Peter kon geen kant op.

Hij dacht aan Geert Wennemars: een brute moord op straat voor het oog van de wereld, die totaal geen interesse toonde. De stoep was smal en bood geen schuilplaats. Links, op nog geen meter van hem vandaan, bevonden zich een aantal identieke rijtjeshuizen zonder pad of tuin. Steeds een raam, dan een voordeur, weer een raam, weer een deur. Alle ramen en deuren waren gesloten, ook de gordijnen waren overal dicht. Het had geen enkele zin om bij een van de rijtjeshuizen aan te bellen; ze zouden hem zeker overmeesterd hebben voordat iemand zou kunnen opendoen.

Rechts van hem bevond zich een rij geparkeerde auto's, om de tien meter fel verlicht door een lantaarnpaal.

Peter vertraagde zijn stappen. Zijn hersenen werkten nu op volle toeren. Hij moest in leven blijven, doorzetten, zijn achtervolgers op de een of andere manier uitschakelen. Hij móést iets doen...

Aan haar voetstappen te horen kwam het meisje achter hem langzaam dichterbij. Vechten had geen zin. Ze was getraind, dat leed geen twijfel, en haar hulptroepen stonden wel heel erg dichtbij.

'Hoeveel betalen ze je?' vroeg hij haar zonder zich om te draaien.

Niets wees erop dat ze hem gehoord had. Ze bleef dichterbij komen, nog altijd even onverstoorbaar. Zijn hart bonkte in zijn keel.

Peter hoorde achter zich een vaag geritsel, alsof ze haar arm strekte of een wapen in de aanslag bracht. Snel draaide hij zich naar haar toe.

'Ik bied je het dubbele,' zei hij, terwijl hij haar zo gezaghebbend mogelijk in de ogen keek. Nooit laten merken dat je bang bent.

'Het dubbele van wat?' beet ze hem sarcastisch toe.

'Je wordt toch betaald om mij te vermoorden? Met geld... met eten... wat dan ook. Ik betaal meer.'

Even leek ze te twijfelen. Peter voelde een sprankje hoop. Haastig zocht hij naar woorden om haar aan de praat te houden.

'Ik word goed betaald voor wat ik doe, snap je? Ze geven me wat ik nodig heb. Noem je prijs en we hebben een deal.'

Ze stond nog geen twee meter van hem af. Eén stap, één uithaal met haar arm... het leek allemaal zo simpel, maar iets in zijn woorden had haar kennelijk geraakt. Voorlopig gebeurde er helemaal niets. Peter wist dat hij moest blijven praten.

'Je hoeft me alleen maar te zeggen waar het geld moet worden afgeleverd. Dollar, euro, yen, grote of kleine coupures, je zegt het maar. Binnen 24 uur heb je wat je wilt.'

Haar handtas wiegde zachtjes heen en weer, verder verroerde ze zich niet. *So far so good.*

'Je weet dat ik je kan betalen. 50.000 euro? Een ton? Duizend briefjes van honderd... Dat is een heel dikke stapel. Voor jou alleen. Niemand hoeft ervan te weten.'

Ze aarzelde, tot een van de jongens aan de overkant van de straat ertussen kwam.

'Schiet eens op!' riep hij verveeld.

Dit bracht haar terug in de realiteit.

'Je kunt mij nooit genoeg betalen,' smaalde ze. 'Snap je dat nog steeds niet, loser?'

Ze had niet de moeite genomen een nieuw wapen te bedenken. Ze bracht de tas naar achteren, deed een kleine stap in zijn richting, draaide haar heup, en slingerde met volle kracht de met lood gevulde designertas naar de zo kwetsbare plek boven op zijn schedel.

18

Lara en haar vrienden mochten dan vrij succesloos in het leven staan, sinds het graanvirus had toegeslagen leek alles hun te lukken. Het plunderen ging goed. De buit was elke keer weer groot, vaak zó groot dat ze het niet nodig vonden alles meteen op de zwarte markt aan te bieden.

Naar hun, terechte, inschatting zou de honger met het verstrijken van de winter alleen maar erger worden. Elke aardappel, elk blikje groente, alles zou de komende weken alleen maar duurder worden.

Niemand wist of er tegen die tijd nog wat te jatten zou zijn. De politie en het leger waren ook niet gek; de schamele voedselvoorraden zouden ongetwijfeld steeds strenger beveiligd worden.

'We moeten het grootste deel apart zetten,' stelde Karel voor.

Aanvankelijk dachten Ibrahim en Nordin dat hij gek was geworden, maar algauw zagen ze in dat hij een punt had. Een appeltje voor de dorst.

'En als we gepakt worden, is het niet erg slim als ze in één klap kunnen zien wat we de laatste weken hebben buitgemaakt.'

In plaats van een nieuwe roof op touw te zetten trokken ze als brave burgers naar de bouwmarkt en kochten een aanhangwagen vol houten planken, gipsblokken, schroeven en lijm.

De oude, gekraakte werkplaats waar Lara woonde was enorm. De drie maakten de hele linkermuur leeg en timmerden een stellage in elkaar, van de vloer tot het plafond, waarop ze de helft van hun buitgemaakte proviand uitstalden: zakken gedroogde bonen, honderden potjes ingemaakte groenten en een stuk of dertig pakken melkpoeder, een flink aantal potten vitaminepillen en zeven kratten met flessen vruchtensap, die ze een paar dagen daarvoor bij een supermarkt in Amsterdam-West hadden gejat. De aardappelen kregen een andere plek; die hadden veel lucht nodig.

'Zo is het genoeg,' besloot Lara. 'Ik wil nog wel wat ruimte overhouden. En het mag ook niet te veel opvallen.'

Met vereende krachten werd een muur opgetrokken, over de volle breedte van de ruimte en helemaal tot aan het plafond. Er zat geen deur of raam in. Vlak voordat Karel de voorraad met de laatste gipsblokken onbereikbaar maakte, griste Lara snel nog een paar pakken melkpoeder en twee flessen sap mee.

'Voor Carolien. Je weet wel, mijn zwangere vriendin.'

'Als het stucwerk straks droog is, zie je er niks van,' verklaarde Nordin tevreden. Hij was trots op het eindresultaat.

'Het lijkt alsof deze muur hier hoort. Niemand zal op de gedachte komen er iets achter te zoeken.'

'Als jullie de boel even opruimen, zorg ik voor het eten,' grijnsde Lara. 'Kip met krielaardappeltjes en groente.'

De vrienden keken elkaar tevreden aan.

Het harde en wetteloze bestaan van de straat dat in tijden van crisis regeert, paste hun als een handschoen. Hun status was tot ongekende hoogten gestegen, per kraak verdienden ze meer dan vroeger in een maand, en zoals het er nu voor stond zou het alleen maar beter worden.

De crisis was voor hen een zegen.

Ze hadden geen benul van de benarde situatie waarin Peter Vink zich op dat moment bevond, hemelsbreed op nog geen vijfhonderd meter bij hun vandaan.

Carolien wel.

Ze schrok wakker in haar stoel op hetzelfde moment dat de moordenaar uithaalde.

Ze was in slaap gesukkeld, zoals wel vaker de laatste tijd, en keek verward om zich heen, zich afvragend wat het kon zijn dat haar zo had doen schrikken. Zo op het oog was er niets aan de hand. De woonboot dobberde kalm op het stille water. Ze legde haar hand op haar buik en voelde hoe strak haar huid gespannen was. De weeën waren nog niet begonnen, de vliezen nog niet gebroken.

Op het aanrecht lag een jong konijn, dat ze voor een groot deel al gevild had.

Het was zonde, zo'n jonkie. Iets meer geduld en het beestje zou een stuk zwaarder geweest zijn, met meer vet op de botten. Maar ze had nu al het eten nodig dat ze krijgen kon. Ze moest op krachten blijven. Op krachten komen, beter gezegd. De bevalling kon elk moment beginnen. En ze had nog zes jonkies over, in de kooi. Twee vrouwtjes en een mannetje had ze apart gezet om mee te fokken. De andere drie werden vetgemest met onkruid van de straatrand en wier dat Jasper uit de grachten viste.

Jasper was er niet. Hij was al dagenlang op pad om werk te zoeken. Per voedselbon kreeg je steeds minder eten. Geld betekende eten. Werk betekende geld.

Carolien luisterde of er mensen op het dek rondslopen. Ze was onvoorzichtig geweest; een aantal mensen op straat had gezien hoe ze het konijntje uit zijn kooi haalde. Jasper zou de kooi vanavond binnen moeten zetten, anders zouden de dieren binnen de kortste keren worden gestolen.

Maar er liep niemand op het dek, dat kon ook niet zonder dat de boot ging schommelen. Er was iets anders. Iets in haar droom.

Ze sjokte de keuken in. Buiten, zag ze, was het al bijna donker.

Ze dacht aan Peter, haar broer, die al een paar dagen niets van zich had laten horen. Waarom moest ze nu opeens aan hem denken?

Misschien versterkten de honger en de zwangerschap haar verbeelding. Toch kon ze het gevoel niet van zich afzetten dat er iets vreselijks te gebeuren stond. Vlakbij.

De vage voorgevoelens van zijn zus zouden Peter Vink niet helpen.

De dodelijke handtas zwiepte op hem af.

In een impuls dook hij naar het raam van de woning naast hem, zijn armen rond zijn hoofd en zijn ogen stijf gesloten, en knalde door de ruit. Het lawaai was oorverdovend, duizenden kleine en grote glasscherven prikten in zijn huid. Hij belandde midden in de woonkamer. De gordijnen, die aan flarden waren gescheurd, haakten aan zijn schouder. Peter strompelde half overeind en rolde meteen door, verder de kamer in, verder van de moordenaar vandaan.

De vrouw des huizes, die een computerspelletje zat te spelen, liet luid gillend haar controller vallen. Haar man sprong op van zijn stoel voor de televisie en rende, alles en iedereen negerend, in blinde paniek de kamer uit, op de voet gevolgd door zijn nog altijd hysterisch gillende vrouw. Een brandende kaars die op tafel had gestaan, viel om en zette het tafelkleed in lichterlaaie. Instinctief speurde Peter de kamer af, op zoek naar een uitgang. Pas toen zag hij de drie kinderen, die verstijfd van angst op hun stoelen zaten. 'S-s-sorry,' kreunde Peter, terwijl hij zich uit alle macht probeerde los te rukken van het gordijn. Hij scheurde het in tweeën en slaagde erin weer op de been te komen. Als een natte hond schudde hij de glassplinters van zich af. Eén splinter, vlak onder zijn rechteroog in zijn wang, zat diep. Peter snelde naar het kleinste meisje en trok haar van haar stoel, weg van de vlammen. De andere twee kinderen waren zelf van tafel weggerend en begonnen nu te huilen. 'Naar buiten, jullie, rennen!' zei Peter. Hun vader kwam teruggerend en greep zijn jongste onder de arm. Zonder op de andere kinderen te letten rende Peter de gang in, rechtdoor, de trap op, naar boven.

Op de eerste verdieping keek hij om zich heen, licht in paniek. Hij had geen idee waar hij heen moest, willekeurig gooide hij een deur open. Een slaapkamer. Als hij daar naar binnen zou gaan, zat hij als een rat in de val. Snel draaide hij zich om en rende een tweede trap op, naar de zolder.

Peter klom door het raam van de dakkapel naar buiten. De dakgoot zat vol met bladeren en was spekglad. Peter zette één voet op de rand. Het was duidelijk dat hij er elk moment doorheen kon zakken.

'Shit!'

Op handen en voeten schuifelde hij over het dak, weg van de woning.

Iets verderop stond een grote boom. De takken reikten tot schuin onder de dakgoot, maar zaten net te ver weg om als vluchtweg te kunnen dienen. Peter schuifelde verder. Hij zag dat er in een van de dakkapellen verderop een raam op een kier stond.

Het meisje was hem gevolgd. Met een verbeten grimas op haar gezicht wurmde ze zich door het dakraam. Ze ging een stuk minder voorzichtig te werk: ze rende, met gevaar voor eigen leven, door de dakgoot heen zijn kant op.

Peter dook het dakraam in.

Hij kwam in een klein kamertje vol rommel. Er stond een oude kleerkast vol jassen en jurken. Daarnaast een tafel vol lampenkappen, kleerhangers en kartonnen dozen. Niets wat dienst kon doen als wapen.

Hij hoorde hoe de moordenaar over de dakgoot dichterbij kwam.

Wat moest hij doen?

Snel zette hij de deur van de zolderkamer open, deed een paar stappen terug en kroop in de oude kleerkast die pal naast het raam stond.

Nog geen twee seconden later dook het meisje met katachtige souplesse de kamer in.

In één koprol was ze bij de openstaande deur. Zonder verder vaart te verliezen dook ze de trap af.

Gelukkig had ze zijn gehijg niet gehoord.

Heel rustig, zo stil mogelijk, kroop Peter terug naar het raam, het dak op. Pasje voor pasje schoof hij verder, tot hij recht boven de gigantische oude kastanjeboom stond die hij eerder gepasseerd was. De dichtstbijzijnde dikke tak kwam tot ongeveer anderhalve meter van de muur vandaan, zo'n twee meter onder de dakgoot. Peter wilde zich aan de dakgoot laten zakken, om al hangend met zijn voeten naar de tak te reiken. Maar de tak hing net te ver weg en het gras, vele meters onder hem, zou hem zeker geen comfortabele landing bezorgen. Vallen stond gelijk aan zelfmoord. Hij boog zich voorover om te zien of er onder de dakgoot een balkon of een raamkozijn was waarlangs hij naar beneden kon klimmen. Anderhalve meter rechts van hem was een wankele regenpijp met half verroeste haken onder aan de dakgoot bevestigd. Bij gebrek aan beter ging hij op zijn buik in de krakende dakgoot liggen, pakte de regenpijp met beide handen vast en liet zich, hoog boven de grond, tegen de muur zakken.

Geen seconde te vroeg. Het meisje kroop weer uit het raam van de tweede dak-kapel tevoorschijn en liep over de dakgoot zijn richting op tot ze precies boven hem halt hield.

Had ze hem gezien? Gehoord?

Peter hing nog geen dertig centimeter onder haar voeten, zijn handen strak om de regenpijp geklemd en één schoen op een wankele beugel waarmee de pijp tegen de muur hing.

Een van haar handlangers stak zijn hoofd uit het raam van het huis waardoor Peter naar boven was gerend.

'Heb je hem te pakken?'

'Ik zie hem niet,' antwoordde het meisje.

'Schiet op! Twee politieagenten staan al voor de deur, ze wachten op verster-king.'

'Komen ze naar boven?'

'Er zijn mensen flauwgevallen en er is een relletje uitgebroken; dat houdt ze wat op, maar het zal niet lang meer duren.'

Peter zag dat de dakgoot boven zijn hoofd steeds verder begon in te zakken. Als het meisje nog iets langer stil zou blijven staan, zou de boel afbreken en zou-den ze alle twee naar beneden vallen.

Loop door! In godsnaam, loop door!

Ik moet anderen waarschuwen.

De waarheid vertellen achter het virus.

Tot overmaat van ramp gleed zijn voet langzaam weg van de beugel waarop hij rustte. Nog even en hij hing alleen nog aan zijn armen.

19

Sloom slenterde Job Slotemaker langs de grachten. Woonboten dobberden doelloos op het water, als onwillige honden rukkend aan de lijnen waarmee ze aan de straatkant vastzaten. Kijkend door de ramen zag hij de bewoners, scharrelend in de felverlichte ingewanden van hun schuiten. Hij zag Carolien dromerig over een tafel gebogen staan en zag hoe Jasper, haar man, na opnieuw een dag vruchteloos solliciteren thuiskwam, zijn fiets met een dikke ketting aan een lantaarnpaal vastzette en met grote stappen de loopplank op liep. Eindelijk thuis.

Job zag hun buren, hangend op de bank voor de tv, en een volgend echtpaar, dat kennelijk fikse ruzie had. Hij keek naar hun geluidloze geschreeuw.

Met de handen in zijn zakken liep hij verder. Als hij al die mensen zo zag, ieder in een eigen huis of woonboot, achter hun eigen muren worstelend met hun eigen problemen, vroeg hij zich af waarom hij zich überhaupt inspande om hen te beschermen. Moest hij zijn leven wagen opdat deze mensen ruzie konden maken of lusteloos voor de televisie konden hangen, avond aan avond, jaar in jaar uit? Was dat de inzet?

Moest hij echt achter naamloze vijanden aan jagen, met als resultaat dat al deze mensen alleen maar nóg langer zo door konden gaan?

'Twijfel is een vijand,' had een dienstdoende commandant hem eens verteld. 'Twijfel is als vijand niet minder gevaarlijk dan een goedgetraind peloton.'

Dat waren wijze woorden. In het veld, in welk land dan ook, had hij deze vijand nooit ontmoet. Te midden van zijn makkers was het tijdens missies eenvoudig om gemotiveerd te blijven. Maar hier, thuis, waren de problemen pas goed begonnen.

Job wist dat hij niet de enige was die met trauma's thuisgekomen was. Veel van zijn strijdmakkers, zijn vrienden, kampten met dezelfde problemen. En al die mensen die glommen van trots toen 'onze jongens' werden uitgezonden, hadden geen boodschap aan diezelfde jongens als ze gewond raakten of doordraaiden, met het jankende geluid van bommen in hun hoofd en steeds weer terugkerende visioenen van bloedende, huilende kinderen. Van trots of dankbaarheid was dan allang geen sprake meer. Sterker nog, de veteranen moesten niet zeuren. Gewoon een baan zoeken en doorgaan met leven!

Het plichtsbesef van Job Slotemaker wankelde. Moest hij voor dit soort mensen zijn leven riskeren?

Hij liep door tot hij de straat bereikte met de kroeg waar hij Peter laatst gesproken had. De barvrouw had gezegd dat ze thuis zou zijn, in haar woning pal boven de kroeg. En dat hij altijd welkom was.

Job genoot van de aandacht. Mimi, met die naam had ze zich aan hem voorgesteld toen ze de deur voor hem opendeed, had een borrel voor hem ingeschonken en zich daarna op de bank tegen hem aan gevlijd. Haar vinger streelde het litteken op zijn voorhoofd.

'Vertel eens wat over jezelf, schat.'

'Je staat achter de bar. Dat is je werk. Krijg je dan nooit genoeg van mannen die je hun verhaal vertellen?'

'Wil je dat echt weten? Ik luister niet echt, schat. Ik wil gewoon naar je kijken terwijl je praat, naar je mond en naar je handen...'

Dus vertelde Job haar over zijn werk. Over de verre reizen. De kameraadschap. Het gevaar. Hij beschreef de geur van de woestijn en het licht van de miljoenen sterren. De ontberingen en de magie. Over de stress, de angst, het falen, liet hij niets los.

'Als je in dat soort landen bent,' peinsde de vrouw, 'dan schrik je dus minder van wat hier allemaal gebeurt. De noodtoestand. De honger. Jij bent dat allemaal gewend.'

'Iedere soldaat weet wat het is om honger te hebben,' zei Job met overtuiging. 'Het kan altijd gebeuren dat je ergens vastzit. Dat je twee, drie dagen zonder eten zit. Dat je niets anders doet dan wachten.'

'Wachten?'

'Ja, daarover gaan die oorlogsverhalen nou nooit. Het wachten. De verveling. Het grootste deel van de tijd gebeurt er helemaal niets.'

Job keek haar aan en schonk zichzelf nog wat bij.

'Helemaal niets,' lachte hij. 'Een beetje zoals vanavond.'

Met een knal zakte de dakgoot een paar centimeter naar beneden. Het meisje en haar helper schrokken ervan. Geen van tweeën zag Peter, die pal onder hen wanhopig de muur aftastte naar nieuw houvast. Geen richeltje, geen spijker, geen schroefje. Niets. Ze zagen niet hoe hij zijn knie wat introk en zijn voet opnieuw op de beugel plantte. Maar ze hoorden wel het luide geknars toen de roestige beugel uit de muur losschoot.

'Wat was dat?' vroeg de handlanger.

'De dakgoot zakt verder door,' zei de moordenaar, terwijl ze zich half vooroverboog om zo veel mogelijk gewicht te verplaatsen naar het schuine dak. Ze deed snel een paar passen om van de gevaarlijke plek weg te komen.

'Wat nu?'

'Zoek door,' riep de jongeman. 'We hebben net bericht van Arie gekregen. We moeten deze figuur tegen elke prijs te pakken krijgen. Tegen elke prijs! We hebben geen keus!'

'Maar hoe?'

'Ga door. Rutger en ik houden de politie beneden wel bezig. Desnoods steken we de boel helemaal in de fik. Als je hem maar vindt!'

Als in een gebed, met dichtgeknepen ogen van de spanning, prevelde Peter steeds dezelfde zinnen.

'Laat ze niet naar beneden kijken! Laat ze niet over de dakgoot buigen en naar beneden kijken!'

Maar hij voelde dat de regenpijp steeds verder van de muur weg begon te buigen en er was niets, helemaal niets, wat hij daartegen kon doen.

Beneden, aan de voorkant van het huis, was het een drukte van belang. De kinderen waren uit het huis de straat op gerend, en alle buren stonden buiten. Door het versplinterde raam had iedereen goed zicht op het smeulende tafelkleed. Twee piepjonge agenten die op hun mountainbikes toevallig langs waren gefietst, probeerden tevergeefs enige orde in de chaos te scheppen en riepen met hoge stemmen van paniek voor de zoveelste keer assistentie op.

Niemand wist wat er gebeurd was.

'Iemand zag dat ze aan tafel gingen en is pardoes door het raam gesprongen om hun eten te jatten,' wist een buurman te vertellen.

'We hebben helemaal geen eten,' huilde het meisje. 'Onze bonnen zijn op.'

Een buurvrouw, nog wit van de schrik, tilde het meisje op haar arm en aaide het sussend over haar bol.

'Ophangen, dat soort tuig,' gilde iemand van achter uit de menigte.

'Hebben jullie helemaal niets te eten?' vroeg de buurvrouw.

Het meisje snikte.

'Mama had heel vieze soep van eikels en aardappelschillen gemaakt. Dezelfde als gisteren.'

De verontwaardiging in de straat steeg tot grote hoogte.

Wie molesteert nu een heel gezin voor een enkel slokje soep!

'Het is de schuld van de regering,' wist iemand te vertellen. 'Van die voedsel-bonnen kan geen normaal mens leven. Voor de voedselbanken staan enorme rijen en ander eten is onbetaalbaar.'

'Tenzij je miljonair bent,' schamperde een ander.

Op dat moment kwam de vrouw des huizes luid jammerend aangerend. De agenten, die zenuwachtig heen en weer drentelden, moesten het ontgelden. 'Doe wat, verdomme! Dit is toch niet normaal, wat er hier gebeurt.' Pas daarna had ze oog voor haar huilende kroost.

'We wachten op assistentie,' legde een van de twee uit, terwijl de ander juist zijn best deed er nors en ongenaakbaar uit te zien. 'We krijgen ze wel te pakken.'

'Jaja, dat verhaaltje kennen we,' smaalde iemand in de menigte.

Op dat moment verscheen de handlanger van de moordenaar in de raamope-ning.

'Ik heb ze gezien,' hijgde hij, terwijl hij tussen de scherven door naar buiten klom. 'Ze zijn via het dak ontsnapt. Ik zag ze daar, aan het eind van het blok, de straat op rennen.'

De man wees een willekeurige kant op en zette meteen de achtervolging in.

'Kom mee, we pakken ze.'

Een deel van de menigte volgde hem. 'Schiet op!' riep iemand tegen de agen-ten. 'Meelopen! Arresteer dat tuig.'

Aarzelend zetten ook de twee agenten het op een rennen, achter het groepje woedende buurtbewoners aan.

De dakgoot hield het niet langer. Hoewel zijn vingers volkomen verstijfd en ver-krampt waren had Peter het, met zijn gezicht naar de muur gekeerd, nog een flinke tijd volgehouden.

Maar de naad waarmee de regenpijp aan de dakgoot gesoldeerd was, scheurde open. Met pijp en al boog hij van de muur af, de ruimte in.

In een vertraagde val, wanhopig tegen de meebuigende pijp geklemd, zweefde Peter zo'n twee meter naar beneden, eerst weg van de muur, maar daarna – on-vermijdelijk door de knakkende regenpijp – met een smak weer tegen de bakste-nen muur. Hij hoorde zijn neus breken toen deze keihard tegen de muur aan knalde, het bloed gutste over zijn armen en buik. Zijn vingers verloren hun grip op de regenpijp en in volle vaart viel hij naar beneden.

Zijn rechterschouder schoot uit de kom en een glassplinter, die vanaf zijn duik door het raam kennelijk al die tijd in zijn jas was blijven steken, drong diep in het vlees van zijn arm.

Overal om hem heen was paniek. Hij hoorde loeiende sirenes van brandweeren politiewagens, en het gevloek, gescheld en gehuil van de buurtbewoners. Maar in de tuin waar hij lag, was geen mens te bekennen. Niemand om hem te helpen en gelukkig ook niemand om hem te vermoorden.

Kreunend probeerde hij overeind te komen. Vanaf het dak was hij nu goed zichtbaar. Het lukte hem niet om te gaan staan – zijn benen weigerden gewoonweg dienst – en dus zat er niets anders op dan naar achteren te kruipen, verder de tuin in. Op het gras bleef een duidelijk bloedspoor achter, maar daar kon Peter nu niets aan doen.

Tegen de schutting lag een rode schelpvormige plastic deksel van een zandbak. Peter kroop eronder. Steeds meer zwarte vlekken dansten voor zijn ogen, maar hij wist dat hij verloren was als hij het bewustzijn zou verliezen. Voorzichtig probeerde hij zijn schouder weer in de kom te krijgen. Met voetballen had hij zoiets eerder meegemaakt bij een teamgenoot met een door een ongeluk verzwakte schouder, hij wist wat hij moest doen: de bovenarm optillen tot deze evenwijdig aan de schouder en het sleutelbeen zat en dan even trekken en een ferme duw naar binnen. Het zag er altijd pijnlijk uit, maar was meestal effectief.

Peter bracht zijn arm in de juiste positie en duwde zijn elleboog met het gewicht van zijn hele lichaam tegen de grond. Sterretjes en lichtflitsen explodeerden in zijn ogen toen de schouder niet in maar juist nog verder langs de kom schoot.

Hij bleef stilliggen tot de pijn wat wegtrok. Zonder aanwijsbare reden dacht hij aan het minuscule spionagemicrofoontje in zijn zak. Wat een belachelijk moment om daar nu aan te denken.

Schuin boven zich hoorde hij weer geschuifel op het dak. Peter gluurde door een smalle spleet naar boven om te zien wie het was. Politie, die hem kwam redden? Of een van zijn belagers? Maar door de kier kon Peter net niets zien.

Hij hoorde zijn naam, in een jankerige, hemeltergende, uitdagende kreet die hem door merg en been sneed. Peter hoorde het geluid dichterbij komen, maar daarna stierf het weg.

De vrouw had de losgeslagen en dubbel geklapte regenpijp kennelijk niet gezien.

Helse pijnen schoten door zijn bovenlijf toen Peter zijn mobieltje uit zijn binnenzak wurmde. Het ding was gedeukt en het scherm was gebarsten. Hij vreesde dat het toestel het niet meer zou doen. Ondanks de pijnscheuten die bij elke beweging van zijn arm door zijn lichaam gierden, ondanks de zwarte vlekken voor zijn ogen, drukte Peter de toetsen in. Als hij Job kon bereiken, kon hij in elk geval het nieuws over het virus en de dreiging van het smeltende ijs vertellen. Dat was verreweg het belangrijkste.

20

Job Slotemaker slaakte een diepe zucht en liet zich op zijn zij rollen.

Mimi lag half onder hem en hijgde tevreden na.

Dat was een aspect van een lege maag waar hij nooit eerder op gestuit was: de seks werd er intenser door. Zijn orgasme trilde door tot in het merg van zijn botten, alsof de leegte in zijn maag elke weerstand, elke remming liet verdampen.

'Ayayai!'

Ze lachte naar hem.

'Jij ook?'

Met een hoek van het laken veegde ze de zweetdruppels van haar borsten, om zich vervolgens kordaat weer aan te kleden.

Job lag loom, nagenietend, naar haar te kijken.

Een zacht afgestelde ringtoon verstoorde het moment.

Hij haastte zich uit bed, viste zijn mobieltje uit zijn jaszak en zag dat er geen nummer in het display was verschenen. Een onbekende beller, waarschijnlijk op een open lijn...

Zwijgend hield hij het toestel aan zijn oor. Aanvankelijk hoorde hij alleen gekraak.

'Hallo?'

Heel in de verte klonk een stem die zich verstaanbaar probeerde te maken. Dat bleek vruchteloos; het gekraak was simpelweg te sterk. Job had geen idee wie er tegen hem sprak of wat er werd gezegd. Hij hoorde het zinloze geknetter en geruis nog een paar seconden aan, daarna verbrak Job de verbinding.

Mimi, inmiddels aangekleed, keek hem aan.

'Alles goed, schat? Problemen met vrouwlief thuis?'

Hij schudde zijn hoofd. 'Nee, nee, nee.'

De problemen zouden weleens heel wat ernstiger kunnen zijn.

Op de zolder in de PC Hooftstraat deed Arie Roozendaal iets wat hij zelden deed: hij nam contact op met zijn twee compagnons van het eerste uur, Charles Groundy en Patrick Li.

Het Syndicaat was in gevaar; het driemanschap moest gezamenlijk een besluit nemen over de te nemen maatregelen. Op grote beeldschermen verschenen ze online; Patrick die zich, gezien zijn outfit en toestand – in zijden pyjama met slaperige ogen – ergens in Azië bevond, waar het nu nacht was. In Amerika was het middag. Charles, die moest worden weggeroepen uit een vergadering in LA, verscheen tot in de puntjes gekleed, fris en scherp.

'We hebben een probleem,' begon Roozendaal, zonder inleiding. 'De feiten beginnen uit te lekken; de kans dat ik dat nog tegen kan houden is klein.'

In een paar goedgekozen zinnen legde hij de stand van zaken uit. Ondertussen bleef zijn mobieltje hardnekkig zwijgen, wat betekende dat er nog altijd geen nieuws was over Vink.

'Het is een kwestie van minuten. In feite wordt de kans dat ik het nog kan tegenhouden met de seconde kleiner.'

'Wat kunnen we doen?'

'De professor en zijn vrouw zijn inmiddels geneutraliseerd. Maar die Vink is slim en zo glad als een aal. Hij is een van de centrale personen in het Nationaal Crisis Coördinatieteam en heeft dus veel contacten. Hij duikt overal en op de vreemdste momenten op: bij de dood van de Nederlandse inlichtingenbaas, bij het huis van de professor. We weten niet wat hij daar deed, we hebben geen profiel van hem, we kunnen zijn volgende stap dus moeilijk voorspellen.'

'En dus?' vroeg Patrick zonder omhaal.

'Als het nieuws uitlekt zal het gaan stormen op de beurs. Als jullie heel snel handelen, kunnen jullie dat voor zijn en daar nog een flinke som geld mee verdienen. Daarna, denk ik, moeten we ons terugtrekken en ons gedeisd houden. Proberen anderen voor alles te laten opdraaien, en in het uiterste geval... vluchten.'

Hij vertelde hun niet van zijn eiland, dat inmiddels bijna klaar was. Zijn vluchtplan lag al klaar. Als hij signalen kreeg dat de politie hem dicht op de hielen zat en hij Nederland eerder dan gepland moest verlaten, zou hij dat eiland links laten liggen. Eerst zou hij een aantal maanden naar Brazilië gaan. Zijn eiland was te mooi en te belangrijk om in allerijl naartoe te vluchten en daarmee te veel risico te lopen. Dat moest omzichtig gebeuren. Volgens een strakke planning. En zonder sporen.

'Ik word hier in Nederland redelijk goed geïnformeerd over wat er binnen de wereld van de inlichtingendiensten en crisisbestrijding gebeurt,' zei hij, met gevoel voor understatement. 'Ik zal de boel hier zo veel mogelijk dwarszitten. Vertragen. Ik heb infiltranten tot mijn beschikking die precies doen wat ik zeg.'

Het mobieltje, naast hem, begon te trillen.

Een kort bericht: *Peter Vink nog niet gevonden... Steeds meer politie voor het huis... Risico stijgt, maar we gaan door.*

Rustig blijven, dacht Arie. Zeker tegenover Patrick en Charles.

Ze spraken verder over hun strategieën en opties.

Op het scherm was te zien hoe de paniek hen langzaam in zijn greep kreeg.

Peter Vink lag koud en rillerig in de tuin onder het plastic deksel van de zandbak. Hij dwong zichzelf tot kalmte, zich tot in elke cel van zijn lichaam bewust van het feit dat daarin zijn enige kans tot overleven lag.

Hij nam de tijd om de simkaart uit zijn kapotte telefoontoestel te halen en deze tussen zijn tanden te vermorzelen.

'Bel me nooit met een onbeveiligd toestel,' had Job hem ingeprent. 'En als je dat – door wat voor omstandigheden een keertje toch moet doen – vernietig de simkaart dan zo snel mogelijk. Voorkom dat je afgeluisterd of getraceerd of gepakt wordt. Het is geen spelletje.'

Dat laatste was hem inmiddels meer dan duidelijk.

Hij wist heel goed dat hij onvoorzichtig was geweest en hij besefte dat hij zich geen fouten meer kon veroorloven.

Overal om hem heen was rumoer, geluid, geren en geregel, maar te midden van dat alles was hij alleen en op zichzelf aangewezen.

Geen van de politieagenten die inmiddels voor aan de straat in de weer waren, kwam op de gedachte achter in de tuin te kijken.

Peter besefte dat het meisje of een van de mannen vroeg of laat de afgebroken regenpijp zou ontdekken en door zou krijgen hoe hij was ontsnapt. Daarnaast was hij bang dat hij het bewustzijn zou verliezen als hij te lang stil bleef liggen. De pijn leek eerder toe dan af te nemen en ook bloedde hij nog altijd.

Hij besloot de pijn te verbijten en zijn schuilplaats te verlaten.

Behoedzaam schoof hij het deksel van zich af. De kale takken van de kastanjeboom boden nauwelijks beschutting. Zo te zien stonden zijn belagers niet langer in de dakgoot. Hij kroop naar de rand van de tuin en klauterde kreunend het tuinhekje over.

Tot zijn schrik zag hij twee felle lampen opgloeien die het achterpaadje verlichtten. Meteen dook hij over een tweede hekje, aan de andere kant van het pad, een andere tuin in.

Hij was duf en zag alles door een paarse waas, maar zijn wilskracht hield hem op de been. Stap voor stap, geen fouten nu!

Op zijn knieën zittend begroef hij het kleine spionagemicrofoontje, dat al die tijd in zijn zak gezeten had. Daar mocht hij in geen geval mee gevonden worden.

Hij hinkte vervolgens de tuin door, een oprit over en de straat op.

Peter had geen idee waar hij heen kon. Zijn zus was geen optie; hij mocht haar op geen enkele manier in gevaar brengen. Zeker niet nu ze hoogzwanger was. Hij strompelde al piekerend verder, vleugellam, met één arm slap langszij. Naast de vlammende, pulserende pijnscheuten in zijn schouder voelde hij ook steken in zijn heup. Uit zijn gezwollen, gebroken neus liepen nog steeds twee straaltjes bloed. Zijn huid was bedekt met scheuren, schrammen en sneeën.

Lara zat op haar hometrainer toen ze gemorrel hoorde aan haar deur. Bezweet, met haar lange zwarte haren in slierten voor haar gezicht en een handdoek om haar schouders was ze gaan kijken. Aanvankelijk zag ze niets, de straat was verlaten. Pas toen ze de deur weer dicht wilde doen, keek ze naar beneden. Aan haar voeten lag een gewonde man in een aan flarden gescheurde jas. Het lichaam leek plompverloren achtergelaten. Eén arm lag in een onnatuurlijke hoek ten opzichte van het lichaam. Ze kon niet zien wie het was, omdat het gezicht van haar af gekeerd was.

Voordat ze in beweging kwam om de gewonde man te helpen, knipte Lara het licht in de gang uit. Zo was ze van buitenaf een stuk minder zichtbaar. Daarna tuurde ze opnieuw aandachtig de straat in. Niets ongewoons te zien.

Nu pas boog ze voorover om te zien of ze de gewonde kende. Een fractie later keek ze recht in het bebloede gezicht van Peter, de broer van Carolien Vink, die gozer die ze eerder van de straat had geplukt toen hij met zijn domme kop tussen haar vrienden was gesprongen.

Hij zag er vreselijk uit. Zijn neus was één klont bloed, een grote snee ontsierde zijn wang vlak boven zijn rechteroog. Er zaten glasscherven in zijn haar en ze zag dat de arm die er zo vreemd bij lag, uit de kom was geschoten of misschien wel was gebroken.

Voorzichtig plukte ze de glasscherven uit zijn haar. Daarna sleurde ze hem, zo goed en zo kwaad als het ging, haar kamer in. Ze wilde hem op de bank leggen, maar het kostte haar al de grootste moeite om hem over de drempel te krijgen. Daarom liet ze hem maar op het vloerkleed liggen.

Ze draaide hem op zijn rug, legde zijn armen en benen in een zo normaal mogelijke houding en rende naar de bank, greep een kussen en legde dat onder zijn hoofd.

Daarna sprintte ze opnieuw de kamer door, deze keer naar de keuken om een doekje en een bak lauw water te halen.

Voorzichtig begon Lara het bloed van zijn gezicht te deppen en zijn wonden te inspecteren. De wond onder zijn oog viel gelukkig mee, maar zijn neus was er slechter aan toe.

Het water bracht hem bij bewustzijn.

'Stil maar, blijf maar rustig liggen,' zei Lara toen ze voelde dat Peter ontwaakte. Hij stak echter zijn hand op ten teken dat ze moest zwijgen, en kroop op handen en voeten naar de tafel.

'Moet bellen,' rochelde hij. 'Geef me je telefoon.'

Ze was een dwaas, dat ze zich dit liet aanleunen, maar de wanhopige ernst waarmee hij het haar vroeg bood geen ruimte voor een weigering. Zonder vragen reikte ze hem haar mobieltje aan.

Peters vingers trilden zo erg dat hij het nummer niet kon intoetsen. Hij gaf Lara het mobieltje terug en dicteerde haar het nummer dat Job hem had gegeven. Ze toetste het in, drukte op de groene knop en gaf hem het toestel terug.

Tot zijn immense opluchting werd aan de andere kant opgenomen.

'Hallo?'

Een korzelige mannenstem.

'Ehm, ja, met mij.' Peter improviseerde haastig. Hij wilde Job niet in gevaar brengen, maar moest hem op de hoogte brengen. 'Is Maria thuis?'

'Ik geloof dat u verkeerd verbonden bent.'

'O, excuses,' stamelde Peter, te uitgeput om een heldere en veilige code te bedenken. 'Weet u, ik ben wat in de war. Ik ben net bij iemand op bezoek geweest, professor Witkam, en die vertelde me dat hij al een tijd geleden een vreemde kleur ontdekt heeft, een soort paars, weet u wel, een oude, heel oude kleur die ingevroren was en in Alaska is vrijgekomen toen de gletsjers daar begonnen te smelten. Bij het rottende kadaver van een mammoet. De professor werd bedreigd. En de leider van die expeditie van die professor, Johnson, is ook al vermoord, en ik... en ik... ik weet het niet... of nee, sorry, het spijt me, ik brabbel maar wat... de oude ziekten... ik ben gewoon verkeerd verbonden. Zeg alstublieft dat u mij verstaan hebt.'

'Ja, ik heb u gehoord, maar hier woont geen Maria. U klinkt behoorlijk in de war. Gaat het wel goed?'

'Ja, ja, dank u...'

De verbinding werd verbroken.

Lara keek hem aan alsof hij gek geworden was. Waar was deze kerel mee bezig?

Op sterven na dood en dan toch bellen? En dan zo'n verhaal houden? En waarom hier, uitgerekend in haar huis, terwijl hij eerder zo duidelijk had aangegeven haar en 'haar soort' te verachten?

Peter Vink, de man die zichzelf altijd zo belangrijk vond, mompelde zowaar iets wat voor een soort dankjewel moest doorgaan.

Hij gaf haar het mobieltje terug en viel met een van pijn vertrokken grimas om zijn lippen in Lara's armen in een diepe, diepe slaap.

Intermezzo

Hij droomde over bouillon. Een meisje gaf hem met eindeloos geduld bouillon te drinken.

Hij droomde over haar schoonheid, en vond dat ze op het moordende meisje met de gifgroene ogen leek. Hij verachtte haar. Hij droomde van pijn en bloed en voelde een waanzinnige aandrang om ervandoor te gaan.

Heel diep. Heel, heel diep moet hij hebben gedroomd, want later wist hij niet meer wat nou echt gebeurd was of echt niet.

Hij droomde dat hij haar in het gezicht sloeg en voelde haar worsteling om hem in bedwang te houden zodat hij niet uit bed zou vallen. Wat was echt?

Ze sjouwde met pleisters en verband en suste hem met lieve woorden en toen dat niet hielp kroop ze bij hem in bed en bedreven ze de liefde omdat hij honger had en zij, heel zeker, toch de moordenaar niet kon zijn. Omdat ze mooier was, veel mooier nog dan zij.

En soms werden zijn dromen warrig, doken er mobieltjes op en vage mammoetmagen. Hij droomde dromen die hij nooit gedroomd had.

Hij droomde dat hij niet meer alleen was en dat misschien nooit meer zou zijn en durfde niet te ontwaken uit vrees dat alles weg zou zijn.

Hij droomde hoe zij hem vervloekte en huilde toen ze klaarkwam. Of waren het zijn eigen tranen?

De lach, de omhelzing...

Het leven, de liefde en de dood...

Hij droomde dat hij weer moest werken, maar wist niet meer wie of waar hij was.

DEEL 3

21

De beroemde Sultan Ahmed Moskee lag er sprookjesachtig bij en de Aya Sofia, iets verderop, baadde in het licht van felle schijnwerpers. Verder was Istanbul opvallend donker. Eén auto jakkerde eenzaam door de straten. Het was een donkere gepantserde Mercedes van de Amerikaanse diplomatieke dienst.

Istanbul leek, net als Amsterdam, een stad in oorlogstijd. Op het Turkse platteland kon de graancrisis nog redelijk goed opgevangen worden, maar in de stad waren de gevolgen duidelijk zichtbaar. De inwoners hadden zich massaal op de visserij gestort. Iedereen die ook maar iets bezat wat kon drijven, ging vissen op de Bosporus. Plezierjachtjes, vissersbootjes, kano's en zelfs een enkele gammele badkuip dobberden chaotisch langs elkaar. De vis werd op open vuren aan de kade geroosterd en ter plekke verkocht. Maar er was nooit genoeg. Mensen verdrongen zich tot diep in de nacht rond de hoog opflakkerende vlammen aan de waterrand. Er werd onderhandeld, gescholden, gesmeekt... De nacht eindigde steeds vaker met vechtpartijen, waarbij het Turkse leger soms keihard optrad.

De auto verliet de hoofdweg en dook de wirwar van straatjes van het centrum in. Gepantserd of niet, als je in deze wijk verdwaalde, kon je makkelijk ingesloten worden. De tweede secretaris van de ambassade, een broekie dat pas enkele maanden voor de Secret Service werkte, was zich daar goed van bewust.

In de buitenwijk waar de ambassade lag viel de auto niet op. Hier lag dat anders. Rondslenterende nachtbrakers, hoeren, zwervers, tasjesdieven en zakkenrollers keken hun ogen uit als hij voorbijkwam.

'Daar,' zei de chauffeur, 'bij die groen-blauwe lampen.'

John Campbell, de jonge secretaris, huiverde. De auto kwam tot stilstand en blokkeerde de smalle straat. De chauffeur liet de motor stationair draaien.

'Dat is het hotel,' benadrukte de chauffeur.

'Dat zie ik,' antwoordde Campbell gepikeerd.

Met niet te verhullen tegenzin stapte hij uit.

'Wacht hier,' zei hij kortaf.

Hij moest de Monnik halen. De legendarische Ron Coldman die zich om volstrekt onduidelijke redenen in dit ranzige backpackershotelletje in de oude binnenstad van zijn stad, zijn territorium, scheen op te houden.

Coldman lag te dommelen op een smerig, doorgezakt bed in zijn uitgewoonde kamer op de derde verdieping, toen er op zijn deur geklopt werd.

Een klein halfuurtje geleden had hij bericht gekregen dat hij zou worden opgehaald. Coldman had een snelle douche genomen en wachtte nu op zijn bezoeker.

Als de baas je roept, dan stel je geen vragen; sommige dingen veranderen nooit.

De tweede secretaris negeerde de armoedige omstandigheden waarin hij zijn beroemde collega aantrof en kwam direct ter zake.

'Goedemorgen, meneer. Ik heb opdracht gekregen om u te vragen om...'

'Ja, ja,' zei Coldman, zijn jas en tas onder zijn arm klemmend. 'Het is al goed. Laten we gaan.'

Ze liepen naar de auto en stapten zwijgend in. De chauffeur gaf flink gas toen hij de straat uit reed.

Een vroege vuilniswagen blokkeerde hun de weg, maar zij glipten er geroutineerd langs, de wijk uit.

'Goed, ter zake. Feiten graag.'

'Nederland,' zei de jonge Campbell. 'Acht uur geleden. We hebben geluidsopnamen die de problemen rond het Nationaal Crisis Coördinatieteam lijken te bevestigen. Zo is het mij verteld; ik weet niet wat dat betekent.'

Hij hield even in om de reactie van Coldman te kunnen peilen.

'Ga door,' mompelde deze.

'Het gaat om een zendmicrofoontje dat nog niet op de beoogde locatie was geplant, maar wel actief was. Het gesprek is opgenomen zonder dat de betrokkenen dit wisten. In Langley denken ze dat een van de personen het microfoontje in zijn broekzak had, niet beseffend dat het al was geactiveerd. Dat was...' – hij keek op een papiertje – '... ene Peter Vink, die kennelijk niet wi...'

Bij het horen van de naam onderbrak Coldman de agent.

'Oké, genoeg. Heb je de transcriptie?'

Hij kreeg zeven vellen haastig uitgetypte tekst in zijn handen gedrukt. De tekst was nog niet gecodeerd en zat vol typefouten. *For your eyes only.*

'Ik weet niet wat erin staat,' zei Campbell ten overvloede.

'Hoe ver is het rijden naar de ambassade?'

'Een uur. Voor mijn chauffeur drie kwartier.'

'Zorg dat er koffie klaarstaat,' beval Coldman. 'En een ontbijt.'

'Tsja, eten. Eh, ja, natuurlijk,' stamelde de secretaris, en hij greep de gecodeerde telefoon van de Mercedes.

Terwijl de auto zo snel mogelijk de binnenstad verliet, las Coldman de transcriptie die hem was aangereikt.

De tekst was een inderhaast gemaakte vertaling van het gesprek tussen Peter Vink en een professor. Ene Ernst Witkam. Coldman las gretig, met stijgende verbazing, over de virussen die vrijkwamen door de smeltende poolkappen. Een onvoorstelbaar beangstigend scenario...

Nadat Coldman de hele tekst had doorgelezen, stond het voor hem vast dat er snel actie moest worden ondernomen.

Dat weerhield hem er niet van om de tekst nog twee keer in zijn geheel door te lezen, tot hij er zeker van was dat hij de consequenties goed kon overzien. De verklaring op internet van de onbekende groepering De Ster van de Islam, waarin het virus als een biotechnologisch wapen in de Heilige Oorlog tegen het Westen werd gepresenteerd, was een rookgordijn. En juist die verklaring was voor hem de reden geweest af te reizen naar Istanbul, naar de oever van de Bosporus, de rand van de islamitische wereld. Hij was erin getrapt! Met zijn missie in Bratislava, waar hij jacht had gemaakt op het Syndicaat, had hij achteraf gezien toch op het juiste spoor gezeten.

Coldman probeerde zich te beheersen. De waarschuwing van Witkam dat de wereld een ware vloedgolf van virusziekten te wachten stond, was schokkend.

Hij wendde zich tot de jonge secretaris.

'Er is meer,' zei deze, voor Coldman iets kon zeggen. 'We hebben televisiebeelden van een nieuwsuitzending van een lokale omroep in Nederland. AT5. Beelden van een straatoproer, zeer waarschijnlijk in Amsterdam. Ik zal ze u direct laten zien als we aankomen in de ambassade.'

Hij zweeg en reikte Coldman een nieuwe tekst aan.

'Een aantal van de stemmen die op deze televisieopnamen te horen zijn, komen overeen met een ander fragment dat we via het zendmicrofoontje hebben binnengekregen. We hebben nog geen mogelijkheid gehad dit volledig uit te typen en te vertalen. Een paar zinnen die belangrijk lijken, zijn eruit gehaald. Hier is de transcriptie.'

'*Ik bied je het dubbele,*' las Coldman.

'*Het dubbele van wat?*'

'*Je wordt toch betaald om mij te vermoorden? Met geld... met eten... wat dan ook. Ik betaal meer.*'

'*Ik word goed betaald voor wat ik doe, snap je? Ze geven me wat ik nodig heb. Noem je prijs en we hebben een deal.*'

'Je hoeft me alleen maar te zeggen waar het geld moet worden afgeleverd.'

'Mooi,' bromde Coldman. 'Heel mooi. Ik ben blij dat je me hiervoor wakker hebt gemaakt.'

Toen leunde hij achterover, sloot zijn ogen en zweeg.

De Amerikaanse ambassade in Istanbul lag op een heuvel. Het was een groot wit gebouw dat veel weg had van een bunker. Coldman was er nog niet eerder geweest, maar gunde zich geen tijd om het prachtige uitzicht te bewonderen.

Toen de Mercedes de poort naderde, zwaaide deze automatisch open. Twee wachthuisjes flankeerden vijftig meter verder een stevige slagboom. De jonge secretaris zwaaide vanuit zijn open raampje met zijn toegangspas.

Niemand sprak een woord tot ze binnen, in de beveiligde, akoestisch en elektronisch afgeschermde zone waren.

Coldman nam plaats in de voor hem klaargezette stoel. Hij kreeg een koptelefoon aangereikt en kreeg een audiofragment te horen. Het betrof een gesprek in een taal die hij niet verstond. Nederlands. De spanning en paniek waren onmiskenbaar in de opnamen terug te horen. De professor klonk nog banger dan Coldman zich bij het lezen van de uitgetypte tekst had voorgesteld.

Hij nam een kleine minuut om de sfeer van het gesprek in zich op te nemen en draaide zich toen met vragend opgetrokken wenkbrauwen naar zijn jeugdige collega.

Die knikte naar een van de monitoren aan de linkerwand van de ruimte en startte met de afstandsbediening een film.

De beelden van het Amsterdamse televisiejournaal verschenen op het scherm. Rondrennende agenten, een huis met een gebroken raam...

'Ik hoor niks!'

John Campbell boog zich over Coldman heen en pakte de afstandsbediening, waarmee hij het geluid harder zette.

Coldman kreeg niet de geluiden van het journaal te horen, zoals hij had verwacht, maar de laatste van de gespreksfragmenten die hij in de auto had gelezen. Het waren slechte opnamen. Veel achtergrondlawaai, ruis en gekraak. Het was een wonder dat een zendmicrofoontje in de broekzak van een bewegende persoon het gesprek überhaupt had kunnen opvangen.

'Ik betaal je het dubbele,' hoorde Coldman, en alles wat daarop volgde.

Het gesprek verliep hortend en stotend. Coldman bespeurde angst en sarcasme, tot alles werd overstemd door het geluid van brekend glas... gestommel en geruis...

Coldman knikte ten teken dat de opnamen konden worden stopgezet.

'Goed. Ze probeerden hem te elimineren. Zijn ze daarin geslaagd?'

'Dat weten we niet. Opvallend is wel dat in Langley een telefoongesprek is binnengekomen van ene J.S. – de volledige naam is mij niet verteld, u zou wel weten om wie het ging – die eiste met u te worden doorverbonden. Wie weet heeft deze persoon nieuwe informatie. Washington is in rep en roer. Dat is meteen ook de belangrijkste reden dat we u hebben opgehaald: besloten is de Nationale Veiligheidsraad bij elkaar te roepen. Deze komt...' – hij keek op zijn horloge – 'over een paar uur bij elkaar.'

Klaas Bol trok zijn hoofd diep tussen zijn schouderbladen en sloeg zijn linkerhand voor zijn ogen. Het hoofd van het Nederlandse Nationaal Crisis Coördinatieteam had Peter Vink aan de lijn. Vanuit het ziekenhuis. Vink was aangevallen door de moordenaar van Wennemars en ternauwernood ontsnapt. Hij had de hele nacht gelopen, zich af en toe verscholen achter schuttingen en in struiken, en was pas in de ochtend naar de woonboot van zijn zus gegaan. Zij had het alarmnummer 112 gebeld en een ziekenauto laten komen.

Peter vroeg of Bol beveiliging voor hem kon regelen en Bol haastte zich te verklaren dat dat geen enkel probleem was.

Hij zou het meteen in orde maken en garandeerde dat binnen het uur twee agenten voor Peters kamer in het ziekenhuis zouden staan.

Peter had nog ander, belangrijker nieuws. Een doorbraak in het onderzoek naar het virus. Hij vroeg Bol wie er nog meer in de kamer zaten. Dat waren Johan Vermeulen, Sedar – de jurist – en Truus Dankers, de vrouw die tijdelijk Geert opvolgde bij de AIVD. Alle drie hadden ze geprobeerd mee te luisteren, maar veel meer dan enkele losse flarden hadden ze niet opgevangen.

Peter was aangeslagen en gewond, maar wist kennelijk precies wat hij wilde. Hij vroeg aan Klaas Bol de telefoon op de speaker te zetten. Bol hield daar niet van – kennis is macht en als hoogste baas was hij graag eerder van alle feiten op de hoogte dan zijn medewerkers – maar hij zag in dat het al te bot zou zijn om een gewonde collega die net een moordaanslag had overleefd zo'n simpel verzoek te weigeren. Na een korte aarzeling zette hij de telefoon op de speaker.

'Kan iedereen mij horen?' vroeg Peter.

De aanwezigen mompelden wat ter bevestiging.

Tot irritatie van Bol nam Vermeulen direct het initiatief. 'Peter, Johan hier, hoe gaat het met je?'

'Ik overleef het wel,' was het korte, weinig geruststellende antwoord. Peter wilde niet over zichzelf praten en kwam meteen ter zake.

'Luister goed, ik heb betrouwbare informatie dat de bron van het virus een halfjaar geleden al is ontdekt, tijdens een expeditie van een Amerikaanse viroloog, professor Bing Johnson. Hij deed onderzoek in de buurt van smeltende ijskappen op de Noordpool.'

'Van wie?' vroeg Bol.

'Hoe bedoel je, van wie?'

'Van wie heb je die betrouwbare informatie?'

Peter zweeg even, alsof hij moeite had zijn gedachten te ordenen.

'Laat me uitpraten. Ik ben gewond en heb weinig adem. Het ijs op de Noordpool smelt in hoog tempo, vanwege de klimaatverandering. Johnson en zijn expeditieleden hebben in dat smeltende ijs resten van een mammoet gevonden. Dat gebeurt wel vaker. Maar deze keer vonden ze ook halfbevroren resten van een paar oeroude graanhalmen. De halmen waren paars.'

'Zijn er foto's? Bewijzen?' vroeg Bol.

'Jullie moeten zo snel mogelijk de internationale gemeenschap waarschuwen. Het is belangrijk dat ze dit weten. Alles in de natuur heeft zijn tegenpool, dus voor dit virus moet een oplossing bestaan. Maar het is een oeroud virus en daardoor is de timing in de war. Misschien kunnen uit oude graangewassen genetische elementen worden geïsoleerd die als bestrijdingsmiddel kunnen dienen. En wat nog veel belangrijker is: er zullen nog meer virussen uit het smeltende ijs vrijkomen. Met die mogelijkheid moeten we serieus rekening houden. Johan, ik wil dat jij persoonlijk professor Walker en haar team op de hoogte brengt. Zo snel mogelijk. Angela weet waar je de professor kunt bereiken.'

'In orde,' bevestigde Johan.

'Heb je alles goed verstaan? Bing Johnson... om zijn expeditie gaat het hier. Naar Alaska en Noord-Canada.'

'Roger!'

Peter praatte door, zonder Bol de kans te geven hem te onderbreken.

'Er is meer. Leden van die expeditie zijn onder druk gezet om hun ontdekking te verzwijgen. Ik weet niet wie daarachter zitten.'

Geagiteerd wipte Bol uit zijn stoel omhoog.

'Peter, voor we met dit alles naar buiten komen, hebben we toch echt concrete gegevens nodig. Feiten! Foto's! Harde bewijzen...'

Truus Dankers zei dat ze het daarmee eens was. Maar Peter Vink had de verbinding al verbroken.

Het groepje rond Klaas Bol staarde verbijsterd naar het stilgevallen telefoontoestel.

22

Nu was het pas echt crisis in het crisiscentrum.

'Als het klopt wat Peter zegt,' hijgde Sedar, 'zet dat in één klap alles op zijn kop. Klimaatverandering, wie had dat kunnen denken.'

'Als het klopt.' Klaas Bol toonde zich niet overtuigd. 'Vink klonk warrig en niet erg betrouwbaar.'

Truus Dankers kon haar oren niet geloven. Fel viel ze naar hem uit. 'Klaas, de man heeft ternauwernood een moordaanslag overleefd!'

'Ik heb een land te runnen! Ben je vergeten dat de noodtoestand is afgekondigd, Truus? Ik heb geen tijd voor sentimenteel gedoe. En het lijkt me verstandig als het hoofd van de AIVD een beetje bij de les blijft.'

Bol was weer eens ronduit beledigend en leek zich daar geenszins voor te generen. Sedar doorbrak de pijnlijk lange stilte die daarop volgde. 'Wat ik me afvraag,' begon hij, 'is waarom die moordaanslag heeft plaatsgevonden. Als er een of andere terroristische actie zou zijn, zou ik het nog wel snappen, maar klimaatverandering, daar heeft toch niemand schuld aan of belang bij? Ik bedoel, dat speelt al jaren...'

Maar Truus negeerde zijn poging om van onderwerp te veranderen. 'Peter is gewond, er is niets sentimenteels aan om daar rekening mee te houden,' siste ze afgemeten. Ze trotseerde Bols woedende blik en keek hem ijskoud in de ogen. 'Een goede leider heeft oog voor zijn manschappen, Bol, vergeet dat niet.'

'Het is, meen ik, niet aan jou om te oordelen over mijn leidinggevende capaciteiten,' gromde Bol terwijl hij weer uit zijn stoel omhoogkwam. 'Het is aan jou om je werk zo goed mogelijk te doen, en als er daadwerkelijk sprake is van een moordaanslag, dan heeft jouw club het voor een tweede keer laten afweten. Wat heb je aan inlichtingendiensten als ze zelfs geen moordaanslag op hun eigen chef kunnen voorkomen?'

Johan had het duel tussen de twee een tijdje gadegeslagen en vond het nu genoeg geweest. Hij raapte zijn dossiers en losse papieren bij elkaar en stond op.

'Ik ga maar eens aan de slag. Professor Walker bellen.'

'Dat lijkt me wat voorbarig,' gromde Bol. Johan staarde hem met open mond aan.

'Pardon?'

'We staan hier niet aan de borreltafel! We publiceren toch geen roddelrubriek! Voordat ik iets van dit nieuws naar buiten breng, heb ik meer details nodig. Ik moet met Peter spreken, nu meteen. We kunnen geen crisis bezweren op basis van vage geruchten.'

Hij greep naar de telefoon en blafte tegen zijn secretaresse dat ze onmiddellijk zijn chauffeur moest ontbieden.

'Ik ga nu naar het ziekenhuis. Mijn troepen inspecteren.' Hij keek Truus nadrukkelijk aan. 'Ik wil dat Peter me persoonlijk, onder vier ogen, meer details geeft. Tot die tijd doen we niets. Begrepen?'

Na deze woorden beende hij met grote stappen de kamer uit.

Johan besloot het verbod van zijn baas in de wind te slaan. Hij vertrouwde Peter. Bovendien vond hij dat Bol zich tegen zowel Peter als Truus bijzonder onbeschoft had gedragen. Voor zo'n bullebak wilde hij sowieso niet werken.

In Amerika was het vijf uur in de ochtend, maar ook dat weerhield hem er niet van de professor meteen te bellen. Ursula Walker lag nog te slapen, maar een paar zinnen van Johan waren voldoende om haar aandacht te vangen. Ze hoorde hem aan, stelde een paar vragen en maakte een eind aan het gesprek zo gauw ze alle feiten op een rij had. Ursula Walker was niet iemand die tijd verspilde. Direct nadat ze de hoorn op de haak had gelegd, belde ze een van haar assistenten met de mededeling dat ze haar voltallige team binnen een uur in haar kantoor op de universiteit verwachtte. Vervolgens schoot ze in haar kleren en liep naar de computer in de kleine studeerkamer op zolder. Snel typte ze een mailtje naar haar faculteit, waarin ze kort samenvatte wat ze gehoord had. Voor de zekerheid gaf ze het telefoonnummer door van Johan Vermeulen. Dat moest genoeg zijn. Vervolgens stelde ze in een kwartier een lijst op met vragen die ze beantwoord wilde zien, om de implicaties van het nieuws uit Nederland goed te kunnen inschatten.

De professor kwam tot twaalf vragen. Ze typte een kort begeleidend bericht en mailde ze vervolgens met de hoogste prioriteit naar alle leden van de Internationale Associatie van Virologen. Over een klein halfuur, als ze op de universiteit was, zou ze iedereen persoonlijk laten opbellen met het dringende verzoek om haar uiterlijk voor het eind van de ochtend zo veel mogelijk relevante informatie te sturen.

Haar man was inmiddels wakker geworden en sjokte blootsvoets door de keuken. Hij zette haar een grote kop sterke koffie voor en, bij gebrek aan brood, een pap van opgewarmde bonen. Voor iemand die zo tenger was dat je zou durven zweren dat ze aan anorexia leed, schrokte Ursula Walker de bonen met verrassend grote happen naar binnen.

'*Troubles, darling?*' zei hij met een goed gevoel voor understatement.

'*You don't wanna know.*'

Ze hadden een relatie van weinig woorden. Dat was altijd al zo geweest.

Al etend probeerde de professor zich Peter Vink voor de geest te halen. Ze had hem een tijdje geleden gesproken via een webcam en herinnerde zich dat hij wel betrouwbaar en capabel overkwam. Ze sloot dan ook niet uit dat de informatie die ze zojuist te horen had gekregen klopte. De doorbraak was beangstigend en kwam uit onverwachte hoek.

Haar auto stond buiten op de oprit.

Ze klikte de portieren van het slot en wilde instappen.

'*Excuse me, ma'am.*'

Een man in een blauw uniform, met kille, harde ogen en gemillimeterd haar, tikte haar op de schouder en hield haar zijn identiteitskaart voor. 'Ik heb opdracht u mee te nemen naar een spoedvergadering in het Witte Huis.'

In de auto van de militair surfte ze op internet.

Al snel ontrolde zich voor Ursula Walker een scenario waar zelfs haar ergste nachtmerries bij verbleekten. Ze vond wetenschappelijke artikelen over vondsten van oude dierenskeletten, en vrijwel meteen werd het haar duidelijk dat het verhaal van de oeroude virussen heel goed kon kloppen.

In de loop der jaren waren in Alaska en Siberië de ingevroren overblijfselen van maar liefst vijftig mammoeten vanonder het ijs tevoorschijn gekomen. In één geval had de mammoet voedsel in zijn mond en maag. Wetenschappers hadden zich hier nog over verbaasd. Hoe kon een mammoet sterven met een volle mond? Waarom had het dier het voedsel niet uitgespuugd of doorgeslikt voordat hij zijn laatste adem uitblies? En daarnaast: hoe kon het dier zo snel bevroren zijn dat zijn maag- en spijsverteringssappen de tijd niet hadden gehad om het voedsel te verteren? Voor zover ze nu kon nagaan had niemand gedacht aan ziekten die daarbij uit het voedsel konden vrijkomen. Niemand had deze catastrofe zien aankomen.

Of toch?

Terwijl haar chauffeur met een snelheid van 160 kilometer per uur door de straten van Washington scheurde, stuitte Ursula Walker op een oud artikel dat in het gezaghebbende blad *New Scientist* van 4 september 1999 was gepubliceerd. Hierin las ze dat een groep wetenschappers jaren geleden al tot de conclusie was gekomen dat oude virussen die uit het smeltende poolijs komen, tot onverklaarbare epidemieën zouden kunnen leiden. Het artikel beschreef een onderzoek naar zeer oude mozaïekvirussen die soms tot 140.000 jaar in het poolijs hadden vastgezeten. Dit onderzoek, zo schreven de wetenschappers, toonde aan dat intacte infectueuze virussen al die jaren geconserveerd konden worden en na vrijlating uit het ijs onverwachte epidemieën konden veroorzaken.

Deze mensen, besefte Walker, hadden in niet mis te verstane bewoordingen de graancrisis voorspeld:

> *Invriezen in poolijs is een prima conserveringstechniek voor calicivirussen, en het smelten van delen van de ijskap zou theoretisch kunnen leiden tot het vrijkomen van 'oude' virussen. Daarmee zouden bovenstaande epidemieën kunnen worden verklaard. Dit is waarschijnlijk een grotere bedreiging voor de volksgezondheid dan het smelten van het poolijs zelf.*

Helaas had niemand er aandacht aan besteed. Het artikel was, zoals dat zo vaak gebeurd, snel in de maalstroom van wetenschappelijke publicaties verdwenen.

Tot vandaag.

Opgewonden mailde ze de tekst naar al haar collega's. Ze zag de eerste reacties op haar vragen al in haar mailbox verschijnen.

Tegen de tijd dat de chauffeur de oprit van het Witte Huis op reed, twijfelde Ursula Walker er nauwelijks meer aan dat de suggestie dat het graanvirus heel oud was en nu plots uit de smeltende poolkap tevoorschijn was gekomen, op waarheid berustte. Ze achtte het zelfs heel waarschijnlijk dat de mammoetmaag de bron van alle ellende was geweest. Dat zou veel raadsels rond het graanvirus in één klap verklaren.

De Amerikaanse Nationale Veiligheidsraad zat met nog een ander probleem: het Syndicaat. Ze waren het wel gewend dat als er ergens iets fout ging, er in no time aasgieren opdoken, maar deze keer ging het wel heel ver. De dood van Johnson, de angst van Witkam en de mislukte moordaanslag op Vink lieten er geen twijfel over bestaan dat deze misdaadbende te groot was om te negeren.

Alle leden van de Veiligheidsraad spraken er schande van dat de CIA nooit eerder melding had gemaakt van het Syndicaat. Zelfs de Amerikaanse president, normaal gesproken toch iemand die onder alle omstandigheden zijn zelfbeheersing bewaarde, hield een ware donderpreek.

De directeuren van de CIA gingen door het stof, maar Ron Coldman, de Monnik van Langley, was te oud en te eigengereid om zomaar over zich heen te laten lopen. Dat pikte hij van niemand!

Hij was een van de twee mannen die niet lijfelijk aanwezig waren op deze vergadering van de Veiligheidsraad. De andere afwezige was niemand minder dan de president zelf. Via een videoverbinding namen zij aan de vergadering deel.

'Met permissie, meneer de president, uw kritiek is ongegrond,' zei hij onomwonden. 'Het Syndicaat is terroristisch en gewelddadig, en sommige leden zijn inderdaad levensgevaarlijk. Het is van het allergrootste belang dat we nauw samenwerken om deze organisatie onschadelijk te maken. Voor u ons in zulke sterke bewoordingen veroordeelt, lijkt het me toch verstandig eerst de feiten en ervaringen van mijn dienst op tafel te hebben. En nog los daarvan, we hebben vandaag genoeg te doen. Misschien is dit niet het moment om het over het functioneren van de CIA te hebben, meneer de president.'

Tot ieders verbazing zag de president de redelijkheid van deze opmerking in.

'U hebt gelijk. Ter zake nu.'

'Mijn excuses, sir, voor mijn directe woorden,' zei Coldman meteen, beseffend dat weinigen ongestraft de president kunnen toespreken op een toon zoals hij die net gebruikt had. 'Ze werden in haast gesproken en meteen betreurd.'

Coldman verwees met zijn opmerking naar een standaardfrase uit het Amerikaanse leger, waarmee soldaten die zich in het heetst van de strijd niet correct jegens hun meerderen opstelden, hun woorden mochten terugnemen voordat ze consequenties hadden.

De voltallige Veiligheidsraad zag het aan en hield zich erbuiten.

Back to business!

'Het vrijkomen van het virus is het gevolg van de klimaatverandering. Alle beschikbare informatie, u hebt het complete dossier voor u liggen, lijkt daarop te wijzen. Anderen kunnen u beter dan ik inlichten over de consequenties. Mijn boodschap vandaag is dat het Syndicaat een actieve, een letterlijk moordende rol speelt in de voedselcrisis die door het virus ontstaan is. We kunnen het ene probleem niet oplossen zonder het andere aan te pakken. De CIA zit al enige tijd achter het Syndicaat aan.'

'Details graag,' bromde de president. Hij vond de schriftelijke informatie die de CIA aan iedereen verstrekt had te beknopt en veel te vaag.

Via de webcam keek Ron Coldman naar zijn chef, omdat hij van hem wilde weten hoe ver hij kon gaan. Formeel was de president uiteraard de hoogste baas, maar de CIA was altijd terughoudend om gevoelige informatie aan hem prijs te geven. De chef knikte; hij kon doorgaan.

'Het Syndicaat, dat zijn de cowboys van de vrije markt, sir. Een internationaal georganiseerde bende waar wij al jaren achteraan zitten. Als er ergens onlusten uitbreken, gooien zij olie op het vuur. Moord en doodslag; daar reageert de beurs op, en zij profiteren via aandelen, opties en andere beleggingen.'

'Zoals tijdens de kredietcrisis van een paar jaar geleden?' vroeg de president.

'Yes sir, de kredietcrisis is voor een belangrijk deel aan hen te danken. Rond de millenniumwisseling waren er al vermoedens dat bepaalde groeperingen doelbewust banken en andere bedrijven aan het wankelen brachten en daardoor de koersen lieten kelderen. Het Syndicaat heeft zeker bijgedragen aan de escalatie. Analyses achteraf hebben patronen blootgelegd die allemaal wijzen op doelbewuste, ronduit criminele interventies van het Syndicaat. Strategische verspreiding van foute informatie, bedrijfssabotage en -spionage, handel met voorkennis, valsheid in geschrifte, omkoping... Datzelfde zagen we ook in de crisis rond de stijgende voedselprijzen die daaraan voorafging. En met de crisis rond de oliehandel en met...'

Zijn baas stak een hand op en onderbrak hem.

'Ik geloof dat je je punt wel gemaakt hebt, Ron.'

'Dit is relevante informatie, chef. In deze tijd staat geen crisis meer op zichzelf. Alle crises houden verband met elkaar, en de hebzucht van het Syndicaat is het bindmiddel tussen alles. Dat is de kern van de zaak.'

'Oké, duidelijk, Coldman. Wat is de volgende stap?'

'In Nederland is de link tussen het graanvirus en het Syndicaat blootgelegd. De puzzelstukjes vallen in elkaar. We hebben een paar harde feiten waarmee we verder kunnen. Het zou echter helpen, sir, als onze bevoegdheden zouden worden uitgebreid. Dit is het moment om toe te slaan. Elke seconde telt.'

'Wanneer zal de CIA eens niet om meer bevoegdheden vragen...' verzuchtte iemand die Coldman niet kende. Maar de anderen waren van de ernst van de situatie overtuigd. De Monnik zou alle bevoegdheden krijgen waar hij om vroeg.

Op dat moment sloot professor Ursula Walker zich aan bij het gezelschap. Sinds het overlijden van Bing Johnson was zij de meest deskundige virologe in Amerika. Ze straalde autoriteit uit, en werd meteen in het gesprek betrokken.

23

Job Slotemaker stond verdekt opgesteld tegenover de hoofdingang van het ziekenhuis waar Peter werd behandeld. Het was koud en het regende. Job droeg een grijze winterjas en een grijsblauwe muts die hij elk gewenst ogenblik zou kunnen afdoen om van uiterlijk te veranderen. Hij voelde zich, zacht gezegd, niet echt top.

Van alle mensen die om wat voor reden dan ook zijn aandacht trokken, maakte hij foto's. Tientallen. Onopvallend. Tweemaal besloot hij iemand te volgen, maar beide keren was het vals alarm.

Job wist dat hij gefaald had. Peter was zíjn man geweest. Híj had hem geïnstrueerd. Hij had hem het veld in gestuurd. En hij had hem niet voor deze moordaanslag kunnen behoeden.

Voor Job was dit onverteerbaar, temeer omdat het niet de eerste keer was. Ook bij die fatale aanslag bij de bushalte in Bagdad had hij zijn makkers niet kunnen redden. De geschiedenis leek zich te herhalen. Opnieuw schoot hij tekort.

Hij zou ermee moeten leven. Want één ding was zeker: hij zou niet in een hoekje gaan zitten kniezen. Wat dat betreft had Coldman wel gelijk gehad. Er was werk te doen en dit was niet het moment voor nog meer fouten.

Coldman had hem laten weten dat het een paar dagen kon duren voor hij hulp van de CIA kon verwachten. De Monnik had tijdelijk andere dingen aan zijn hoofd. De Amerikaanse inlichtingendiensten waren zich aan het hergroeperen, en dat ging traditioneel gepaard met strijd, afgunst en jaloezie. 'Je staat er eventjes alleen voor. Maar maak je geen zorgen, ik neem zo snel mogelijk weer contact met je op.'

Hij had Job nog één ongevraagd advies meegegeven. 'Staar je niet blind op de veiligheid van Peter Vink. We willen het Syndicaat, de verraders, de moordenaars van Wennemars. Vink is ons lokaas, meer niet. Als hij het overleeft is het meegenomen, maar dat is geen doel op zich.'

Hij stond dus niet alleen voor Peters veiligheid te verregenen, hier bij de ingang van het ziekenhuis. Het spoor van de vijand was warm. De aanslag zinderde nog na en net zo goed als een pyromaan vaak vooraan in de menigte staat om de gevolgen van zijn daad te bekijken, was er een reële kans dat de moordenaar hier opdook. Wellicht zelfs om het karwei af te maken. Ook moordenaars hebben eergevoel, wist Job, en balen als hun klus niet naar behoren is geklaard.

Job zag geen kans om direct contact met Peter op te nemen. Peter Vink lag aan een infuus dat ervoor zorgde dat een constante stroom pijnstillers en slaapmiddelen in zijn bloedbaan werd gebracht. Hij was suf en slaperig, en verkeerde in een kunstmatige, half comateuze toestand die volgens de dokters zijn genezing zou bevorderen.

De dokter had hem dit infuus willen toedienen meteen nadat de ambulance hem in het ziekenhuis had afgeleverd, maar dat had Peter geweigerd. Hij had de arts bezworen dat hij hooguit een halfuurtje nodig had om een paar essentiële dingen te regelen. 'In het landsbelang.' Daarna zouden ze met hem mogen doen wat ze wilden.

Het was misschien wel het moeilijkste halfuur van zijn leven geworden. Het was haast ondoenlijk om helder te blijven met zoveel pijn. Toch was het telefoongesprek met 'het Fort' van Bol goed verlopen. Hij had geen woord te veel gezegd. Peter wist niet of de waarschuwing die hij vanaf Lara's mobieltje aan Job Slotemaker verstuurd had, goed was overgekomen. Het was daarom essentieel dat hij de informatie aan het Coördinatieteam had kunnen geven. Niet aan één persoon, maar aan meerdere.

Het stelde Peter gerust dat Johan persoonlijk had beloofd de informatie aan Ursula Walker door te geven. Als er iemand te vertrouwen was, dan was dat zijn vriend Johan. Wie de verrader binnen de groep was, zou Peter later wel onderzoeken. Eerst het bericht... eerst de virussen en het smeltende ijs.

'Ik weet niet precies waar u mee bezig bent, meneer Vink, maar volgens mij bent u een moedig man,' vertrouwde de dokter Peter toe voordat hij het infuus inbracht.

'Het zal u geruststellen dat er inmiddels twee bewakers voor uw deur staan en dat er niemand in of uit komt zonder hun en mijn toestemming. Er staan journalisten beneden in de hal, uw spectaculaire ontsnapping gisteravond heeft flink wat aandacht getrokken. De komende dagen houden we iedereen op afstand, u moet rust houden.'

De medicijnen werkten vrijwel meteen. Peter voelde dat de pijn begon te zakken.

'Prima, ik wil helemaal niemand zien. Ik heb niets te zeggen.'

Een diepe loomheid maakte zich van hem meester. 'Alles wat ik wilde doen, heb ik gedaan. Het is genoeg zo.'

Het kwam geen seconde in hem op dat Job Slotemaker, Ron Coldman en de samenwerkende Amerikaanse inlichtingendiensten hem nog heel erg hard nodig hadden.

Job wist dat hij in beweging moest blijven. Mannen die lang stilstaan vallen op. Hij koos verschillende plekken vanwaar hij de pontificale draaideur kon observeren. Stromen mensen wurmden zich in en uit het ding, af en toe ontstond er een kleine opstopping als iemand in zijn haast tegen de automatische deur duwde, waardoor die uit veiligheid abrupt stil bleef staan. Drie keer was Job zelf door deze deur naar binnen gelopen, een beetje ineengedoken om oogcontact uit te sluiten. Binnen stond een koffieautomaat, waar Job na zijn derde binnenkomst dankbaar gebruik van maakte. Hij ging meteen weer naar buiten. Met een bekertje warme koffie die zijn verkleumde vingers verwarmde zocht hij opnieuw positie, een lantaarnpaal deze keer, waar hij een tijdje tegenaan kon leunen alsof hij een van de vele bezoekers was die hier op iemand wachtte. Pal voor zijn neus stopte de stadsbus. De deuren gingen open en een groep forensen vulde het trottoir. De luxe, dure auto die achter de bus gereden had, moest even wachten. Job keek toe hoe een oud vrouwtje behoedzaam met haar rollator het afstapje van de bus af kwam. Een lange, puisterige puber bood haar een helpende hand. Achter hen stapte een moeder met drie kinderen uit.

De vrouw keek hem recht in de ogen en een kort moment waren ze klemvast met elkaar verbonden. Job wist dat zij wist dat hij wist... het maakte niet uit. Een schoonheid staat op en Job staat er met lege handen bij. Ze trekt aan een koord om haar middel... Ze kijkt hem aan en...

Met een schok keerde Job weer terug in de werkelijkheid. Bijna had hij de auto over het hoofd gezien. De chique, zwarte auto die achter de bus stond te wachten. De man die uitstapte kwam Job bekend voor. Het was Bol, Klaas Bol.

Bol liep het ziekenhuis binnen. Job maakte snel een foto van de chauffeur, die soepeltjes optrok, en stak geroutineerd de straat over.

Bol was alleen, daarvan was Job bijna zeker. Er stonden geen mensen bij de ingang om de man rugdekking te geven, er was geen assistent die met een dikke map vol paperassen achter zijn baas aan sjokte, geen woordvoerder, geen adviseur. Dat was vreemd voor iemand met zo'n hoge positie.

Job nam foto's van alle mensen die buiten stonden en stelde zich vervolgens zo op dat hij door de glaswand de ontvangsthal van het ziekenhuis in beeld had, zonder tegelijkertijd het overzicht over de omgeving te verliezen. Door het spiegelende glas was goed te zien hoe een paar journalisten in de hal opsprongen en Bol belaagden. Deze maande hen tot kalmte en liep met grote passen verder het gebouw in.

Klaas Bol, de grote regent van het door de noodtoestand gegijzelde Nederland, was echt helemaal alleen!

Zou hij met een ongekend vertoon van vaderlijke warmte zijn medewerker een hart onder de riem gaan steken? Met een bemoedigend woord en de belofte van een koninklijke onderscheiding? Of wilde hij, buiten iedereen om, de door pijnstillers en geneesmiddelen versufte patiënt aan een kruisverhoor onderwerpen, in een snelle actie waarmee Bol zich een informatievoorsprong op alle anderen zou verwerven?

Er was een derde mogelijkheid, die Job niet erg waarschijnlijk achtte, maar die hem toch koude rillingen bezorgde. Bol zou toch niet, om zichzelf en eventuele geheime broodheren te beschermen, zijn naam en functie misbruiken om bij Peter Vink binnen te dringen en hem voorgoed het zwijgen op te leggen? Job kende de technieken: een injectie met gif, net onder de nagel van een teen of vinger. Als het juiste gif in de juiste dosering werd toegediend zou moord nooit kunnen worden bewezen.

Snel overwoog hij zijn mogelijkheden. Het ziekenhuis in rennen en de bewaking vertellen dat Bol van ernstige misdrijven verdacht werd, was een optie. Ze zouden hem voor gek verklaren en hem direct arresteren. Zonder bewijs had hij geen poot om op te staan. Maar de bewakers zouden Bol toch, heel even, met andere ogen bekijken, en dat zou de kans aanzienlijk verkleinen dat Bol iets tegen Peter kon ondernemen. Alarm slaan was dus zinvol, hoe ongeloofwaardig ze hem ook zouden vinden.

De prijs zou hoog zijn. Bol zou weten dat hij in de gaten werd gehouden en nog beter op zijn tellen passen dan voorheen.

Job wist dat hij in elk geval iets moest doen, hij kon niet nog een keer langs de zijlijn blijven toekijken. Maar wat was wijsheid? Binnen, in de lange hal, heerste nogal wat bedrijvigheid. Als hij wilde ingrijpen, had hij geen seconde te verliezen.

Hij bedacht dat hij ook anoniem de politie kon bellen met de waarschuwing dat er binnen vijf minuten een moordaanslag op Peter Vink zou worden gepleegd. Bol zou niet worden genoemd, maar de bewaking zou direct verscherpt worden. Op deze manier zou hij zichzelf niet in de problemen brengen en zou Bol niet doorhebben dat Job verdenkingen tegen hem koesterde. Nadeel was dat dit plan tijd kostte. De bewakers zouden Klaas Bol misschien allang binnen hebben gelaten en zouden zich vervolgens alleen nog maar richten op eventuele bedreigingen van buitenaf.

De klok tikte door.

Hij stond nu bij de lift. Bol was nergens meer te zien.

Job wist dat Peter in een afgescheiden ruimte op de zevende verdieping lag.

'Gaat u ook naar boven?' vroeg een verpleger, met zijn hand op de knoppen in de lift. Job glimlachte beleefd, maar zei niets.

Verveeld stapte hij de lift in, draaide zich naar de knopjes en knikte in zichzelf alsof hij geconstateerd had dat het knopje van de verdieping waar hij naartoe moest al was ingedrukt.

Arie Roozendaal wist tot in detail waar Peter Vink verzorgd werd. Zijn moordenaarsteam had weer gefaald. Professor Witkam en zijn vrouw hadden ze wel te pakken gekregen, maar het was de vraag waar dat nu nog goed voor was. Roozendaal had een hekel aan geblunder – hij zou de schuldigen zeker straffen – maar zijn zelfvertrouwen werd er niet door aangetast.

'Weg jij,' zei hij, terwijl hij een van zijn jeugdige handelaren achter de computer vandaan dirigeerde. Alle analisten en handelaren die achter de rijen computers om hen heen aan het werk waren, hielden hun adem in. Het gebeurde niet vaak dat Roozendaal zelf achter een keyboard plaatsnam.

'Ogen op je eigen scherm, jongens,' riep Roozendaal joviaal. 'Sommige dagen wil je niet missen.'

Zo gauw het nieuws over de uit het smeltende ijs vrijkomende virussen bekend werd, zou de beurs op hol slaan. Hij zag de krantenkoppen al voor zich: HET KLIMAAT SLAAT TERUG. 2012: HET EINDE DER TIJDEN.

Roozendaal had besloten ook deze situatie in zijn voordeel om te buigen. Het was duidelijk dat alles wat klimaatverandering en het smelten van de poolkap versnelde, dus alles wat te veel energie verbruikte, binnen de kortste keren in de ban zou worden gedaan. Hij was de eerste die hiervan op de hoogte was en dus de eerste die de winst kon pakken. Andere producten zouden juist meer waard worden. Zonnecellen. Windmolens. Tamiflu en andere antivirale geneesmiddelen. En natuurlijk voedsel, voedsel, voedsel. Roozendaal haakte hierop in door grote hoeveelheden futures te kopen, aandelen die pas in de toekomst betaald moesten worden tegen een prijs die nu al afgesproken werd. Voor het uitbreken van de crisis waren boeren daar gek op geweest. Dankzij futures konden zij in het voorjaar al de aardappelen verkopen die pas in het najaar zouden worden geoogst. Dat gaf bedrijfszekerheid, en als er iets is waar boeren dol op zijn, is dat het wel. Maar steeds vaker werden deze futures door allerlei malafide speculanten tegen hen gebruikt.

Roozendaal was daar het meest uitgesproken voorbeeld van. Hij had vlak voor de uitbraak van het graanvirus al op grote schaal futures gekocht in allerlei soorten voedsel waar geen graan in zat. Vooral soja, groenten en vis. Nadat de prijs was vastgesteld en de koop was gesloten, was het simpelweg wachten tot de vooraf afgesproken futuretermijn van drie maanden verstreken zou zijn. En toen dat het geval was, was de graancrisis al uitgebroken en was de prijs van de soja, groenten en vis verveelvoudigd. Hij kon de aandelen op de dag dat hij ze – tegen het lage tarief van voor de crisis – binnenkreeg eenvoudig tegen de veel hogere prijs doorverkopen en was in één klap vele miljoenen rijker.

Veel landen toonden zich allergisch voor dit soort trucs. Er was immers altijd iemand die de prijs moest betalen. Tijdens de kredietcrisis in 2008 hadden veel westerse landen de handel in naked shorties verboden, terwijl India in datzelfde jaar een verbod op de handel in voedselfutures had uitgevaardigd. De Indiase minister van Financiën noemde het ronduit verwerpelijk dat voedselfutures in handen kwamen van speculanten die enkel geld wilden verdienen aan de hoge voedselprijzen. 'Als democratie ben je verplicht iets te doen tegen dit soort speculanten,' had hij gezegd. De voedselrapporteur van de Verenigde Naties bevestigde dat dit een groot probleem was, maar had er verder niets tegen kunnen doen.

'Gaat er iets gebeuren, baas?' vroeg de brutaalste van Roozendaals medewerkers over de haag van computerschermen heen.

'Stil. Laat me even werken.'

Er was geen reden voor paniek. De vluchtauto's stonden klaar, de nieuwe paspoorten zagen er goed uit en zelfs de plastisch chirurg stond stand-by.

Geconcentreerd speelde Arie Roozendaal het spel waar hij mee was opgegroeid. Op internet, dat hij in zijn jeugd als werkstudent in Californië had ontworpen, legde hij een web van omleidingen en digitale dwarsverbindingen aan.

'Ter nagedachtenis aan de jongens van ARPA,' mompelde hij grijnzend, terwijl hij niet-bestaande personen vanuit landen waar hij nooit geweest was met aandelen liet schuiven, van lege bv naar lege bv, van valse naam naar valse naam.

Dit waren de deals waar hij zich sinds zijn vroege jeugd op had voorbereid en die hem definitief tot de rijkste man van de wereld zouden maken.

24

Job stapte uit op de negende verdieping. Van het karretje met leesvoer dat langs de patiëntenruimten reed griste hij een krant mee. Hij wist nog steeds niet wat hij moest doen. Sinds zijn ziekteverlof voelde hij zich als een sportman met gebrek aan conditie. Job liet zijn gedachten voor wat ze waren en besloot zich over te geven aan zijn routines en intuïtie. Hoe vaak had hij dat als instructeur zijn leerlingen niet toevertrouwd? 'Niet denken als je niets bedenken kunt. Laat je nooit verlammen door je eigen onvermogen. Vertrouw op je onderbewuste.'

Met de half geopende krant in zijn handen liep hij door de glazen deur die naar de trappen leidde. Hij daalde een trap af, naar de achtste verdieping. Daar nam hij een moment van rust. Vlak voor het trappenhuis, op het kruispunt van drie gangen, bevond zich een inschrijfbalie voor patiënten. Hij stopte, deed alsof de krant zijn aandacht volledig in beslag nam, en bepaalde ondertussen vanuit welke hoek hij het gangenstelsel het beste kon overzien. Als de situatie één verdieping lager hetzelfde was, zouden de bewakers waarschijnlijk op die plek positie hebben gekozen. Misschien één of twee man bij de balie, naast de twee die ongetwijfeld voor de deur van Peters kamer zouden staan. Als hij onder aan de trap bleef staan, helemaal links tegen de leuning geleund, kon hij zowel de rechtergang als de middengang zien. Vandaar hoefde hij maar drie stappen door te lopen om half over zijn schouder de linkergang te kunnen overzien. Pas nadat hij zich zo een helder beeld van de situatie had gevormd, liep hij door naar beneden.

Halverwege de trap glipte het middenkatern van de krant uit zijn handen. Met goedgespeelde ergernis vertraagde hij zijn pas tot hij precies op de één na laatste tree tot stilstand kwam.

Er was geen bewaker te zien. De gang rechts was leeg. In de middengang liep een vrouw met een infuus op een rijdend statief aan haar zij. Een verpleegkundige stak over. Kamer uit, kamer in.

Job vouwde de krant rustig op. Dwars door de gesloten deur hoorde hij opgewonden stemmen die hij niet kon verstaan.

Aan het eind van de linkergang zag hij Klaas Bol, druk gebarend. Bol was duidelijk boos, maar de drie mannen tegen wie hij oreerde bleven onverzettelijk. Een van hen was arts, de andere twee bewakers.

'Excuseert u mij,' zei Job, terwijl hij zijn hoofd door de deur stak. Hij sprak zo zacht dat de verpleegkundige achter de balie, die de woordenwisseling aan het eind van de gang probeerde te volgen, hem niet hoorde. Job ving nu ook flarden op.

'Ik eis onmiddellijk binnengelaten te worden. Ik moet Peter Vink spreken. Nu!'

De dokter was niet onder de indruk.

'Het spijt me, de patiënt slaapt en kan niet worden gestoord.'

Als een vlieg op de muur luisterde Job mee.

'Als het moet haal ik een dwangbevel. Uw superieuren zullen dat niet erg waarderen.'

'Meneer, dit is een ziekenhuis. Hier zijn grote woorden weinig waard.'

Tot Jobs opluchting bleef de dokter kalm, koppig en onverbiddelijk. Geen type dat snel over zich heen zou laten lopen.

Vragend keek de verpleegkundige hem aan.

'Meneerrrrr...?'

Job speelde de vermoorde onschuld. 'Ben ik hier goed voor de afdeling Logopedie?'

De verpleegkundige reageerde verbaasd. 'Pardon?'

'Is dit de afdeling Logopedie?'

'Nee. Die is twee verdiepingen lager. Twee trappen af, dan linksom de bordjes volgen.'

Met een neutraal knikje trok Job de deur weer achter zich dicht.

Klaas Bol duwde bruusk de arts opzij om Peters kamer in te kunnen gaan. Onmiddellijk grepen de twee bewakers hem bij zijn schouders.

'Sorry, meneer, u kunt hier niet naar binnen.'

Bol probeerde door te lopen, maar hij had geen schijn van kans.

Hij kon niet geloven dat hij zo afgepoeierd werd. Ministers dansten naar zijn pijpen, een staf van in totaal zestig mensen stond dag en nacht voor hem klaar en in feite bepaalde hij – en hij alleen – wat burgers tijdens de noodtoestand wel of niet was toegestaan. Maar deze onbenullige dokter meende hem zomaar de les te kunnen lezen.

'Beseffen jullie wel,' brieste hij tegen de bewakers, 'dat ik degene ben die de opdracht heeft gegeven om jullie hier neer te zetten?'

Maar Bol wist dat dit soort lui niet voor rede vatbaar was, en wendde zich opnieuw tot de dienstdoende arts.

'Goed, dan doen we het anders. U gaat naar binnen,' commandeerde hij, 'en zegt tegen Peter dat zijn baas voor de deur staat. Bol is de naam, als u dat inmiddels nog niet begrepen hebt. Klaas Bol. Laat hem zelf zeggen dat hij me wil ontvangen.'

Maar de dokter was het zat.

'Ik zei u al dat de patiënt slaapt. Ik ga hem onder geen beding wekken, hij heeft zijn slaap hard nodig. Hij is ernstig gewond en nog niet in staat om bezoek te ontvangen, laat staan om te werken. Bovendien verstoort u de rust in het ziekenhuis. Ik moet u verzoeken om dit gebouw onmiddellijk te verlaten.' De dokter klonk ferm.

Voor Bol was het nauwelijks moeite om het gezag van de man te breken: hij vertegenwoordigde immers het hoogste gezag van het land en als hij dat wilde ging elke deur voor hem open. Maar soms is het slimmer om je krachten te sparen. Voordat hij zich omdraaide en wegliep, deed hij een stap richting de dokter en keek hem scherp aan. 'De gezondheid van mijn werknemer gaat voor alles. Maar met u, dokter, ben ik nog niet klaar.'

Vanuit het trappenhuis zag Job hoe Bol de aftocht blies. Hij wachtte enkele minuten en liep toen naar de kantine. Met de krant en een kop koffie ging hij in een hoek zitten vanwaar hij de ontvangsthal goed kon overzien. Aandachtig las hij de artikelen over de aanslag op Peter door.

Nu Peter Vink, voorlopig althans, goed werd bewaakt, kon hij zich op de volgende vraag richten. Waar had Peter in de afgelopen nacht zijn toevlucht gezocht?

Job besefte dat hij in de jacht op de moordenaars één voordeel op de politie had. Tenslotte was hij degene die laat op de avond door Peter was gebeld, terwijl de politie, zo las hij, pas in de loop van de ochtend te horen had gekregen waar Peter zich bevond.

Peter had niet zijn eigen telefoon gebruikt. Kennelijk had hij er een geleend van iemand die hij vertrouwde. Wie kon dat zijn?

Job haalde een pen uit zijn binnenzak en schreef in de marge van de krant de belangrijkste feiten op. Het adres van het huis waar de aanslag had plaatsgevonden. Het tijdstip. Het vage signalement van de moordenaar en haar twee handlangers. Met zijn mobieltje surfte hij naar de homepage van de telefoongids. Gelukkig stond professor Witkam, met adres en nummer, in de gids vermeld. Ook het adres van Carolien Vink was gewoon te vinden. Bij de kiosk kocht hij een plattegrond van Amsterdam. Hij tekende de verschillende adressen op de kaart in en probeerde zich een voorstelling te maken van de vluchtroute van Peter, eerst van de professor naar het huis waar hij door het raam was gesprongen, daarna, achterom, via de dakgoot de tuin in en... weg, de nacht in.

De woonboot van Peters zus lag in de buurt. Job zag dat hij er gisteravond zelf nog langs gelopen was. Hij nam een slok koffie en keek om zich heen. Het was druk. Patiënten schuifelden met aan wankele standaarden bevestigde infusen tussen de tafeltjes en stoelen door. Vermoeide moeders sjouwden met bejaarde grootouders aan de arm. Huilerige baby's werden zoet gehouden met knuffels en flesjes.

Job probeerde zich een voorstelling te maken van de manier waarop Peter aan de moordenaars van het Syndicaat had weten te ontsnappen. Hoe had hij 'm dat geflikt? Waar had hij zich kunnen verstoppen?

Tijdens hun eerste ontmoeting had Peter hem verteld over de keer dat hij door hangjongeren in elkaar geslagen was. Er was een meisje bij geweest... Lara heette ze, meende hij zich te herinneren. Een kraakpand. Een ruzie. Job herinnerde zich dat Peter hem had verteld over een oude werkplaats of een fabriekje, vlak bij de plek waar de woonboot van zijn zus lag aangemeerd. En dus vlak bij de plek van de aanslag!

Job durfde er flink wat onder te verwedden dat Peter zich bij haar verscholen had, hij zou in Peters plaats precies hetzelfde hebben gedaan. Een anoniem adres, niemand wist dat hij daar ooit geweest was. Volkomen veilig dus.

Hij schrok op toen een aantal journalisten aan het tafeltje naast hem ging zitten. Een fotograaf liet zijn collega's de foto's zien die hij van Klaas Bol gemaakt had.

'Weet je zeker dat hij het is?'

'Kijk dan! Je weet toch wel hoe Klaas Bol eruitziet!'

'Maar het slaat toch nergens op dat zo iemand hier helemaal alleen binnen komt zetten.'

'Toch is hij het,' hield de fotograaf stug vol. 'Foto's liegen niet. Zeker weten.'

Job zette zijn koffiekopje op het dienblad, vouwde zijn krant op en stak die in zijn zak. Het had weinig zin hier nog langer rond te hangen. Er was veel rumoer hier in het ziekenhuis. Zijn anonieme tegenstanders moesten wel heel dom zijn als ze zich hier nog lieten zien, zeker nadat Klaas Bol zijn opwachting had gemaakt.

Hij wist nu wat hem te doen stond. Hij zou Lara opzoeken, de enige getuige die nog door niemand was gehoord.

Zonder verder op of om te kijken liep hij de kantine uit, het daglicht in.

Jobs auto stond een flink eind verderop. Hij nam een omweg, tot hij zeker wist dat hij door niemand werd gevolgd.

En Lara?

Die zat alleen thuis en vroeg zich af waarom ze zo verward was. De opwinding van de geheime diensten ging langs haar heen en met de Noordpool, smeltend ijs en mammoetmagen had ze niets van doen.

Wat was er toch met Peter? vroeg ze zich af. Wat was het in hem dat haar zo aangreep?

25

Rond het middaguur bracht ze wat eten naar Carolien.

'Je moet op krachten blijven,' verklaarde ze vrolijk, met een blik op de dikke buik van haar vriendin. 'Wanneer ben je precies uitgerekend?'

'Volgende week. Het kan dus elk moment gebeuren.'

Samen liepen ze naar de woonkamer. Lara hield ervan om vanaf haar vaste stekje bij het raam naar het kabbelende water te kijken. De gracht was altijd mooi, vond ze, of het nu regende of stralend weer was, dag of nacht. Vandaag, nu de lucht grijs was en de hele stad er verder saai uitzag, kleurde het water wondermooi diepgrijs. Als de ogen van een kat, maar dan veel dieper en nog mysterieuzer.

'Peter is gewond,' begon Carolien zonder omhaal. 'Mijn broer. Hij hinkte hier vanochtend de loopplank op.'

Carolien was maar al te blij dat ze haar verhaal aan iemand kwijt kon.

Ze vertelde hoe ze haar broer gewond over de loopplank had zien hobbelen; kreunend en verward, maar met een dappere lach op zijn gezicht getoverd.

'Het was rond acht uur. Jasper heeft sinds gistermiddag weer een baan en was net weg.' Geschrokken had zij hem geholpen de laatste meters naar haar voordeur te overbruggen en hem mee naar binnen genomen. Ze had hem richting de keuken gedirigeerd, vanuit een soort automatisme om iedereen die er smerig bij liep buiten de woonkamer te houden. Op een woonboot moet je daar extra alert op zijn, legde ze uit. Voor je het weet wordt het een zootje. Later nam ze dat zichzelf kwalijk, alsof ze niet genoeg van hem hield om hem met bloedvlekken en al op de bank te leggen, maar Peter had hier gelukkig niets van gemerkt. Hij had haar zonder veel details prijs te geven van de achtervolging door het huis en over het dak verteld en haar geruststellend laten weten dat zijn verwondingen niet ernstig waren. Niets wat niet genezen zou.

'Misschien hou ik er een boksersneus aan over. Wel stoer, toch?' Zijn grapjes konden niet verhullen hoeveel pijn hij had.

Hij had haar om hulp gevraagd, misschien wel voor de eerste keer in zijn leven.

'Je moet iets voor me doen, zus, ik leg later wel uit waarom. Help je me?'

Natuurlijk zou ze hem helpen.

'Bel de alarmlijn en laat een ambulance komen. Maar zeg alsjeblieft dat jij deze pleisters en dit verband hebt aangelegd.'

'Natuurlijk. Maar waarom?'

'De persoon die me vannacht geholpen heeft, wil ik niet in moeilijkheden brengen. Je zou me er echt een groot plezier mee doen.'

Het ontroerde Lara dat Peter haar zo in de luwte had willen houden. Kennelijk had hij dezelfde inschatting gemaakt als zij: als pers en politie erachter zouden komen dat zij degene was die Peter had opgevangen, zou ze binnen de kortste keren als dievegge en voedselplunderaar worden ontmaskerd. Haar huis was één gigantische opslagplaats vol gestolen goederen. Deze zaten weliswaar verborgen achter het nieuw opgetrokken muurtje, maar toch...

Ze was blij dat Carolien gewoon doorging met vertellen en zoog elk brokje informatie in zich op.

Rond vier uur viel de krant door de bus. Het verhaal van de aanslag op Peter stond groot op de voorpagina, MOORDAANSLAG IN HARTJE AMSTERDAM. Op de reusachtige foto was het huis te zien waar hij door het raam naar binnen gesprongen was.

Ademloos lazen ze het beknopte verslag op de voorpagina en bladerden snel door naar de achtergrondartikelen op pagina 3, waar ook een hele biografie van Peter Vink stond. *Een van de kernleden van het Nationaal Crisis Coördinatieteam, een soort minister in oorlogstijd.*

'Ik wist niet dat jouw broer zo belangrijk was,' stamelde Lara.

'Ik eerlijk gezegd ook niet... en hij was bijna dood geweest... heb je dat gelezen?'

Het leek net of de moordaanslag pas echt gepleegd was nu hij in de krant stond.

Lara wist niet goed wat ze met zichzelf aan moest. Thuis draaide ze een stickie. Ze plofte op de bank, woelde door haar lange zwarte haren en bond ze in een staart. Daarna stak ze haar joint op en probeerde te ontspannen. Zonder muziek, dit keer.

Ze nam een aantal diepe halen, toen de bel ging.

Door het raam zag ze een man voor haar deur staan.

Een onbekende. Hij leek een beetje op een handelsreiziger, met zijn grijze jas, timide oogopslag en zijn verregende kapsel; een huis-aan-huisverkoper van stofzuigers of verzekeringen. Geen gevaarlijke man, hooguit iemand om je bij dood te vervelen.

Ze opende de deur en keek hem vragend aan.

Job Slotemaker draaide schuchter op zijn hakken en vroeg of hij haar even spreken kon. Hij ontweek haar vraag wie hij was. 'Dat doet er nu niet toe,' zei de man, en terwijl hij dat zei, veegde hij met de rug van zijn hand een regendruppel van zijn neus, wat hem nog sulliger maakte dan hij al leek.

Een vent in zijn midlifecrisis, oordeelde ze, die fanatiek aan fitness doet in een wanhopige poging de ouderdom buiten de deur te houden.

'Ik ben een vriend van Peter. Een speciale vriend, durf ik wel te zeggen.'

Ze deed een stap naar voren, waardoor Job iets terug moest deinzen, weg van haar deur. Hij deed een paar stappen achteruit. Zijn manier van bewegen deed Lara twijfelen aan haar eerste observatie. Hij was verrassend goed gebouwd en zijn lichaam toonde de balans van een vechtsporter.

'Een speciale vriend?'

De man knikte.

'Van wie?'

Hij haalde zijn schouders op.

'Het is lastig uit te leggen,' erkende hij. 'U kent mij niet en ik ken u niet. U weet niet of u mij vertrouwen kunt en ik weet dat eerlijk gezegd ook niet van u. U wilt waarschijnlijk niet toegeven dat u Peter Vink kent, en ik hou mijn relatie met hem ook liever geheim. Toch is het nodig dat we praten.'

Ze keek hem aan en liet uit niets blijken wat ze van zijn woorden vond.

Ze baalde dat ze stoned was, juist nu ze op haar hoede moest zijn.

Problemen had ze altijd wel gehad, daar was ze aan gewend. Maar dat ging meestal over futiliteiten: gedoe met een ex, ruzie over geld, het eeuwige gezeur om drugs. Het was duidelijk dat dit om iets heel anders ging. Neuken met een minister in oorlogstijd die vlak daarvoor bijna was afgemaakt, en nu een handelsreiziger op de stoep die misschien toch niet zo onschuldig was als Lara eerst had gedacht.

De straat lag er nat en verlaten bij. Maar Lara wist dat er genoeg mensen in de buurt waren: buren, vrienden... ze hoefde maar te gillen en er zou hulp komen.

'Sorry, maar ik heb geen idee waar u het over hebt.'

De man haalde zijn schouders op. De grijze jas was iets te groot en verhulde daardoor de spieren op het lichaam dat behoorlijk fit en afgetraind leek. Toch was hij niet van de politie, dat wist ze zeker. Lara had geen zin in een discussie en maakte aanstalten om de deur voor zijn neus dicht te gooien.

'Ik wil u een voorstel doen,' zei Job gauw. 'U noemt een plaats waar u zich veilig voelt. Een straat vlakbij, een huis, een kroeg, u mag het zeggen. Wij zien elkaar daar, en u geeft mij drie minuten van uw tijd om te luisteren naar wat ik te zeggen heb. Ik zal om uw hulp vragen, meer kan ik nu niet zeggen. Als u na die drie minuten besluit mij niet te willen helpen, dan laat ik u met rust. Het enige wat ik vraag, is dat u mij een kans geeft en naar me luistert.'

Hij zou een goede huisarts zijn, bedacht ze. Iemand met mensenkennis, die zelfs in moeilijke omstandigheden precies de goede toon weet te vinden.

Geërgerd schudde ze deze gedachten van zich af. Wat stond ze hier te doen? Waarom luisterde ze überhaupt naar deze man, die hier zomaar op deze regenachtige avond bij haar had aangebeld? Hij kon niets anders zijn dan de boodschapper van slecht nieuws. Ze las de voorbode van problemen in zijn ogen... Hoe vaak was ze daar al in getrapt?

'Peter is in problemen,' zei de man snel, alsof hij haar gedachten kon raden.

'Wie zegt dat ik een Peter ken,' mompelde ze, maar zijn opmerking over Peters problemen trok haar over de streep.

Snel dacht ze na over een geschikte locatie. 'Morgenochtend halfnegen, in de sportschool tegenover het grote warenhuis in de Oude Straat,' hoorde ze zichzelf zeggen.

Alles voor die vreemde, aantrekkelijke, zwaargewonde man met wie ze de nacht gedeeld had.

De paniek sloeg toe zo gauw de joint was uitgewerkt.

26

Het nieuws dat er gevaarlijke virussen uit de smeltende poolkap tevoorschijn kwamen, was nog steeds niet wereldkundig gemaakt. Niemand durfde dat aan. Hoe maak je iets bekend wat elk voorstellingsvermogen te boven gaat?

Buiten, in de kou, schuifelden de mensen met lege ogen door de straten. Iedereen was in zichzelf gekeerd, verteerd door eigen angsten.

Voedselbonnen alleen waren niet meer genoeg, en de prijzen van voedsel op de zwarte markt waren tot astronomische hoogten gestegen.

Carolien, die op het punt van bevallen stond, kon het niet meer opbrengen om elke dag meer dan twee uur in de rij te staan voor de voedselbank. En Jasper had er de tijd niet voor, omdat hij elke dag werkte, de klok rond.

Ze maakte zich zorgen over de gezondheid van haar baby. Iemand had haar verteld dat kinderen die tijdens of vlak na de hongerwinter waren geboren, daar hun hele leven lichamelijke gevolgen aan overhielden en zelfs genetisch waren aangetast. Haar wangen waren ingevallen en haar borsten waren slap door het voedseltekort, en ze wist dat ook het kindje in haar buik daaronder te lijden had. Er was niets wat zij daaraan kon doen.

Achter gesloten deuren, buiten het zicht van de camera's, werkten de leden van het Nationaal Crisis Coördinatieteam keihard om de situatie zo goed mogelijk in de hand te houden. De informatie over de oorsprong van het graanvirus leidde tot een hele reeks nieuwe vragen. Tot overmaat van ramp lag hun eigen deskundige zwaar gewond en in coma in het ziekenhuis. De afwezigheid van Peter Vink bleek een groter gemis dan aanvankelijk was gedacht.

Klaas Bol had Johan gevraagd om zijn vriend te vervangen en 'in gewone woorden' aan het voltallige Nationaal Crisis Coördinatieteam de ernst van de situatie duidelijk te maken. 'We moeten inschatten hoe reëel de kans is dat de wereld een hele reeks pandemieën van virussen te wachten staat,' had Bol gezegd. 'Leg meteen uit waarom er zo weinig bekend is over virussen. En of het klopt dat er geen bestrijdingsmiddelen of geneesmiddelen zijn. Je hebt toch ook een griep-prik?'

Johan had wat tegengesputterd. Tenslotte was het Peters vakgebied en niet het zijne. Hij ging over voedselhandel en dat was iets heel anders. Hij wees Bol erop dat er in Nederland genoeg mensen waren die meer verstand van virussen had-den dan hij, en daar in simpele woorden over konden vertellen, maar Bol was onvermurwbaar.

'Jij bent deel van het team. Ik wil geen buitenstaanders over de vloer. Ik wil dat jij het doet.'

Dus zat Johan, compleet met een in haast gemaakte PowerPoint-presentatie in het Fort, met twintig paar ogen op zijn lange, slungelachtige lijf gericht.

Hij begon met een algemeen inleidend praatje over virussen.

'Een virus is een ding van niks,' hield Johan de zaal voor. 'Het is kleiner dan je je voor kunt stellen en het leeft niet zoals een bacterie, plant of dier.

Iets leeft als het aan een aantal voorwaarden voldoet. Het moet kunnen groei-en of zich kunnen vermenigvuldigen. Of beide. Het leven moet een begin en een eind kennen, een geboorte en een dood. En het moet zelfstandig kunnen be-staan, met een eigen stofwisseling of iets wat daarvoor doorgaat. Dat is de defi-nitie die de wetenschap geeft van de term "levend". Virussen vallen buiten deze categorie, omdat ze geen eigen stofwisseling hebben én omdat ze zichzelf niet kunnen voortplanten.

Maar een stel wetenschappers heeft pas een soort virus ontdekt – de zogeheten mimivirussen – dat juist wel over een eigen stofwisseling beschikt. Steeds wordt er weer iets nieuws ontdekt, en telkens ontsnappen de virussen weer aan de de-finities en indelingen waar men ze in gevangenhoudt. Het raadselachtige is dus dat een virus niet levend is, maar ook niet dood.'

Hij zei daar een heleboel voorbeelden van te kennen, die hij zelf stuk voor stuk waanzinnig interessant vond, waar hij graag over wilde uitweiden, maar dat het hem verstandig leek het voor deze mensen niet ingewikkelder te maken dan het al was.

Johan kwam steeds meer in zijn element.

'Wat is een virus dan wel?' vroeg hij op een iets te nadrukkelijk lerarentoontje. Hij tikte op het toetsenbord om een nieuw plaatje op te roepen en keek ernstig de zaal in.

'Virussen bestaan uit genetisch materiaal met daaromheen een mantel van eiwitten. Dat is alles. Ze kunnen niets, ze doen niets, maar ze "zijn". Om zich voort te planten hebben ze een zogenoemde gastheercel nodig. En dat is het be-gin van alle ellende.'

Hij toverde een nieuw plaatje tevoorschijn.

'Als zo'n virusdeeltje zich voort wil planten, dringt het zo'n gastheer binnen, in dit geval een graancel, en valt in stukjes uiteen. Daarbij komt het genetisch materiaal van dat virus vrij en dat vermengt zich met het genetisch materiaal van de graancel. Die graancel gaat vervolgens automatisch nieuw virusmateriaal maken. De cel gaat daar zelf aan kapot, het graan kleurt paars en wordt giftig. En het nieuwe virusmateriaal komt vrij, woekert verder en besmet andere graancellen. En dan kan het heel snel gaan.'

Met een ernstig gezicht keek hij de groep rond.

'Ik zal jullie niet met te veel theorie lastigvallen. Het gaat om de risico's en oplossingen. Daarom lijkt het me verstandig jullie een praktijkvoorbeeld voor te leggen, dat jullie waarschijnlijk allemaal wel kennen: de vogelgriep.'

De vogelgriep, ook wel vogelpest genoemd, was een variant op het gewone griepvirus dat altijd al voor veel ellende had gezorgd. Aan het begin van de vorige eeuw, vertelde Johan, had de Spaanse griep tussen de twintig en veertig miljoen mensen gedood. Dat was in 1918. Zo'n veertig jaar later kwam de Aziatische griep, die minstens een miljoen mensenlevens kostte, en daarna de Hongkonggriep, die eind jaren zestig van de vorige eeuw als epidemie over de wereld rondwaarde.

'En aan de Hongkonggriep stierven ten minste ook nog eens een kleine miljoen mensen,' doceerde hij. 'Het vogelgriepvirus komt, zoals de naam al zegt, vooral bij vogels voor. Dat is lastig, vooral als je met kippen werkt, maar verder niet zo'n punt.'

'Er zijn toen toch ook mensen aan die vogelpest gestorven?' bromde Bol.

'Klopt, maar niet veel. In het ziekenhuis van Den Bosch is in die tijd een dierenarts aan longontsteking overleden. In zijn longen werd het vogelgriepvirus aangetroffen, en omdat er geen andere mogelijke verklaring was gevonden voor het ziektebeeld, dachten veel artsen dat de man aan dat virus was overleden. Begin 2006 stierven in Turkije drie kinderen uit één gezin aan vogelgriep en ook in Aziatische landen vielen een paar doden. Erg triest, natuurlijk. Maar een massale besmetting van een geheel land is toch wat anders.

Hét grote probleem met virussen is dat ze kunnen veranderen. Als virussen hun gastheercel binnen dringen, uit elkaar vallen en weer tot nieuwe virussen worden gemaakt, gaat er weleens iets fout. Bij de vogelgriep was iedereen doodsbang dat er een variant zou ontstaan die veel dodelijker was voor mensen, bijvoorbeeld doordat het vogelgriepvirus zich zou combineren met het gewone griepvirus. Niemand was de twintig tot veertig miljoen slachtoffers vergeten die de Spaanse griep geëist heeft.'

Zijn stem was zwaarder en ernstiger geworden.

'En zoals jullie allemaal weten heeft het vogelgriepvirus zich inderdaad met andere varianten gecombineerd. De Mexicaanse griep is een combinatie van een varkensgriepvirus, een vogelgriepvirus en een menselijk griepvirus. Vermoed wordt dat deze virussen in een varken genetisch materiaal met elkaar hebben uitgewisseld. We weten allemaal hoeveel ellende deze ziekte tot nu toe al veroorzaakt heeft, en als dit virus ook weer gaat veranderen is het einde zoek.'

Iedereen in het Fort zat er stil en ontdaan bij. Klaas Bol slaakte een diepe zucht en begon een aantal papieren rond te delen. Maar Johan was nog niet klaar.

'Alles in de natuur heeft zijn eigen tegenpool,' beklemtoonde hij. 'Ook de griep. Het heeft even geduurd, maar inmiddels heeft bijna iedereen in de wereld weerstand opgebouwd tegen de Mexicaanse griep. Voor het graanvirus en alle andere oude virussen die nog in het poolijs liggen te wachten, gaat dat niet op. De tegenpolen van deze ziekten zijn al duizenden jaren uitgestorven. Alles zal uit balans raken.'

Hij keek de groep rond.

'En dan heb ik het nog niet eens over de kwetsbaarheid van onze voedselketen en het gebrek aan veerkracht van onze samenleving.'

Job Slotemaker had al ruim 24 uur niets van zijn contactpersoon bij de CIA gehoord. En Coldman zelf was onbereikbaar. Dat was buitengewoon lastig, maar hij had voldoende veldervaring om zich er niet door te laten stoppen.

Lara's keuze voor een sportschool bevreemdde hem, al moest hij toegeven dat de plek aan alle voorwaarden voldeed: het was er druk, Lara kende voldoende mensen om zich er veilig te voelen en ze konden er met elkaar praten zonder afgeluisterd te worden.

Job had haar voorstel dan ook zonder commentaar geaccepteerd.

Lara had een lichtblauw trainingspak aan en droeg gloednieuwe hardloopschoenen. Dankzij haar duistere handeltje op de zwarte markt kon ze zich die veroorloven.

Ze schoof haar lidmaatschapskaart naar Melanie, die achter de balie zat, en kocht een flesje sportdrank.

Het was niet druk in de fitnesshal. Een paar meisjes zaten verveeld met tijdschriften op het stuur op hometrainers te fietsen en aan het roeiapparaat zat Claus, die eruitzag als een met steroïden volgespoten bodybuilder. De muziek knalde als altijd keihard uit de boxen.

De twee loopbanden waren leeg, precies zoals Lara had verwacht. Ze stonden achteraf, naast het voorraadhok, schuin achter een pilaar. Lara klemde het sportdrankje onder haar oksel, schoof een zweetband om haar lange haren en stelde de loopband in op dertig minuten.

Haar gast droeg een sporttas. Hij kocht een introductiekaartje en dook daarna de kleedkamer in. Een paar minuten later stond hij op de band naast haar, in een sportbroekje en een mouwloos T-shirt dat hij duidelijk vaker gedragen had. Hij negeerde haar en stelde in alle rust het apparaat in. Hij koos voor vijftien kilometer per uur. Dat kon Lara vanuit haar ooghoeken lezen.

De man rende geroutineerd en keek ondertussen in alle rust de zaal rond.

'Goed,' sprak hij ten slotte op gewone spreektoon, 'hier zullen we het mee moeten doen. Kun jij me zo verstaan?'

Lara knikte bevestigend en bedacht toen dat hij dat natuurlijk niet kon zien, zolang hij strak voor zich uit bleef kijken.

'Ja.'

'Goed. Luister, ik heet Job en ik ben een vriend van Peter Vink. Jij hebt nog steeds niet bevestigd dat je hem kent en dat hoeft ook niet. Ik ben blij dat je naar me luistert en ik vraag voorlopig ook niet meer dan dat.'

Uit niets bleek dat Lara hem gehoord had of zich er zelfs maar bewust van was dat er iemand naast haar rende.

'We lopen beiden veel risico door dit gesprek. Als ik meer verteld heb, zul je begrijpen waarom. Je mag niemand over dit gesprek vertellen. Niemand, snap je dat?'

Eerder, bij haar huis, had hij haar in de ogen gekeken en met zijn verwijzingen naar Peters problemen op de een of andere manier een gevoelige snaar bij haar geraakt. Maar hier, rennend in de fitnessruimte terwijl ze zijn gezicht niet zag en het alleen maar met zijn stem en het ritme van zijn stappen moest doen, kwam de situatie haar absurd voor.

'Vertel nou maar gewoon wat je te zeggen hebt, je hebt om drie minuten van mijn tijd gevraagd en die zijn al bijna om.'

Zelfs als de man te vertrouwen was, zou dit alles nog nergens toe kunnen leiden. Wat wist zij immers van Peter?

Waarom maakte zij zich eigenlijk druk om de broer van een vriendin? Een man die zij in haar leven twee keer had gezien, die bang en boos en beide keren aangeslagen en gewond was?

'Ik werk met Peter samen omdat we een complot binnen de regering op het spoor zijn gekomen dat te maken heeft met de noodtoestand en de problemen rond het graanvirus.' Job sprak snel. Hij was bang dat ze echt na drie minuten zou vertrekken.

'Peter vertelde me dat jij hem een tijd geleden hebt gewaarschuwd dat besluiten uit het kernteam hun weg vonden naar straatjongeren. Geheime besluiten over de beveiliging van voedsel en zo. Ik weet niet of je je dat nog kunt herinneren.'

Ze voelde geen behoefte om iets te zeggen en rende zwijgend voort.

'Ha, Lara!' Claus liep langs. Hij ging iets verderop gewichtheffen.

'Maar er is veel meer aan de hand,' zei Job. 'En Peters leven is in gevaar.'

Hij deed ongegeneerd een beroep op haar.

'We hebben je hulp nodig.' En nog voor ze daarop kon reageren, voerde hij de druk flink op. 'Je móét me helpen. Niet alleen voor Peter, maar voor de hele wereld.'

Op dat soort taal zat ze niet te wachten. 'Genoeg!' Lara bracht haar band tot stilstand en stapte ervan af. Terwijl ze met een handdoek het zweet uit haar nek veegde, keek ze Job recht in de ogen. Schijt aan geheimzinnigheid en veiligheid!

Job rende verbouwereerd door, niet wetend wat te doen.

De muziek denderde onverminderd luid door de zaal, dus niemand kon hun conversatie volgen, maar toch had ten minste één van de fietsende meisjes door dat er iets aan de hand was.

'Je wilt iets van me, wie wil dat niet? Altijd. Elke keer opnieuw. En je hebt vast een goed verhaal, maar ik wil het gewoon niet horen. Ik ben het zat. Ik ben jou zat, begrijp je? Jouw soort mannen, altijd met iets bezig, altijd iets belangrijks. En altijd iets willen. Altijd iets van mij.'

Lara keerde zich van hem af en liep snel naar de kleedkamer, waar ze een lange douche nam. Toen ze eindelijk aangekleed en al weer bovenkwam, was de man verdwenen.

Job Slotemaker, de getraumatiseerde handelsreiziger in geheimen, was zonder een spoor na te laten afgedropen.

En dat beviel haar wel.

27

Ursula Walker was degene die het nieuws over de virussen wereldkundig maakte. Ze vond dat een verklaring van de Amerikaanse regering veel te lang op zich liet wachten. Langer dralen zou de kans dat het bericht op een ongecontroleerde, onzorgvuldige wijze in het nieuws kwam alleen maar vergroten en daar was niemand bij gebaat. In het Pentagon had Walker een aantal kamers toegewezen gekregen waar ze haar hoofdkantoor kon opzetten. Ze was aangesteld als hoofd van het internationale team van wetenschappers dat in alle haast was geformeerd.

'Vind een oplossing,' was haar opdracht. 'Koste wat het kost. Het maakt niet uit wat.'

Alle wetenschappelijke denkkracht van de wereld moest worden gebundeld. Er moesten data worden verzameld, geneesmiddelen worden ontwikkeld, strategieën worden uitgedacht...

Zodra ze de opdracht had geaccepteerd, nam Ursula meteen twee besluiten, die de leden van de Amerikaanse Veiligheidsraad knarsetandend accepteerden. Ze vroeg de Chinese viroloog Sun T'sjin om op basis van gelijkheid met haar samen te werken, en ze weigerde haar hoofdkwartier in het Pentagon te vestigen, omdat ze, net als veel van haar collega's, het veld in wilde trekken om ook zelf gegevens te verzamelen.

'De wetenschappelijke gemeenschap zit anders in elkaar dan legereenheden en inlichtingendiensten,' deelde ze mee. 'Op het gebied van de wetenschap is de dominantie van Amerika zeker geen vanzelfsprekendheid en een situatie waarin ik vanuit een of ander kantoor mijn bevelen over anderen uitstrooi slaat nergens op. Sun T'sjin en ik zullen vanuit het veld contact houden met onze collega's.'

Niemand had het aangedurfd bezwaar te maken.

Nog diezelfde dag was ze afgereisd naar het grensgebied tussen Canada en Alaska. Sun T'sjin vertrok nog geen twee uur later op een vergelijkbare expeditie naar de ijsvlakten in Patagonië, in het zuiden van Argentinië.

In Canada werd Walker opgewacht door talloze filmploegen en journalisten.

Om precies veertien minuten over negen, Nederlandse tijd, onderbrak CNN zijn reguliere programma met BREAKING NEWS. Professor Ursula Walker kwam in beeld, getooid met oorwarmers en een dikke, rode sjaal. Bij elke ademhaling vormde zich een witte wolk voor haar mond, die een flinterdun ijslaagje op de lens van de camera veroorzaakte. Op de achtergrond waren haastig opgestelde computers en andere meetapparatuur te zien.

Ursula Walker had het niet over de verdwijning van Bing Johnson, en evenmin over het Syndicaat, dat hem vermoord had, en de consequenties daarvan voor de aanpak van de hongersnood. Ze had zich duidelijk voorgenomen om te focussen op één punt: de oorsprong van het graanvirus en de dreiging van de vele virussen die eveneens uit het smeltende ijs tevoorschijn konden komen.

Walker onthield zich uiteraard van doemscenario's en grote woorden, maar voor de goede verstaander was haar verhaal duidelijk genoeg.

'Plantenzaden, dierenlichamen en virussen kunnen het duizenden jaren uithouden als ze diepgevroren in het poolijs liggen,' liet ze de interviewer weten. 'En het zit er inderdaad dik in dat er nog veel meer virussen zullen vrijkomen nu het ijs als gevolg van de klimaatverandering massaal blijft smelten.'

'Hoe kunt u dit verklaren? En hoe kan het dat wetenschappers hier niet eerder voor gewaarschuwd hebben? Heeft niemand dit aan zien komen?'

Ursula Walker besefte dat ze hier verschillende antwoorden op kon geven. Ze zou over de grote oliebedrijven kunnen spreken, die heel eenzijdig en met groot geld de onderzoeksprogramma's van universiteiten aanstuurden. Of over het ene artikel in *New Scientist* dat iedereen over het hoofd had gezien. Even overwoog ze een tirade te beginnen tegen politici die heikele onderwerpen uit de weg gaan en rapporten die hun niet aanstaan onder de mat vegen. Maar op dit moment was niemand daarbij gebaat.

'Het is complexe materie,' verklaarde ze ontwijkend. 'Het graanvirus kwam onverwacht.' In enkele woorden sprak ze over het nieuws van Peter Vink, tot de interviewer haar met een kort gebaar duidelijk maakte dat het interview even zou worden onderbroken. De camera draaide van de professor weg en zoomde langzaam in op de kale ijsvlakte achter haar. Vervolgens werd er een computeranimatie getoond van een mammoet die duizenden jaren geleden een hap paars graan nam en daarna dood neerviel. Een opkomende ijstijd deed het mammoetlichaam bevriezen en sneeuwstormen bedekten het nog eens onder dikke lagen sneeuw. Na een kort filmpje van de ochtendspits in New York, waarmee benadrukt werd dat de ijstijd voorbij was en de reportage zich nu op de moderne tijd richtte, begonnen de sneeuw en het ijs te smelten en kwam het ongeschonden lichaam van de mammoet weer tevoorschijn. Een langslopende ijsbeer nam er een hap van. Na het filmpje kwam de anchorman van CNN in beeld, die de kijkers ernstig meedeelde dat ze zojuist een nauwkeurige reconstructie van de oorsprong van het virus hadden gezien.

'Een nachtmerrie die werkelijkheid wordt. In elke ijsberg kan een virus op de loer liggen. We zien ze niet. We kunnen er niets tegen doen. Maar we weten dat ze er zijn!'

Het programma was haastig gemonteerd, maar daarom niet minder knap gemaakt. Het interview met Ursula Walker ging verder. Erg geruststellend was de professor niet.

'Het gaat niet alleen om het poolijs,' benadrukte ze. 'Ook de smeltende gletsjers in de Europese Alpen, de Himalaya en het Andesgebergte in Patagonië, Zuid-Amerika, zijn risicogebieden. En de permanent bevroren toendra's van Siberië, de uitgestrekte permafrostgebieden, waar de komende jaren letterlijk miljoenen vierkante kilometers bevroren grond zullen smelten.'

De broodmagere professor keek recht in de camera.

'De mensheid staat voor een grote uitdaging. We zullen geconfronteerd worden met oude, onbekende ziekten waar we geen weerstand tegen hebben. Ook planten en dieren kunnen worden besmet. De voedselketen komt nog meer onder druk te staan. Het graanvirus is het eerste uit een reeks.'

Ze zuchtte zacht en wendde zich weer tot de interviewer. Haar neus was blauw van de kou en haar handen trilden. '*I am sorry*. Mooier kan ik het niet maken.'

Met toestemming van de arts maakte een van de verpleegkundigen Peter wakker. Hij was bijna te suf om zijn ogen open te doen. Ondanks de cocktail van pijnstillers die hij via het infuus kreeg toegediend, had Peter meer pijn dan in de nacht van de aanslag zelf. Zijn neus, zijn linkerarm, zijn ribben, heupen, knieën... eigenlijk deed alles pijn. Elke beweging, elke ademhaling veroorzaakte steken als bliksem inslagen.

Hij wilde dat ze hem hadden laten slapen.

'Meneer Vink? Sorry dat ik u wakker maak, maar we dachten dat u dit wel wilde zien.' De verpleegkundige wees naar het televisietoestel aan een haak aan het plafond boven zijn voeteneind.

Te duf om bezwaar te maken, probeerde hij de uitzending te volgen. Hij zag Ursula Walker op het journaal, die met een ernstige blik over iets aan het praten was. Maar het beeld bleef wazig en door de pieptoon in zijn oren verstond hij geen woord van wat ze zei.

'We zijn bang,' zei de verpleegkundige, 'maar vooral ontzettend trots. Zo trots dat wij u mogen verzorgen. Wij allemaal! Zelfs op de Amerikaanse televisie praten ze over u. U bent een held, meneer. O, en eh... ik ben Suzan.'

Peter knikte en viel direct weer in slaap.

Nog geen twee minuten nadat het interview was uitgezonden, had de directie van CNN een woedende perschef van de president van de Verenigde Staten aan de lijn. Het bekendmaken van dit soort feiten bracht de nationale veiligheid in gevaar, brieste ze. Ze eiste terughoudendheid bij de omroep tot het moment waarop de president zelf met een persverklaring zou komen. Maar de deskundigen in het Witte Huis die op datzelfde moment aan de tekst van zo'n verklaring werkten, kwamen er niet uit.

Als het smelten zich zou beperken tot de glanzend witte ijsvlakten op de polen of hoge bergtoppen, dan zou men continu patrouilles kunnen instellen om elk vrijkomend kadaver of plantenrestant zo snel mogelijk op te sporen en te vernietigen. Er werden plannen uitgewerkt om daar kleine onbemande spionagevliegtuigjes voor in te zetten, met in hun kielzog kleine, snelle eenheden van speciaal getrainde opruimingsdiensten. Het zou een ingewikkelde en kostbare operatie worden.

Ursula Walker had echter niet voor niets de permafrost in Siberië genoemd. Met name in West-Siberië bevonden zich uitgestrekte veengebieden die aan het einde van de laatste ijstijd, zo'n 11.000 jaar geleden, bevroren waren en dat sindsdien altijd waren gebleven. Als gevolg van het broeikaseffect begonnen ook deze veenbodems te smelten, waardoor een ijsvlakte ter grootte van West-Europa langzaam maar zeker werd omgetoverd tot een eindeloos, ontoegankelijk, drassig gebied met talloze meren, en modder en onkruid, riet, wilgen... en ontelbare smeltende kadavers van tienduizenden jaren oud. Men kon onmogelijk voorkomen dat daarbij virussen aan het ijs ontsnapten.

Wat kon de president tegen zijn volk zeggen? Hij zou zich voor de camera's een ware leider moeten tonen, hij zou knopen moeten doorhakken, het heft in handen moeten nemen.

Zolang niemand wist hoe deze crisis het hoofd kon worden geboden, werden alle wereldleiders buiten beeld gehouden. En in deze stuurloze situatie had Arie Roozendaal vrij spel.

28

Arie Roozendaal was euforisch. Het interview van professor Ursula Walker had er niet toe geleid dat er een arrestatiebevel tegen hem werd uitgevaardigd of dat hij anderszins in problemen werd gebracht.

Integendeel, alles wat ze vertelde was goed nieuws. De wereld was geschokt, de beurs zou schudden op zijn grondvesten. Als enige had hij tijdig de juiste posities ingenomen; de miljoenen stroomden binnen, zonder dat hij er iets voor hoefde te doen.

Hij zat met Sylvia van der Toor, een van zijn vaste klanten, op de tweede verdieping van zijn kantoor in de PC Hooftstraat en keek naar de twee flatscreens die hij tegenover zijn favoriete fauteuil aan de muur had laten installeren. Eén scherm vertoonde de highlights, of liever gezegd de aaneenrijging van dieptepunten op de beurs. Op het andere scherm keek Arie naar een overzicht van het laatste wereldnieuws. Hij had het geluid laag gezet. De beelden spraken voor zich: voedselrellen, vechtpartijen, zinloos blatende diplomaten.

'Je blijft er verrassend rustig onder,' zei Sylvia. Ze nam een hap van de toast met kaviaar die hij had laten aanrukken. Roozendaal kende geen honger. Geld houdt veel problemen op een afstand.

'Een goede aandelenhandelaar blijft altijd kalm, Sylvia. Ik heb het je al eens eerder uitgelegd: ook als de aandelen kelderen valt er veel winst te halen.'

Hij beheerde haar geld al meer dan twintig jaar. Haar echtgenoot Huibert, een succesvolle vastgoedhandelaar, was een aantal jaar geleden op klaarlichte dag vermoord en had haar niet alleen haar vrijheid, maar ook een aanzienlijk kapitaal nagelaten. Ze was in de loop der jaren enkele keren met Roozendaal naar bed geweest en had hem haar vermogen toevertrouwd. Voor het eerst toonde ze enige twijfel over die beslissing.

'Ik klaag niet, Arie, dat weet je. Integendeel. Maar weet je zeker dat je de situatie nu niet onderschat?'

Roozendaal zei niets. Hij glimlachte haar toe, bij wijze van uitnodiging om te zeggen wat ze op haar lever had. Ze was een mooie vrouw en dus had hij geduld met haar.

'Ik bedoel, wat heb ik aan mijn geld als de wereld vergaat, als iedereen ziek wordt? Wat als ik en jij door een of ander virus worden besmet? Of als de kaviaar op is?'

Haar poging tot humor overstemde haar angst niet.

Roozendaal wist dat hij hier niet in kon meegaan. Om uiting te geven aan de milde kritiek die hier gepast leek, trok hij een wenkbrauw op.

'Overdrijf je niet, Sylvia?'

'Ik las een artikel,' vertelde ze. 'Een verhaal over de Maya's, of de Inca's, dat weet ik niet meer. Het schijnt dat die al duizenden jaren geleden hebben voorspeld dat in het jaar 2012 de wereld zou vergaan. Nu dus. Ik vond dat allemaal onzin en ik weet zeker dat jij dat ook vindt, maar sinds dat verhaal van al die oude ziekten, die honger, de rellen... alles stort in, Arie. Jij bent de enige die ik ken die daar niet van lijkt te schrikken.'

Roozendaal sprak nog wat geruststellende woorden en maakte met een zoen en een aai een einde aan het gesprek. Hij belde zijn secretaresse om de weduwe weer naar buiten te begeleiden.

Pas toen Sylvia was vertrokken kwam een ongekende vreugde in Roozendaal naar boven. Haar laatste opmerking had hem aan het denken gezet. Eindelijk viel het kwartje.

Hij was een instrument van de goden! De uitverkorene, niets meer en niets minder. Hij en hij alleen, Arie Roozendaal, was de man die de oude voorspellingen over het einde der tijden zou realiseren. Met het klimaat, de virussen en de aandelen als zijn goddelijke instrumenten.

Alles klopte, zelfs dat dit alles met graan begonnen was. Graan had iets bijbels. Hij had het altijd wel geweten, dat hij speciaal was, geen gewone sterveling.

Schaterend ging hij achter zijn computer zitten. Met één achteloos getypte en per mail verstuurde opdracht zorgde hij ervoor dat alle olieleidingen van Shell in Nigeria werden opgeblazen. Met een tweede bericht regelde hij dat een vette mammoettanker midden in het Suezkanaal tot zinken werd gebracht, waardoor alle zeetransporten tussen Europa en Azië in één klap onder druk kwamen te staan. Een derde mail ontketende een burgeroorlog in het door de aanhoudende honger tot wanhoop gedreven Bangladesh.

Het Syndicaat was onverslaanbaar.

De leden van de Veiligheidsraad van de Verenigde Naties waren in allerijl bijeengekomen, maar ook zij hadden niets bereikt. De Amerikaanse president voelde zich op zichzelf teruggeworpen en eiste dat de directeur van de CIA persoonlijk bij de eerstvolgende PDB, de President's Daily Brief, aanwezig zou zijn.

De directeur van de CIA hield daar niet van. Hij liet zich in de regel door een van zijn medewerkers vertegenwoordigen, maar vandaag had hij geen keus. Om er toch niet helemaal alleen voor te staan, vroeg hij of de Monnik weer vanuit de ambassade in Istanbul online kon aanschuiven.

De president zat met zijn staf klaar in het Oval Office toen de CIA-directeur bij hem binnenliep. Ron Coldman begroette hem vanaf het metershoge scherm aan de muur.

Niet de president zelf, maar diens chef-staf nam het woord. De directeur wist dat dat meestal weinig goeds beloofde.

'Brand los,' beval de chef-staf. 'En geen gelul. Geen vage praat. Hou het kort en maak ons blij.'

De directeur vertikte het om geofferd te worden voor iets waar hij niets aan kon doen. Met een vaag handgebaar gaf hij het woord aan Coldman. Deze keek hem grimmig aan, maar accepteerde de positie waarin hij werd geplaatst.

'We hebben een spoor, meneer de president. De computers in Langley hebben hun werk gedaan. We hebben een uitdraai gemaakt van alle grote hedgefondsen en aandelenmakelaars die de afgelopen 25 jaar hebben verdiend aan alle serieuze crises die de wereld heeft gekend. Sinds de ware toedracht rond het graanvirus bekend is, hebben we de selectiecriteria voor de computers kunnen aanscherpen. De lijst met verdachten is teruggebracht tot een overzichtelijke lengte.' Coldman zweeg even om de aanwezigen de kans te geven om te reageren.

'*Go on*,' beval de chef-staf, nog ongeduldiger dan gebruikelijk.

'Onze analisten hebben wat met de lijst "gespeeld", zoals wij dat noemen. Ze hebben de rijkste aandelenhandelaren naar voren gehaald en de verdachten wier opleiding en verleden hun rijkdom het minst waarschijnlijk maakten. Dat leidde tot een lijst waarmee ze verder konden. Daartussen zaten overigens vier individuen die mogelijk tot *the Dutch connection* behoren: Nederlanders die mogelijk verantwoordelijk zijn voor de moord op het hoofd van de Nederlandse inlichtingendienst, de aanslag op Peter Vink en de infiltratie in hun kernteam.'

De president, zijn chef-staf en alle andere aanwezigen bleven hem verwachtingsvol aankijken. Maar Coldman vond dat hij genoeg gezegd had. Hij staarde ijskoud terug en hield zijn kaken stijf op elkaar. Uiteindelijk moest zijn baas de stilte wel verbreken.

'Dat is goed nieuws,' probeerde deze. 'We hebben beet. Ze zullen ons niet meer ontglippen.'

'En nu?' vroeg de president, niet onder de indruk.

'Het is een begin. Een hoopvol bericht, maar meer ook niet. We moeten u vragen geduld te hebben. We willen het hele Syndicaat oprollen en moeten dus omzichtig te werk gaan.'

Als door een wesp gestoken vloog de chef-staf uit zijn stoel. 'Geduld!?'

De directeur gaapte hem even met open mond aan, maar herstelde zich snel. 'Het is zoals ik zei. We willen het hele Syndicaat oprollen. Aan een paar showprocessen hebben we niets, dan zullen ze terugkomen zoals onkruid altijd terugkomt. Ik besef dat u allen zo snel mogelijk resultaten wilt, maar...'

'Wil? Wíl?' De chef-staf liet zijn verontwaardiging tot in alle hoeken van de kamer doorklinken. De president had nog niet één persverklaring kunnen afgeven omdat de CIA het, zoals hij hun opgewonden in het gezicht schreeuwde, 'zo nodig vond in alle rust met hun computertjes te spelen'. Alsof de wereld niet aan de rand van de grootste crisis aller tijden stond!

Coldman was blij dat hij niet lijfelijk in het Oval Office aanwezig was. Hij draaide de volumeknop van zijn computer wat lager en liet de storm voorbijrazen.

Ook hij vond het onverdraaglijk dat er ergens een bende opereerde die de wereld mede naar de verdommenis hielp. Maar het onderzoek liep nu eenmaal niet sneller dan het liep. Ze hadden alle beschikbare middelen ingezet en werkten op volle kracht.

De president zag er tot Coldmans verbazing redelijk fris uit. Dat dwong respect af. Hij wist dat de president harder werkte dan wie ook, en dat hij daarnaast een ongekende verantwoordelijkheid te torsen had. Zijn vertoon van frisheid duidde op discipline. Daar hield de Monnik van.

De president nam de tijd om na te denken en keek Coldman toen recht in de ogen. 'Het spijt me, maar uw verhaal overtuigt me niet. Niet gezien de omstandigheden waarin we ons bevinden.'

Coldman knikte instemmend. 'Ik begrijp het, meneer.'

De chef-staf zette de consequenties voor hem uiteen: 'Eén: morgenochtend geeft de president een verklaring. Live op televisie. Hij zal de hele wereldbevolking toespreken, over de honger, over de virussen, de smeltende poolkap en het klimaat. En over de criminelen die professor Bing Johnson hebben vermoord. Ik wil vanmiddag voor drie uur een uitgebreide analyse van dat Syndicaat, met voldoende harde informatie die we in de presidentiële verklaring kunnen verwerken.

Twee: je krijgt precies tien dagen om het hele netwerk van het Syndicaat in beeld te brengen. Dan moeten er koppen rollen. We willen daders. Arrestaties. Bekentenissen. Zie maar hoe je het aanpakt en waag het niet om nog één keer om geduld te vragen. Het aftellen is begonnen.'

De president sloot zich daarbij aan: '*Face it, mister*. Als ik niet tijdig laat zien dat ik alles onder controle heb, staan we met lege handen. En dat... dat...'

Zijn vertoon van onmacht trof Coldman in het hart. Deze president wist hoe hij zijn mannen voor zich kon winnen.

'Ik begrijp het, meneer,' herhaalde Coldman in een poging de president voor verder gezichtsverlies te behoeden. 'Het zal gebeuren.'

Zijn directe baas, de directeur van de CIA, keek toe en had daar niets aan toe te voegen.

29

Job Slotemaker zat met rode ogen van vermoeidheid in zijn zwarte Cadillac BLS. Hij tastte, zoals dat heet, in het duister. Na de afwijzing van Lara was er niets meer wat hij kon doen; hij was veroordeeld tot eindeloos wachten op het moment dat Coldman weer contact met hem zou opnemen.

Ondertussen liepen de zaken in hoog tempo uit de hand. De noodtoestand in Nederland ontaardde in een waar volksoproer. Zo had de vakbond FNV opgeroepen tot een 'hongermars', omdat de voedselbonnen niet toereikend waren voor mensen zoals Jasper en Carolien, die geen familie op het platteland hadden en het voedsel op de zwarte markt niet konden betalen. De apathie en lusteloosheid die de eerste fase van honger had gemarkeerd, maakten plaats voor woede. Straatbendes werden steeds brutaler.

Job was geïrriteerd. En het verleden bleef hem parten spelen. Hij was samen met twee van zijn gewonde kameraden achter in de laadbak van een passerende pick-up gegooid. Timothy, een van zijn vrienden, miste een arm. Het bloed gutste uit de gapende wond net onder zijn schouder. De auto schokte en bonkte, bij elke bocht knalden ze tegen de zijwand. De pieptoon in zijn oren maakte hem doof voor alles om hem heen. Hij probeerde de wond van zijn vriend te verzorgen, maar in de hobbelende auto kon hij weinig doen. 'Sneller! Sneller!' schreeuwde hij, terwijl hij in een groeiende plas bloed op de laadvloer heen en weer stuiterde.

Nog voor ze de brug naar de groene zone over waren, was Timothy dood. Zijn andere kameraad stierf op de brancard, vlak voordat hij de intensive care op werd gereden. De mannen moesten ondraaglijk veel pijn hebben gehad.

Job kwam Timothy en zijn andere kameraden nog regelmatig tegen. Hij begroette hen in zijn dromen en soms ook overdag. Maar nu, in zijn auto aan de kant van de weg, had hij geen tijd voor hen.

Waarom liet Peter niets van zich horen?

In Bagdad, bloedend als een rund met een scherf in zijn arm, had hij vrij eenvoudig contact met anderen kunnen onderhouden. Er was altijd wel een manier te bedenken om berichten het ziekenhuis uit te smokkelen. Als dat in Bagdad kon, kon het ook in Amsterdam. Maar Peter Vink had geen enkel teken van leven gegeven, en Jobs pogingen om Peter via Lara te bereiken waren mislukt.

Hij zag hoe de maatschappij steeds meer ontwricht raakte, hoe de samenleving als een kaartenhuis in elkaar dreigde te donderen.

Van virussen wist hij niets, maar de obstructie en sabotage door de criminelen van het Syndicaat waren helemaal zijn pakkie-an. Hij zou graag een strategie bedenken om het initiatief naar zich toe te trekken in de strijd tegen het Syndicaat.

Maar dat had geen zin zolang hij onvoldoende informatie had. Restte hem dan echt niets anders dan hier in zijn eentje zitten duimendraaien, terwijl de topcriminelen van het Syndicaat alle tijd hadden om hun verdediging op orde te brengen?

Hij kon zich niet langer inhouden en stuurde vanuit zijn auto een wanhoopsmail naar Coldman, waarin hij om steun en informatie vroeg.

Job was te opgefokt om te horen wat Coldman hem eerder al had voorgehouden: hoe de wind de bladeren deed schudden, hoe de wolken suizend samenbalden boven de horizon, hoe – met of zonder Peter Vink – de storm losbrak die al weken in de lucht hing.

De eerste windstoot kwam in de vorm van een kort bericht, de volgende ochtend. Het kwam van het CIA-hoofdkantoor in Langley en liet aan duidelijkheid niets te wensen over: *Vandaag 14.00 uur, taxistandplaats bij passagiersuitgang vliegveld Zaventem. Bevestig ontvangst. R.C.*

Job kende Zaventem, het vliegveld aan de rand van Brussel, en wist wat hem te doen stond. Hij reed naar zijn flat in Scheveningen en trok de juiste kleren aan. Met een koffer in zijn achterbak, waarmee hij in alle opzichten voor een reiziger kon doorgaan die zijn vliegtuig naar een onbekende bestemming moest halen, reed hij in ruim een uur naar Brussel. De parkeerplaats was half leeg. Bij wijze van eerste verkenning liep hij langs de taxistandplaats. Vervolgens, zonder om te kijken, de vertrekhal in. Een blik op het grote bord met de vertrektijden... kostbare momenten waarop zijn lichaam aan de drukte en de geluiden van de plek kon wennen.

Job had vaker met dit bijltje gehakt en wist precies hoe hij het aan moest pakken. In een kiosk kocht hij een Italiaanse krant. Niemand hoefde te weten dat hij Nederlander was. Vreemdelingen die de taal niet spreken, mogen zoekend om zich heen kijken. Dat trekt geen aandacht.

Onderwijl liep de president van Amerika zenuwachtig door zijn privévertrekken op de eerste verdieping van het Witte Huis. De opnamen zouden worden gemaakt in de Treaty Room, een van de meer huiselijke ruimten in het Witte Huis, met zijn oude staande klok en statige schilderijen. Het bureau vol familiekiekjes in glanzend gouden fotolijsten gaf een vertrouwenwekkend beeld dat de persoonlijke betrokkenheid van de president moest benadrukken.

In tegenstelling tot wat iedereen dacht, zou zijn toespraak niet live worden uitgezonden. Daarvoor was hij te belangrijk. Eén verspreking of moment van twijfel zou dramatische gevolgen kunnen hebben. Daarnaast wilde de president de mening van zijn adviseurs horen voordat de beelden onherroepelijk de wereld over gingen.

In de Treaty Room was het een drukte van belang. Overal stonden camera's en lampen opgesteld, en iedereen rende kriskras door elkaar. Het zou een historische toespraak worden en veel leden van de staf van de president wilden die niet missen. Zelfs de first lady was aanwezig. Ze werd, net als alle anderen, zorgvuldig buiten beeld gehouden.

De president ging te midden van alle bedrijvigheid achter zijn bureau zitten. Een vrouw controleerde zijn make-up voor de laatste keer en trok zijn das recht.

'Stilte in de kamer, stilte alstublieft,' gebood de regisseur.

'Iedereen klaar? Meneer de president? Actie in vijf, vier, drie...' De laatste twee seconden telde de regisseur af op zijn vingers, en toen hij zijn duim omhoogstak floepte het rode lampje aan boven op de camera waar de president recht in keek.

Hoewel de tekst helder op de autocue stond, kon de president zich er niet toe zetten de toespraak te beginnen. Hij keek nerveus om zich heen, zocht steun bij zijn vrouw, die weinig meer kon doen dan hem bemoedigend toeknikken.

De technici waren de eersten die hun ongeduld niet meer konden bedwingen. Na een aantal minuten waarin er niets gebeurde, begonnen ze heen en weer te schuifelen, ongemakkelijk onder de opgebouwde spanning en reikhalzend uitkijkend naar het moment dat ze buiten een sigaretje konden roken.

De regisseur gebaarde dat de opnamen moesten worden stilgelegd en liep naar voren.

'Excuses,' zei de president. 'Ik heb even tijd nodig, dat is alles.' Maar zijn lichaamstaal vertelde een heel ander verhaal. Voor het eerst in zijn carrière leek de president onder de druk te bezwijken.

Zijn vrouw zag het gebeuren. Alle protocollen genegeerd, greep ze in. 'Oké, iedereen de kamer uit, behalve jij, jij en jij.' Ze wees naar twee van de cameramannen en de regisseur. De anderen werden zonder pardon de gang op gestuurd. Vervolgens liep ze naar haar man, hurkte naast hem op de grond en pakte zijn beide handen in de hare. Ze zei niets, maar bleef gewoon een tijdje bij hem zitten.

'Jaja,' zei de president. 'Ik weet het.'

Het lampje boven de camera sprong opnieuw aan en de autocue begon te lopen.

De president sprak ernstig en vastberaden: 'We mogen onze trots nooit verliezen. We moeten vertrouwen op onze kracht. De mensheid heeft vele stormen doorstaan en zal ook nu weer overwinnen.

Mijn hart gaat uit naar allen die nu honger lijden, niet alleen in de Verenigde Staten, maar in de hele wereld. Mijn hart gaat uit naar de kinderen die met een lege maag naar bed moeten. Mijn hart gaat uit naar de ouderen, die een hardwerkend leven achter de rug hebben. Mijn gedachten zijn bij de zieken, de kwetsbaren, en allen die worden gekweld door onzekerheid en angst. Honger is de ergste vijand die er is, omdat die onze weerbaarheid en onze waardigheid aantast. Het holt ons vanbinnen uit. Ik voel uw pijn, ik deel uw pijn en zal er alles aan doen om deze beproeving zo kort mogelijk te maken. De problemen zijn groot. De klimaatverandering begint haar tol te eisen. We kunnen onze ogen daar niet langer voor sluiten. Ik heb de wereldleiders uitgenodigd om gezamenlijk aan een oplossing te werken. Een voedsel- en klimaatconferentie waarbij we allemaal over onze eigen belangen heen zullen moeten stappen en ons daadkrachtig moeten tonen. Wij hebben u daarbij nodig. Ik vraag u allen om mee te doen. Nu zal de ware, grootse aard van de mensheid naar boven komen. Onze ongekende veerkracht. Onze innovatieve kracht.'

Met een ernstige blik keek de Amerikaanse president in de camera. 'Laat mij, tot slot, een woord van waarschuwing richten tot diegenen die menen dat het koste wat kost nastreven van eigenbelang in deze tijd nog acceptabel is. Wie geen deel uitmaakt van de oplossing is automatisch een deel van het probleem. Op mijn woord van eer: wij zullen niet rusten voordat we dit probleem met wortel en tak hebben uitgeroeid.'

30

Na een korte verkenning van de verschillende winkeltjes in de ontvangsthal nam Job de roltrap naar boven. Het viel hem op dat het in Brussel met de honger minder erg gesteld leek dan in Nederland. Eén kraampje verkocht aardappelen voor een prijs waar je in Nederland nog niet eens een gebakken champignon of gepofte kastanje voor kon krijgen. Toch zagen de mensen er even gebroken uit als in Den Haag of Amsterdam.

Hij kocht een dunne plastic regenjas, om zich desgewenst snel te kunnen vermommen. Onderweg nam hij elke roltrap, elke nooduitgang, elk hoekje waar hij zich zou kunnen verstoppen in zich op. Toen hij voor zijn gevoel de omgeving voldoende verkend had – het was inmiddels vijf voor één – wandelde hij in de richting van de passagiersuitgang waar hij werd verwacht.

Job nam plaats aan de enige koffiebar die hem een goed zicht op deze uitgang bood. Hij bestelde een dubbele espresso en haalde een krant tevoorschijn. Koffie, een koffer en een krant, dé attributen om ergens een tijdje ongestoord te verblijven.

Een klein uur bleef hij zitten. Al die tijd zag hij niets verdachts. Dat zei nog weinig, wist Job, hooguit dat hij met professionele mensen te maken had. Maar dat was altijd zo. Hij had van een man als Coldman niets anders verwacht.

Om tien voor twee vertelde hij de ober dat hij even naar de wc ging, en zijn koffer zolang liet staan om zijn plaats bezet te houden. Vervolgens verdween hij uit het zicht.

De geblindeerde BMW stond al een tijdje met draaiende motor te wachten. Het was vijf over twee en Ron Coldman – die achter het stuur zat – vroeg zich af hoe lang het nog zou duren voor zijn ongeduldige passagier zou gaan mopperen. '*He will come*,' zei hij zonder zijn ogen van de uitgang af te wenden.

'Dat is hem geraden,' gromde de man op de achterbank.

Het duurde nog vijf minuten voor Job zich meldde. Ze schrokken toen hij opeens naast hen stond. 'Is deze taxi vrij?' vroeg Job in het Italiaans.

Ron Coldman knikte, stapte uit en hield het portier voor hem open. Voordat Job goed en wel zat, had Coldman het gaspedaal al stevig ingetrapt.

Coldman concentreerde zich volledig op het verkeer. De twee mannen op de achterbank werden niet aan elkaar voorgesteld en Job vertikte het als eerste te gaan praten.

De Amerikaan naast hem, daar ging Job tenminste van uit, was jong, hooguit een jaar of 35, maar had een opvallend autoritaire uitstraling. Hij droeg een net pak en had zwarte, strak achterovergekamde haren die net zo glommen als zijn dure lakschoenen. Pas nadat Coldman hem met een kort knikje duidelijk maakte dat ze niet gevolgd werden, wendde hij zich tot Job.

'Oké, we hebben de eerste resultaten. Feiten. Namen. Alles wat ik je zo vertel is vertrouwelijk. Ben ik duidelijk?'

Dat was zo vanzelfsprekend dat Job een antwoord overbodig vond.

'Aan terreur kun je veel geld verdienen en terroristen beseffen dat maar al te goed. We weten dat Al Qaida miljoenen dollars heeft verdiend aan de aandelenhandel vlak voor en na hun eigen aanslag op de Twin Towers, op 9/11. Terreur leent zich uitstekend voor speculaties op de beurs. Elke aanslag brengt de aandelenkoersen aan het wankelen, en wie dat tijdig ziet aankomen heeft de miljoenen voor het oprapen. Kun je me volgen?'

'Ho, stop,' onderbrak Job hem. Hij had geen zin in zo'n belerende monoloog van iemand die praktisch zijn zoon had kunnen zijn en niet eens de moeite nam zich voor te stellen. 'Wie ben jij? Ik heb een afspraak met Coldman. Wat heb jij hiermee te maken?'

'We hebben hedgefondsen geselecteerd die ten tijde van de verdwijning van Bing Johnson verdachte transacties hebben uitgevoerd,' vervolgde de man, alsof Job niets gezegd had. 'Alsof ze al over het virus wisten voordat ze dat kónden weten. Vier Nederlandse hegdefondsen vertonen veel overlap in hun transacties. iou-investements in Rotterdam, Aalten International uit Den Haag, en de belangrijkste twee in Amsterdam: Roozendaal & Partners en een hedgefonds dat zich wio&l noemt. Het heeft even geduurd voor we ze vonden. Een web van zusterondernemingen, lege bv's, brievenbusfirma's, je kent dat wel.'

Er reed een bus naast hen. Een vrouw op de achterbank keek hen aan.

'Wacht even,' zei Job. Met een handgebaar maande hij de jongeman tot zwijgen. De bus sloeg rechts af en verdween uit het zicht.

Job keek naar het glimmende achterhoofd van de Monnik. Hij kon het gevoel niet van zich afzetten dat er iets niet klopte aan de situatie. De Monnik aan het stuur... De jongeman met zijn praatjes... Hij zag dat de Monnik hem via het achteruitkijkspiegeltje in de gaten hield. Met brandende, dwingende ogen. Wat was het dat hij over het hoofd zag?

'Ik vraag het nog één keer: wie ben je en wat heb jij met dit alles te maken?'

'Ik ben een collega van Ron Coldman,' zei de man na een korte aarzeling. 'Meer hoef je voorlopig niet te weten.'

Job schudde zijn hoofd. 'Luister jij eens even, mannetje. Coldman is mijn contactpersoon. Ik weet niet veel van hem, maar één ding weet ik zeker: hij is geen chauffeur en hij zou zich nooit door jou laten commanderen.'

De sfeer in de auto werd grimmiger.

'We zijn hier om jou informatie te geven. Uiterst vertrouwelijke informatie over het Syndicaat dat in Nederland opereert. Dus let op je woorden en luister naar wat ik te vertellen heb.'

Maar Job wist dat het niet zou werken. Hij kon geen informatie aannemen van iemand die hij niet vertrouwde. Job zat lang genoeg in het vak om te weten dat misinformatie even gevaarlijk kon zijn als het scherpste mes.

'Laat mij maar even, Jim,' zei de Monnik droogjes.

Hij draaide een van Brussels brede avenues op, hield strak in de gaten of de auto werd gevolgd en vertelde toen, voordat Jim bezwaar kon maken, op neutrale toon over de zaak van de vermiste atoomgeheimen. Job kende de feiten al, en – belangrijker nog – hij wist dat Coldman daarvan op de hoogte was.

'... Wij voerden een kijkoperatie uit in het pand van de verdachte zakenman. Maar de AIVD had het pand onder surveillance en had ons via hun camera's in de gaten. Iemand was zogenaamd vergeten hun te vertellen waar we mee bezig waren.'

Hij remde voor een rood verkeerslicht en draaide zich naar Job. 'Een aardig verhaaltje, vind je niet? Jim hier is niet blij dat ik je dit vertel, begrijp je? Hij zal er een rapport over opstellen, omdat Jim het belangrijker vindt dat we ons aan procedures houden dan dat we resultaten boeken, nietwaar?'

Jim zei niets.

'En een van de andere gevolgen is dat de hoge heren in Langley er niet zo happig op zijn dat ik, buiten medeweten van onze gewaardeerde maar helaas van verraad verdachte AIVD-collega's, samenwerk met een ontslagen, getraumatiseerde Nederlander die toevallig bij de Marine Inlichtingendienst gewerkt heeft. Zeker niet als diezelfde hoge heren er toch al de pee in hebben dat ik openlijk in discussie ga met de president van de Verenigde Staten, die daar zelf overigens helemaal geen moeite mee had. En zeker niet als ze daarbij gemakshalve even vergeten dat ze me zelf naar voren hebben geschoven omdat ze te schijterig zijn om zelf de kastanjes uit het vuur te halen. *Isn't it, Jimmy*? Is dat geen mooi verhaal, Jimmy?'

Het verkeerslicht sprong op groen en de stroom auto's kwam weer op gang.
'*Nice*,' zei Jim.

Job had eindelijk door dat de leiding van de CIA Ron Coldman met een waakhond had opgescheept. Iemand die hem in de gaten moest houden. De Monnik verborg zijn woede achter zijn cynisme.

Maar Job mocht dan wel getraumatiseerd zijn, hij kende nog wel het klappen van de zweep. Hij boog zich voorover, over de rugleuning van de bestuurdersstoel heen, en tikte Coldman op zijn rug. 'Zou je de auto hier even aan de kant willen zetten?'

Jim schrok en wist niet wat hij moest doen.

'Waarom? Wat moet dat?'

'Ik stap uit,' zei Job tegen hem. 'Ik werk alleen met mensen die ik kan vertrouwen. Dus je zoekt maar een ander om de boel in Nederland voor je op te lossen. Of stap anders zelf uit. Sorry, Coldman. Ik had graag met je samengewerkt.'

Jim droop af; hij had geen keus.

'Ook daar zal hij wel weer een rapport over schrijven,' mompelde Coldman sarcastisch. Hij voegde de auto weer in het verkeer en reed verder de stad in.

'Goed, waar waren we?' zei Job.

'Hedgefondsen. Handel met voorkennis, vette winsten,' zei Coldman. 'En een paar namen, daar kom ik straks op terug. Maar het belangrijkst is het volgende. De klok loopt; het Witte Huis heeft een keiharde deadline gesteld. We hebben weinig tijd.'

'Hoeveel?'

'Vanaf nu... negen dagen. Dan worden de wapens getrokken.'

Job dacht aan de vier bedrijven die in Nederland werden verdacht en had geen idee of negen dagen veel of weinig was.

'Op dit moment spreekt de president het volk toe. Wereldwijd te zien op televisie. Hij zal, ten overstaan van de hele wereld, het Syndicaat bedreigen. In verkapte termen natuurlijk, dat wel, en zonder het Syndicaat bij naam te noemen. Maar duidelijk genoeg om hun de stuipen op het lijf te jagen.'

Coldman legde uit dat de onmacht van de CIA om het netwerk op korte termijn in kaart te brengen hem daar in feite toe gedwongen had. Door de druk op te voeren wilde men de vijand uit zijn hol lokken. Fouten laten maken.

'Maar wat als de sleutelfiguren van het Syndicaat precies het tegenovergestelde doen?' wilde Job weten. 'Als ze slim zijn blijven ze rustig zitten. Wat moeten we als ze alle onderlinge communicatie verbreken en simpelweg blijven wachten tot de storm overwaait?'

De kans hierop was klein, hadden de analisten van de CIA beweerd. Het Syndicaat was te machtig en had te veel te verliezen om zomaar in zijn schulp te kruipen. En hoeveel zelfbeheersing de top van de organisatie ook heeft, er is altijd wel een zwakke plek. Eén loslippige opmerking, een half woord via een onbeveiligde lijn was voor Langley al genoeg.

'En we hebben jou nog, nietwaar?'

Het gesprek verliep soepel. Er was vertrouwen en respect. Maar dat maakte de taak die voor hen lag niet minder lastig.

Coldman draaide van de boulevard af en reed deze, na wat zijweggetjes te hebben ingeslagen, in omgekeerde richting weer op. Een lange bijeenkomst zou het niet worden. ZAVENTEM, 8 KILOMETER stond er op de borden. Ze zagen Jim verongelijkt op de stoep staan, kennelijk hopend dat zij hem weer op zouden pikken, maar Coldman reed hem voorbij alsof hij lucht was.

Hij gaf Job gedetailleerde informatie over de vier verdachte Nederlandse fondsen en gooide hem achteloos een memorystick toe waarop alle informatie over deze vier bedrijven stond. 'Huiswerk.'

Job stopte hem in zijn zak. 'En nu?'

'Nu officieel niks. Als er een lek zit in het Nationaal Crisis Coördinatieteam, of in de AIVD, of in beide, dan moet een van deze vier daarbij betrokken zijn. De bal ligt bij jou. Ik ben je enige contactpersoon.'

Ze stonden inmiddels weer op de taxistandplaats. Het was tijd voor Job om uit te stappen.

'Er is nog één probleem,' zei Job. 'Peter Vink.'

'Blijf hem gebruiken! Hij heeft zijn sporen wel verdiend, met die professor Witkam en zijn ontsnapping door dat raam. En als hij goed genoeg was voor Geert Wennemars, is hij goed genoeg voor jou. Zet hem in zoveel je kunt. Als er iemand van binnenuit de infiltrant kan opsporen, is hij het wel. Zorg dat hij zo snel mogelijk weer aan het werk gaat.'

'Het punt is,' begon Job, 'dat ik hem niet kan bereiken.'

'Verzin iets,' zei de Monnik, en zonder omkijken gaf hij de BMW de sporen.

Toen hij weer alleen voor de kille ontvangsthal van het vliegveld stond, besefte Job dat de Monnik hem niets had gevraagd. Een echte yank: niet vragen maar bevelen uitdelen. Russen dwingen, Arabieren kopen, Europeanen onderhandelen en Afrikanen bedreigen. Job had ze allemaal meegemaakt, in alle soorten en maten. Iedereen leek anders, maar uiteindelijk waren ze allemaal hetzelfde.

31

Klaas Bol kreeg, ondanks herhaalde verzoeken, nog altijd geen toegang tot Peter Vinks kamer. Journalisten hadden al helemaal geen kans.

Alleen Johan Vermeulen, zijn vriend en collega, kreeg groen licht. Met lood in zijn schoenen liep hij de kamer binnen. Hij schrok toen hij zijn vriend in het bed zag liggen. Over zijn hele lijf waren slangetjes en infusen aangebracht. De plekken op Peters huid die niet werden bedekt door gips of verband, waren bezaaid met grote bloeduitstortingen.

Voorzichtig ging hij op de rand van het bed zitten. Om de schrik wat te verhullen begon hij meteen te kletsen: 'Je krijgt de groeten en beterschapswensen van het hele team. Iedereen leeft ontzettend met je mee, moet je weten. Die Ursula Walker heeft de boel goed wakker geschud, vind je niet? Bol heeft mij opdracht gegeven om virusremmers te kopen. Zolang jij er niet bent, moet ik dat soort klussen opknappen. Ik ben hun reservedeskundige. Eén druk op de knop en ik vertel hun alles wat ze willen horen.'

Het gepiep van een van de apparaten waarop Peter was aangesloten onderbrak zijn relaas. Gelukkig kwam er meteen een verpleegkundige aangelopen. Ze glimlachte naar Vermeulen en rommelde wat aan de knopjes van het apparaat.

'Alles verder in orde, Peter?' vroeg ze terwijl ze zich over de patiënt boog.

Peter bromde wat, waarop ze hen weer alleen liet.

Johan haatte ziekenhuizen: de typische steriele geur, de koude, metalen bedden, de gemaakt vrolijke sfeer van kaartjes en lieve briefjes en het ziekelijke gekuch van patiënten dat dwars door de muren heen te horen was... Zelfs zijn kaart, met de kampioensfoto van hun voetbalelftal, compleet met hartelijke krabbels van alle kameraden, hing er hier schlemielig en misplaatst bij. En overal om Peter heen stonden bloemen. Johan zag zelfs een bos met een kaartje van de minister-president.

Min of meer op de automatische piloot praatte hij verder: 'Maar goed, dat van die virusremmers loopt dus voor geen meter. Zolang we niet weten wat voor nieuwe virussen we kunnen verwachten, wil natuurlijk iedereen voorraden van die virusremmers aanleggen. Vooral Tamiflu en Relenza. Er is lang niet genoeg spul voor iedereen en het kost veel tijd om meer te maken. We hebben zo'n vijf miljoen doses virusremmers in voorraad. Dat is minder dan een derde van wat we nodig hebben. De wachttijd wordt steeds langer, omdat elk land als een gek van die virusremmers aan het bestellen is. En nu wil Bol dat ik daar even een oplossing voor vind. Alsof ik die zomaar uit mijn mouw schud.'

Johan hoorde zichzelf klagen en bedacht dat Peter daar waarschijnlijk niet op zat te wachten. Direct gooide hij het gesprek over een andere boeg: 'Weet je nog toen er een jaar of tien geleden een vogelgriepepidemie in Azië uitbrak? Ik hoorde daar laatst iets leuks over. In een heleboel landen werden meteen maatregelen genomen, behalve in Thailand. Daar bleven ze stug ontkennen wat er aan de hand was. Om te demonstreren dat het eten van kippenvlees niet gevaarlijk was, werd zelfs een lunch van de minister-president op televisie uitgezonden, waarbij die man samen met een paar andere kabinetsleden uitsluitend kippenvlees at. Ze stonden voor gek! Binnen een paar dagen moesten ze toegeven dat ze zich vergist hadden. De minister-president was wekenlang ziek en miljoenen zieke kippen moesten alsnog worden afgemaakt.'

Peter reageerde niet. De situatie werd steeds ongemakkelijker; zwijgen was nooit Johans sterkste kant geweest.

'Je bent een held, wist je dat? Jij bent degene die bekendgemaakt heeft waar het virus vandaan kwam. Je hebt je leven op het spel gezet om het nieuws naar buiten te brengen.'

Peter keek hem nu wat versuft en goedmoedig aan, maar zei nog steeds geen woord. De artsen hadden Johan verteld dat zijn vriend alles kon horen wat hij zei. Als dat waar was, dan liet hij er niets van blijken.

'We hebben nu allemaal ook persoonsbeveiliging gekregen, net als jij, wist je dat? Bol was woedend toen hij hoorde dat er een aanslag op je gepleegd was. Zeker na wat er met Geert Wennemars gebeurd is, natuurlijk. Bij elke beweging die ik maak lopen er twee van die gorilla's met me mee. Ze staan nu in de gang, bij die lui die jou beschermen. Ik vond het eerst wel cool, maar Wendy vindt het maar niets. Ze vindt het aanstellerij. Maar ja, ik kan tegenwoordig sowieso weinig goed bij haar doen. Ze is de laatste tijd flink chagrijnig. Ze vindt dat ik te weinig tijd voor haar heb, en te veel met mijn werk bezig ben. En als ik eens iets voorstel om samen te doen, vindt ze het negen van de tien keer saai. Ze wil dat ik alles vertel wat ik op het werk meemaak, en dat doe ik ook, maar ondertussen verwijt ze me dat ik haar overal buiten hou.'

Zelfs na deze persoonlijke ontboezemingen gaf Peter geen sjoege. Johan had

Peter er lange tijd van verdacht een oogje op zijn vrouw te hebben. Wendy flirtte graag en ze had weleens lachend aan Peters schouder gehangen, maar het leek hem onwaarschijnlijk dat ze echt met hem was vreemdgegaan.

'De bewakers komen ons huis niet in. Ze hebben een soort camper in de straat gezet, van waaruit ze een oogje in het zeil houden en waar ze 's nachts slapen. Voordat ik 's ochtends de deur uit ga, moet ik ze altijd even bellen. Dat zul jij straks ook wel moeten doen.'

Johan wist steeds minder goed waar hij het nog over kon hebben, maar hij wilde ook niet zomaar afscheid nemen. Hij was opgelucht toen het bezoekuur voorbij was. 'Nou, jongen, ik moet gaan. Ik moet je de groeten doen van iedereen op het werk. En een zoen van Angela, maar die geeft ze je zelf maar een keer. Zorg alsjeblieft dat je snel weer gezond wordt. We kunnen je niet missen.'

Johan bleef nog even ongemakkelijk op de drempel staan. Voor het eerst drong het tot hem door dat hij er ooit ook zo bij kon liggen. Dat ook hij het doelwit van een aanslag zou kunnen zijn.

De twee mannen die hem moesten bewaken, stonden klaar toen hij de gang in liep.

De verpleegkundige liep meteen even bij Peter langs. 'Waarom zei je niets?' vroeg ze hem met een licht verwijtende ondertoon.

Peter haalde zijn schouders op. 'Ik weet het niet,' zei hij. 'Soms voelt het alsof ik niets meer te zeggen heb.'

Ten opzichte van de verpleegkundigen gedroeg Peter zich als een redelijke, kalme patiënt. Beleefd en vriendelijk, ondanks alles. Ze stelden dat op prijs, maar keken er natuurlijk ook dwars doorheen. Er smeulde een veenbrand in Peter Vink en ze hadden genoeg ervaring met patiënten om te weten dat deze vroeg of laat aan de oppervlakte komen zou.

Tijdens haar lunchpauze schoof Suzan bij hem aan.

'Wat heb je?' vroeg hij.

'Biefstuk,' vertelde ze genietend. 'Biefstuk stroganoff.'

De verpleegkundige nam een hap van het kleine brokje in plastic verpakt ziekenhuiseten dat iedere zieke op vertoon van een speciale voedselbon kreeg voorgeschoteld. Ze sloot haar ogen van genot.

'Dit is mijn favoriete eten,' bekende ze. 'Een grote ribeyesteak, ken je die nog?'

Peter knikte.

'Je moet zo'n steak in plasticfolie wikkelen en er dan met een hamer of deegroller op slaan tot hij half zo dik is. Dan snij je het vlees in repen van een centimeter breed. Die repen doe je dan in een plastic zakje met bloem. En dan schud je net zolang tot het vlees helemaal met bloem bedekt is.' Het was lang geleden dat ze bloem gezien had. Of pasta.

'Ondertussen kook je de pasta in een pan met water en een beetje zout.'

'Wat voor pasta?'

'Fettuccine is lekker. Of tagliatelle.'

Peter had nog nooit van fettucine gehoord, maar vroeg niets.

'Gesmolten boter, een klein gesnipperd uitje. Tomatenpuree en rode wijn. Ruik je het al?'

Wellustig smakte de verpleegkundige haar eten naar binnen. In werkelijkheid at ze slappe aardappelschil-brandnetelpuree; hetzelfde slappe, grauwgele aftreksel dat Peter nu al twee dagen achtereen voorgeschoteld kreeg. Maar honger scherpt de verbeeldingskracht, en op de afdeling waar Peter lag hadden de verpleegkundigen hun fantasie tot grote hoogten aangescherpt. Elke maaltijd werd als een feestmaal beschreven, kruidig, vol graan en vlees, en altijd met zorg bereid. De mensen spraken elkaar zo moed in en diegenen die niet instortten of in complete apathie verzonken, toonden vaak een veerkracht die Peter niet had vermoed.

Sinds het uitbreken van de graancrisis had hij doorgejakkerd, was hij opgejaagd door zijn werk en een diepgeworteld verantwoordelijkheidsgevoel, door gevaar en angst. Nu kon hij geen kant op. De wonden in zijn gezicht waren weliswaar herstellende en hier en daar was weer wat gips van zijn lijf gepeld, waardoor hij iets makkelijker kon bewegen. Maar echt opschieten deed het niet. Hij kon nog altijd niet lopen, bijvoorbeeld. Het gedwongen stilliggen bleef frustrerend. De wereld was in crisis, het Nationaal Crisis Coördinatieteam werkte zich een slag in de rondte en er was niets wat hij kon doen.

Peter had al lang niets meer van Job gehoord en de herinnering aan zijn nacht bij Lara begon te schuiven. Hij wist niet meer precies wat er was gebeurd, die nacht dat hij zwaar gewond bij haar had aangeklopt. Lara was een dievegge, een parasiet die teerde op het werk van anderen. De eerste keer dat hij haar ontmoette, had ze hem weliswaar gered, maar dat had zijn oordeel dat ze in wezen een verwerpelijke persoon was niet aangetast. Een mooi, maar verwerpelijk wezen. Bloedmooi, maar gevaarlijk, zonder principes, plichtgevoel of idealen.

Maar als hij te midden van alle tumult en gevaar van de afgelopen dagen ergens zeker van was, dan was het wel dat deze Lara hem veel dieper raakte dan alleen vanwege seks tijdens een onenightstand.

En dat zette hem aan het denken. Waarom had hij zo op haar neergekeken? Wat stelden zijn eigen idealen eigenlijk voor? Wat had het voor zin om loyaal te zijn aan de samenleving en de democratie als de top van het land corrupt was? En waartoe moest je 'het volk dienen', zoals dat altijd zo mooi gezegd werd, als 'het volk' zich ronduit beestachtig en egoïstisch gedroeg?

The people is a great beast, zoals een Amerikaan ooit zei, en de democratie dient ervoor om dat beest in toom te houden. Maar wat als dat niet lukt? Wat als ook het centrum van de macht wordt beheerst door een graaicultuur? Het zat hem dwars dat hij, met al zijn normen en waarden, niet in staat was zijn eigen hoogzwangere zus te helpen, terwijl iemand als Lara, op wie hij zo had neergekeken, dat wel deed.

'Broertje, maak je over mij maar geen zorgen,' had Carolien telefonisch geprobeerd hem gerust te stellen. 'De bevalling kan elk moment beginnen en ik ben er helemaal klaar voor.'

'Kun je rondkomen van de voedselbonnen?' had hij gevraagd.

'Dat gaat moeilijk, dat weet je. Maar een vriendin van mij, niemand die je kent, schuift me elke week wat extra eten toe. "Voor de baby," zegt ze dan. Ik heb geluk.'

'Bedoel je Lara?' had Peter gevraagd.

'Ja, Lara, zo heet ze! Maar hoe ken jij die?'

Dit was niet het moment om alles te vertellen.

'Ik kwam haar een keer tegen op straat. Ze herkende mij van televisie en vertelde dat ze een vriendin van jou was. We hebben wat gekletst... Een leuke meid.'

Carolien moest lachen.

'Jaja, een leuke meid. Ik heb je door, broertje. Een mooie meid, zul je bedoelen. Een lekker ding. Dat bedoel je toch?'

'Nee... ja... ik bedoel...'

'Geeft niets, hoor, broertje. Jasper praat ook altijd zo. En eerlijk is eerlijk: ze ís een lekker ding.'

'Ja,' gaf Peter toe, 'ze mag er zijn.'

Maar dat was niet wat hij had willen zeggen.

Het maakte niet veel uit, allemaal.

Als alles fout gaat in de wereld, als de honger doorzet en de virussen echt van alle kanten komen, maakt niets meer wat uit.

De dreiging van de dood maakt alles relatief.

Dat waren zijn ouders, wier geesten ergens op de bodem van een meer bij Kuopio doolden, vast wel met hem eens.

32

De toespraak van de Amerikaanse president was wereldwijd uitgezonden. Mensen waren hongerig naar nieuws en putten steun uit het vaderlijke en betrokken betoog van 's werelds machtigste leider.

Ron Coldman zou later achterhalen dat er nog geen tien minuten na deze uitzending opeens ongekend actief in aandelen van het Hawaïaanse bedrijf Ernesto Offshore Industries gehandeld werd.

Arie Roozendaal, een van de Nederlandse hoofdverdachten, kocht 640.000 aandelen van dit bedrijf voor exact 2,45 euro per stuk, en een Turkse handelaar kocht 1,2 miljoen stukken voor hetzelfde bedrag.

Het zou een korte voetnoot opleveren in zijn eindverslag:

> *Aandelenhandel als vorm van communicatie was een noviteit voor ons en het heeft te lang geduurd voor we het ontdekten. Waarschijnlijk zullen we nooit precies achterhalen wat de misdadigers met die bewuste transacties aan elkaar lieten weten. Mede daardoor is het ook moeilijk vast te stellen of de publieke uitspraken van de president ons opsporingswerk hebben geholpen of vertraagd.*

Ursula Walker zat op het moment van de uitzending in een van God en alle mensen verlaten oord in Noord-Siberië. Nog geen 24 uur daarvoor had ze Alaska verlaten. De rottende mammoet was gevonden en er waren inderdaad sporen van het virus aangetroffen. Nadat Ursula dat persoonlijk had vastgesteld, had ze haar medewerkers geïnstrueerd en was ze zelf doorgereisd.

In samenwerking met Sun T'sjin had ze in allerijl onderzoeksstations op zeven verschillende plaatsen in de wereld laten opzetten, om vandaar de dreiging van uit smeltend ijs vrijkomende virussen zo goed mogelijk in kaart te kunnen brengen.

Walker was afgereisd naar het noordoosten van Siberië, naar de delta van de rivier de Lena, dicht bij de Laptevzee.

Midden in de delta van deze rivier, op het kleine eiland Samoylov, bevond zich een Russisch-Duits onderzoeksstation, dat in allerijl op haar komst werd voorbereid. Ze overnachtte in de nabijgelegen stad Tiksi, een grijswitte kale vlakte, met her en der barakken en uit beton opgetrokken huizen.

Tiksi betekent 'moerassige plaats', en dat verklaarde mede waarom ze daarheen was gegaan. Er wonen maar een paar duizend mensen, het water is negen maanden per jaar bevroren en verder het binnenland in is het nog kouder. Sinds mensenheugenis waren de toendra's ten zuiden van Tiksi permanent bevroren. Maar sinds de jaren negentig duurde de dooiperiode elke zomer ietsje langer. Als er één plaats op de wereld was waar je de gevolgen van de klimaatverandering goed kon zien, was het daar wel. De kans op de ontdekking van rottende kadavers was uitermate reëel.

De hotelkamer die voor haar was klaargemaakt was, voor lokale begrippen, goed verwarmd, maar professor Walker had het nog steeds ijs- en ijskoud. Rillend en met blauw uitgeslagen lippen lag ze volledig gekleed en met alle dekens over haar heen op bed en zag hoe haar president de wereld informeerde.

Hij zei weinig meer dan zij al eerder had gezegd, maar het maakte natuurlijk een groot verschil of zij als professor een praatje voor CNN hield of dat de president vanuit de Treaty Room de wereld toesprak. Elk woord was op een goudschaaltje gewogen. En dat was maar goed ook. Ze twijfelde er niet aan dat zijn boodschap een ongekende impact zou hebben.

Ursula Walker had geen tijd om naar de nabeschouwingen en analyses van allerlei deskundigen te luisteren, en ze zette het toestel uit zodra de president zijn laatste woord uitgesproken had. Ze moest zelf op onderzoek uit. Eerst een telefoontje. De laatste woorden van de president, waarmee hij in bedekte termen het Syndicaat gewaarschuwd had, hadden haar aan die Nederlander, Peter Vink, doen denken, dankzij wie alle informatie over het virus bekend geworden was.

De arts vroeg aarzelend of hij er niet te moe voor was, maar Peter Vink schoot direct overeind toen hij hoorde wie er voor hem aan de telefoon hing. Hij wilde dit telefoontje van Ursula Walker, de vrouw die het stokje van hem had overgenomen sinds hij in het ziekenhuis beland was, voor geen goud missen. 'Hoe is het met je?' hoorde hij haar zeggen. 'Zit je nog steeds niets te doen, daar in het ziekenhuis? Terwijl ik momenteel bijna omkom in het werk?'

Peter kon een glimlach niet onderdrukken.

'Niet de beste timing, dat geef ik toe,' zei hij. 'Maar hier is het tenminste warm. Bij jou komt het kwik overdag vast niet boven de -20 graden Celsius.'

'Het is stervenskoud,' gaf ze toe. 'Winter in Siberië.'

Hierna kwam ze ter zake en bracht Peter in enkele woorden op de hoogte van de vondst van de mammoet, bij de gletsjer in Alaska.

'Je had gelijk. Het beest lag waar hij hoorde te liggen. Een poolvos of een ijsbeer had er hele stukken uit weggevreten.'

'En het paarse graan?'

'Dat was weg. Je moet bedenken dat er een aantal maanden voorbij zijn gegaan sinds Bing Johnson en zijn ploeg daar zijn geweest. Maar we hebben flink wat sporen van het virus gevonden. Je had dus gelijk.'

Ze wond er geen doekjes om. Het was simpel, hoe erg het ook was.

'En niet alleen daar op de grens tussen Canada en Alaska dreigen virussen te ontdooien. Hier op de ijsvlakten in Siberië realiseer ik me dat pas goed. Als straks de dooi inzet... Toen ik hierheen kwam, in een klein vliegtuig vanuit Moskou, en laag over die eindeloze toendra's vloog, stelde ik me voor hoe die er straks in de zomer uit moeten zien. Eén smeltende, stinkende, walmende smurrie vol methaangas. Toen sloeg de schrik me pas echt om het hart.'

'Ik hoor die verhalen over de smeltende permafrost al jaren,' gaf Peter toe. 'Maar ik dacht om de een of andere reden dat het wel los zou lopen.'

De professor zweeg even. 'Gelukkig is er ook goed nieuws. Ik wilde dat ik kon zeggen dat wij het hebben ontdekt, maar dit keer kwam het van een groepje marathonlopers uit Kenia.'

'Kenia?'

'Yep, Kenia. Het schijnt dat Keniaanse marathonlopers zo'n goede conditie hebben omdat ze een speciaal soort oergraan eten. Topsporters in de hele wereld doen er alles aan om over dat graan te kunnen beschikken. Overal verschijnen akkertjes met dat spul.'

Peter begreep onmiddellijk waar ze heen wilde. 'Is het echt waar?' vroeg hij. 'Is dat graan immuun voor het virus?'

Van dit nieuws knapte hij meer op dan van tien infusen. Ursula Walker hoorde het en moest lachen.

'Terwijl jij daar in dat bed vakantie ligt te houden, zijn er gelukkig anderen die wel hun kop erbij houden. Er is nauwelijks genoeg van dat graan om een halve stad te voeden, laat staan de hele wereld. Maar het is een begin. Als je wilt, stuur ik je de informatie. Dan heb je iets om over na te denken.'

Gretig las Peter alle informatie die Ursula Walker naar hem had laten mailen.

Een groep Indiase wetenschappers was, na de berichten over de Keniaanse marathonlopers, op zoek gegaan naar andere varianten oergraan, en een aantal daarvan bleken tot ieders opluchting ook resistent te zijn tegen het virus.

Niks plantenveredeling, niks grootschalige markt, had Ursula daar in een kort

...nentaar bij getypt. *Misschien moeten we terug naar diversiteit. Elke regio voor zich. Misschien moet elke plant, elke graansoort weer zijn eigen genetische, regionale variant kunnen ontwikkelen, zodat niet alles in één klap weggevaagd wordt als er weer iets fout gaat. Dan blijft er altijd wel ergens een variant over die overleeft.*

Peter dacht aan de machtige multinationals zoals Monsanto, die het monopolie had op tal van genetisch gemodificeerde gewassen, en aan de enorme bedrijfsbelangen die in het geding zouden komen.

Ursula Walker had kennelijk met hetzelfde probleem geworsteld, maar ging er niet al te diep op in. Ze schreef dat veel collega's van haar een oplossing zagen in wat zij *urban agriculture* noemden. Landbouw in de stad. Mensen die, ook in de grote steden, zelf een deel van hun eten verbouwen.

Het Worldwatch Institute had al in 2007, toen het graanvirus nog diep onder het poolijs verscholen lag, de mooiste voorbeelden hiervan op een rij gezet. In Londen bleken maar liefst vijfduizend mensen zelf bijen te houden voor de honing. Balkonnetjes van kleine appartementen op driehoog achter, en zelfs keukenkastjes waarbij gaten in de deurtjes waren geboord, dienden als bijenkorf. De honing werd op grote schaal aan buren uitgedeeld of verkocht en iedereen vond dat de normaalste zaak van de wereld. Hetzelfde gebeurde in Vancouver, Toronto en New York.

Peter kon zich dat moeilijk voorstellen. Het leek hem wat al te kneuterig. De wereldbevolking groeide zo snel dat je zonder massaproductie van genetisch gemanipuleerde granen nooit iedereen kon voeden.

Maar Ursula had natuurlijk gelijk dat al die massaliteit de wereld kwetsbaar maakte voor virussen, politiek gesteggel en corruptie. Hoe massaler de oogst, hoe groter de problemen als er iets fout ging. *En denk eens aan de gigantische hoeveelheid energie die nodig is om al dat eten over de wereld te vervoeren. Dat drukt enorm op het milieu. Het helpt ook als mensen minder vlees gaan eten,* schreef de professor. *Voor een kilo vlees is vijf kilo plantaardig voedsel nodig. Dus als iedereen wat minder vlees eet, dalen de voedseltekorten exponentieel.*

Ze had Peter voorbeelden en informatie van over de hele wereld toegestuurd, waaruit bleek dat het ook in andere grote steden heel vanzelfsprekend werd dat mensen voor een deel in hun eigen voedselbehoefte voorzagen. Appelbomen, kippenhokken en kleine kassen in de tuin waar peultjes en sla werden verbouwd, zag je bijna overal. In een stad als Dar es Salaam, in Tanzania, kwam maar liefst zestig procent van de melk die verkocht werd van koeien die in de stad zelf werden gehouden. In Dakar, Senegal, was de helft van alle inwoners betrokken bij urban agriculture.

Als je Ursula mocht geloven, zorgden wereldwijd best veel stadsbewoners voor eigen eten, in moestuintjes, op dakterrassen, in bloempotten, je kon het zo gek niet bedenken. Iedereen werkte met andere groentevariëteiten, waardoor één virus nooit alles tegelijk zou kunnen aantasten. In Los Angeles verbouwden veel tieners voedsel als bijverdienste. Ze verkochten het op de markt. En op de gevangenis van Sint-Petersburg waren gigantische daktuinen aangelegd, waar gevangenen onder toeziend oog van de bewakers eten verbouwden om een zakcent bij te verdienen. Als zelfs gevangenen dat konden, waarom zou dan niet iedereen dat kunnen doen?

Peter dacht vanuit zijn ziekbed na over een mogelijke trapsgewijze voedselvoorziening: in de steden zelf zouden vooral verse groenten en fruit verbouwd kunnen worden. Aan de stadsrand konden boeren, in overleg met de stadsbewoners, dieren houden. Kippen, koeien, varkens, wat dan ook. En nog verder, desnoods een paar honderd kilometer, kon de bulk geteeld worden voor de grote massa, in efficiënte, moderne bedrijven.

In de afgeschermde omgeving van het ziekenhuis, waar stress en zelfs honger ver weg waren, deed de informatie van Ursula Walker Peter zichtbaar goed.

Hij genoot van een notitie die Ursula meestuurde met daarop een tekst van Michael Pollan, de bekende Amerikaanse onderzoeksjournalist. Probeer te raden, stond er, welk product met onderstaande ingrediënten wordt gemaakt:

Gebleekte bloem [verrijkt met tarwebloem, gerstemeel met moutextract, niacine, ijzer, thiaminemononitraat (vitamine B1), riboflavine (vitamine B2) en foliumzuur], water, volkoren granen [volkoren tarwemeel, bruine rijstmeel (rijstmeel, rijstzemel)] en maisstroop, wei, tarwegluten, gist, cellulose. Bevat tevens 2 procent of minder van de volgende ingrediënten: honing, calciumsulfaat, plantaardige olie (uit sojabonen en/of katoenzaden), zout, boter (room, zout), deegverbeteringsmiddelen (mogen een of meer van de volgende stoffen bevatten: mono- en diglyceriden, geëthoxyleerde mono- en diglyceriden, ascorbinezuur, enzymen, azodicarbonamide), guargom, gistvoedingsstoffen (monocalciumfosfaat, calciumfosfaat, amoniumsulfaat), maiszetmeel, natuurlijke smaakstof, bètacaroteen (kleur), vitamine D3, sojalecithine en sojameel.

Peter had geen idee wat het kon zijn. Hij ging ervan uit dat het vast wel een of andere ingewikkelde specialiteit zou zijn waar hij nooit van gehoord had.

Fout. Het waren de ingrediënten van het witbrood zoals dat door de Amerikaanse supermarktketen Sara Lee verkocht werd.

Zo komt eten wel heel erg ver van ons af te staan, schreef Ursula als commentaar. *We weten niet meer wat we eten en we weten niet meer waar het vandaan komt. En*

als er dan iets fout gaat, zitten we met de handen in ons haar. Terwijl onze grootou-
ders allemaal zelf hun brood konden bakken.

Het was een oud voorbeeld, besefte Peter, van ver voor de graancrisis. Maar hij
begreep wat ze bedoelde.

Grijnzend las hij over Václav Havel, die Tsjechische dissidente schrijver, die het
na de val van het communistische regime schopte tot president en min of meer
rechtstreeks van de gevangenis naar het presidentiële paleis kon verhuizen. Hij
ontdekte dat arme stadsbewoners jarenlang in het geniep de tuin van de Praagse
Burcht hadden ingepikt om er aardappelen te telen. Havel wist dat hij dat nooit
officieel kon toestaan in de presidentiële residentie. Maar als een man van het
volk kon hij het ook niet over zijn hart verkrijgen om de mensen weg te sturen.
Na lang aarzelen liet hij de mensen formeel weten dat ze de tuin moesten ontrui-
men. 'Maar voorlopig kunt u gerust blijven,' zei hij er direct achteraan. 'In dit
land duurt het nemen van elke beslissing toch twintig jaar.'

Job Slotemaker zou gek worden als hij wist dat Peter met dit soort dingen bezig
was. Peter Vink was verdomme zijn enige aanknopingspunt; de enige persoon
die hem een veilige ingang bood naar de machtscentra van regering, kernteam
en de AIVD.

En toch bleef hij al die tijd onbereikbaar.

33

Twee dagen waren verstreken sinds de president zijn ultimatum had gesteld. Over acht dagen moest het afgelopen zijn.

Maar Job ging gebukt onder een heel ander ultimatum. Wereldwijd werd het aantal slachtoffers van het graanvirus inmiddels geschat op een half miljoen sterfgevallen per dag. Dat kwam neer op ruim vijf doden per seconde. Elke seconde vielen er dus evenveel slachtoffers als indertijd bij de zelfmoordaanslag op het busstation in Bagdad. Meer dan welke uitspraak van welke president dan ook was het tikken van de secondewijzer de motor waar Job op draaide.

Hij stond klaar om poolshoogte te nemen bij de vier verdachte hedgefondsen waar Coldman hem op gewezen had. Job wilde zo veel mogelijk verdachten zien. Hij wilde hun dagritme weten, hun vaste gewoonten, hun zwakke plekken... Maar op het moment dat hij de deur van zijn appartement achter zich dichttrok, ontving hij een bericht van Coldman.

Zus van P. is net bevallen.
Patiënt wil ws. op bezoek.
Isolement verbroken.
Veel succes!

Job verspilde geen energie aan de vraag hoe Coldman van de bevalling op de hoogte was en reed meteen naar Amsterdam.

Lara stond af te wassen in het keukentje van haar vriendin. De woonkamer was vol, de kersverse moeder was trots en moe en de baby – gelukkig – rustig. Carolien had hem Peter genoemd, naar haar vader en haar broer.

'Als ik ooit een kindje krijg, mag jij de afwas doen,' had Lara gezegd. 'Nu moet je gewoon cadeautjes krijgen en met kleine Petertje pronken.'

Lara zag twee auto's aan de overkant van de kade parkeren. Vier kleerkasten van mannen stapten uit en keken oplettend om zich heen voordat ze de rolstoel pakten, deze monteerden en daarna Peter uit de auto hielpen. Die rolstoel zou nooit over de loopplank kunnen, wist ze, maar Peter zou daar vast iets op gevonden hebben. Hij toverde inderdaad twee krukken tevoorschijn, hees zich overeind en strompelde in zijn eentje de loopplank over. Een van de beveiligers wilde met hem meelopen, maar die werd door Peter teruggedirigeerd. Bij zijn zus was geen acute dreiging, hij wilde bovendien een kraambezoek zonder gedoe.

Lara had er rekening mee gehouden dat ze Peter vandaag weer zou zien. Ze was nét iets langer met haar kleren bezig geweest. Met lichte zelfspot had ze zichzelf in de spiegel bekeken. 'Zo ken ik je weer! Eén man en je trilt weer als een meid van zestien.'

Steeds weer vergat ze hoe ongerijmd de situatie was. Zijn positie maakte dromen zinloos: hij was de facto een hoogwaardigheidsbekleder, met alles wat daarbij hoort. Bepaald niet iemand van de straat.

Ze hoorde hoe Carolien hem met een hoog gilletje begroette.

'Hij lijkt op jou,' glunderde Carolien. 'En op paps.'

'Een prachtig kindje. Mijn eerste neefje.'

Drie mensen sprongen tegelijk op om Peter een stoel aan te bieden, maar hij weigerde beleefd en liet zich voorzichtig naast Carolien op de bank zakken.

Hij kreeg thee en een brokje versgebakken kastanjekoek.

Lara kon voelen hoe de sfeer in de woonkamer veranderde nu de beroemde, maar gewonde broer van Carolien aanwezig was. Anderen hebben dat dus ook, dacht ze. Dat ze terugschrikken voor de man die een fenomeen geworden is. Zelfs Carolien durfde nauwelijks tegen hem te praten.

'Het gaat goed,' hoorde ze Peter zeggen, in antwoord op een onuitgesproken vraag. 'Mijn wonden helen redelijk en de dokters hebben me beloofd dat ik geen blijvend letsel hou. Maar, genoeg! Het allerbelangrijkste is dat ik hier vandaag kan zijn om mijn kleine naamgenoot te zien.'

De baby begon zacht te sputteren.

'Hij wil aan de borst,' vertelde Carolien, 'maar ik heb te weinig melk.'

'Dat komt wel goed,' zei Peter.

Lara hoorde hoe moe hij was, hoe hij het simpelweg niet op kon brengen om nóg een extra probleem onder ogen te zien.

'Nog iemand koffie of thee?' riep ze vanuit de keuken.

Het duurde een tijdje voordat het tot Peter doordrong wiens stem hij had gehoord. Lara! Verlegen kreunend en onhandig stond hij op om zich op zijn krukken een weg naar de keuken te banen. 'Hoi,' zei hij.

Lara keek hem lachend aan en schoof toen snel een keukenstoel zijn richting op. 'Kom even zitten.'

Job Slotemaker volgde alles van grote afstand. Hij had zijn auto buiten het directe aandachtsgebied van Peters persoonsbeveiligers geparkeerd en activeerde een geavanceerde richtmicrofoon, die hem in staat stelde dwars door het raam heen te horen wat er werd gezegd.

Het was frustrerend om zo dicht bij zijn man te zijn zonder de mogelijkheid om hem te benaderen. Hij moest zich beperken tot observaties op afstand. Met zijn verrekijker kon hij Peter en Lara zien als ze voor een van de raampjes stonden.

Daardoor zag hij hoe het eerste moment, waarin ze elkaar zonder omhaal een zoen hadden kunnen geven, voorbij was voor ze het beseften. Een verloren kans; wat restte was omzichtigheid, het voorzichtige gedraai van mensen die zich met elkaar verbonden voelen zonder dat zelf helemaal te begrijpen.

Job begreep niet wat die twee bij elkaar te zoeken hadden. Ze verschilden als dag en nacht, hadden niets met elkaar gemeen – behalve die ene nacht in Lara's huis – en hadden nooit de tijd gehad elkaar beter te leren kennen.

En toch...

Hij zag hoe Peter zich in de stoel liet zakken en, de pijn verbijtend, onzeker opkeek naar de plaats waar Lara moest staan, inmiddels buiten zicht.

'Gaat het een beetje?'

Peter knikte.

Hij bedankte haar niet voor alles wat ze die nacht voor hem had gedaan en Lara merkte dat ze dat fijn vond. Een bedankje zou afstand scheppen.

Om ruimte te geven aan de stilte gingen haar handen verder met de afwas. Een kopje onder water... sop... een borstel. Even afspoelen en dan de volgende kop. Peter keek toe hoe haar handen het ritueel herhaalden.

'Ik heb veel aan je gedacht,' zei hij.

Dit keer een schoteltje. Ze moest iets steviger borstelen om een vastgekoekt kruimeltje los te krijgen.

'Ik heb verkeerde dingen gezegd,' zei hij. 'Ik bedoel, boos, beledigend... dat was niet eerlijk.'

Ze liet de vaat voor wat die was en ging bij hem staan. Met nog natte vingers streek ze door zijn haar.

'Laat maar,' zei ze. 'Het is niet nodig.'

Job zag ze nu weer allebei, mooi afgetekend binnen het kozijn van het raampje van de woonboot. De secondewijzer tikte verder, galmend in zijn hoofd. Buiten stonden de beveiligers.

Job wist dat het riskant was om lang in de auto te blijven wachten. Hij zat, zonder zich te bewegen, achter spiegelende autoramen en zou in eerste instantie weinig aandacht trekken. Maar vroeg of laat zouden de bewakers zijn kant op lopen om de situatie te verkennen.

Hij bande ze uit zijn gedachten en concentreerde zich op de ontmoeting in de keuken.

Jasper kwam binnen, zocht en vond een glas, dat hij onder de kraan vulde, en trok zich snel weer terug toen hij Lara en Peter zo samen zag.

'Sorry.'

Lara liep weer wat van Peter weg.

'Zal ik je even helpen met de afwas? Als je me de theedoek even aangeeft...'

Samen wasten ze de laatste kopjes af. Er kwamen nog meer vrienden van Carolien over de loopplank aangelopen. Vanuit het raam zag Lara hoe zenuwachtig de beveiligers daarop reageerden. Ze hadden ongetwijfeld strikte orders om Peter geen moment alleen te laten.

Het herinnerde haar aan Job.

'Ik heb bezoek gehad. Een vriend van jou,' vertelde ze. 'Degene die je toen gebeld hebt.'

Lara zag Peter verstrakken. Ze wachtte tot de spanning in zijn kaken weer wat wegtrok.

'Hij vroeg of ik namens hem contact met jou wilde onderhouden.' Moesten ze het daar nu over hebben?

'Wat heb je gezegd?'

'Ik heb nee gezegd. Ik vond het een vreemd verzoek, ik had er geen zin in.'

Peter begreep haar maar al te goed. Maar begrip was een luxe die niet voor hen was weggelegd. Hij keerde zich van haar af en staarde een paar seconden in de verte.

'Misschien moet je het toch maar doen.'

Intermezzo

Peter zat in de slaapkamer op de eerste verdieping van zijn eigen huis. Hij was ontslagen uit het ziekenhuis en stond er nu weer alleen voor.

De bijkeuken, beneden, was ingericht als tijdelijk onderkomen voor de twee agenten die hem bewaakten. Er stonden stretchers waar ze op konden slapen, een waterkoker voor thee, de nodige wapens en communicatieapparatuur voor noodgevallen.

De afspraak was dat ze verder niet door zijn huis zouden lopen, om zijn privacy niet te verstoren. Toch voelde hij zich weinig op zijn gemak als hij in de woonkamer zat en door de muren heen hun stemmen kon horen; daarom zat hij steeds vaker boven.

Lara was zojuist bij hem op bezoek geweest, maar het bezoek was ongemakkelijk verlopen en ze was niet lang gebleven.

Peter keek door het raam en zag een land in oorlogstijd. Er vlogen geen vogels door de lucht. Zelfs de kleine vinkjes, de roodborstjes en pimpelmezen, ze waren allemaal gevangen om in hongerige magen te verdwijnen. Hun fragiele botjes waren geknakt en afgekloven, hun veren achteloos bij het vuil gegooid.

Voor zijn huis stond een container van de beveiligingsdienst. Twee agenten hielden er de wacht. De mensen die erlangs liepen keken er niet eens van op. Sinds het uitroepen van de noodtoestand waren ze wel meer gewend. En daarnaast hadden de meeste mensen hun eigen zorgen: hoe voed ik mijn kinderen? Hoe halen wij de avond?

Peter zat achter de dichtgetrokken vitrage zodat hij van buitenaf niet te zien zou zijn en vroeg zich af wat Geert Wennemars, die in zijn armen was gestorven, van dit alles zou vinden. Hij kon zich nauwelijks voorstellen dat Wennemars alles had voorzien: het snelle tempo waarin Nederland – en de rest van de wereld – in een crisis was beland, de welvaart die in luttele maanden was verdampt, de smeltende ijskap als een doos van Pandora, waaruit tal van oude, onbekende ziekten tevoorschijn kwamen om hun onzichtbare reis over de wereldbol aan te vangen. En dan de rellen, de aanslagen, het Syndicaat. Hoeveel had Wennemars geweten? Wist hij van de dreigende apocalyps; de tsunami van oeroude virussen, losgeweekt uit smeltende gletsjers en halfbevroren gronden?

De vitrage tussen hem en de mensen op straat maakte dat de wereld één grote illusie leek. Het was allemaal een droom. Er was geen noodtoestand!

De voedselbonnen waren een leugen en de bewakers in de bijkeuken bestonden niet. Het was een boze droom, meer niet.

Beneden hem, op straat, sprong een van de beveiligers de container uit en sprintte naar twee jongens die op kleine fietsjes naderbij kwamen.

Met luide stem en strenge gebaren werden de jongens de straat uit gestuurd.

Peters uitzicht viel samen met de spiegeling van zijn eigen verwonde gezicht in het vensterglas. Zijn neus, die zo hard tegen de muur geknald was, was nog steeds dieppaars, bijna zwart. De plekken rond zijn kaak zagen er wat beter uit, maar op het randje van zijn nek, net boven de kraag van zijn overhemd uitstekend, was de rood-blauwe uitslag te zien die zijn schouderbladen bedekte.

Buiten ontstond een relletje. Voetgangers kwamen naderbij en bleven staan om te volgen wat er aan de hand was.

DEEL 4

34

Confidential, level 7

Naam:	*Arie Roozendaal*
Geboren:	*21 oktober 1951*
Adres:	*PC Hooftstraat 51-IIB, Amsterdam*
Strafblad:	*nee*
Bekend bij de politie:	*ja, zijn naam wordt in verschillende politiedossiers genoemd (AGP 83OO137 e.v.)*
Status:	*getuige, 'in nabijheid van', nooit verdachte*
Beroep:	*aandelenhandelaar, eigenaar hedgefonds Roozendaal & Partners, Amsterdam*
Noot:	*betrokkene is telg van gerenommeerde bankiersfamilie, lokaal van goede naam, behoedzaam opereren*
	heeft mogelijk infiltrant bij Nederlandse AIVD
	naam onder geen beding aan Europese inlichtingendiensten doorgeven

De vreemde mengeling van oude gevelpanden en moderne nieuwbouw in de PC Hooftstraat gaf de straat een geheel eigen, ietwat vreemd karakter. De straat, zo leek het, was door onbekende krachten ruim een meter tussen de huizen door opgestuwd. Veel van de winkels lagen half onder straatniveau, waardoor de vloer van de eerste verdieping zo ongeveer op ooghoogte lag.

Het kantoor van Arie Roozendaal bevond zich schuin tegenover een dwarsstraatje dat alleen voor voetgangers was opengesteld, maar op zijn beurt weer uitkwam op een derde straat vol parkeerplaatsen. Van daaruit was het huis, onder de kleine gemeenteboompjes door, net zichtbaar.

De massief eikenhouten deur met het bedrieglijk bescheiden bordje ROO-ZENDAAL & PARTNERS bevond zich, zoals bijna alle deuren in de straat, aan een halfopen portiek, boven een korte, marmeren trap. Door de rare constructie was alleen de onderkant van de deur te zien.

Roozendaal was de derde op de lijst die Job van de Monnik had gekregen. Job wilde hem met eigen ogen zien. Hij wilde de man zíjn, zich in hem kunnen verplaatsen, zijn dromen kunnen dromen en zijn manier van denken tot de zijne maken. Alleen zo, wist Job uit ervaring, kon je voorkomen dat je tegenstander je steeds een stapje voor was.

Hij had zijn in een steen ingemetselde camera bij de stoeprand gelegd, half ingegraven bij de wortel van een boompje, met goed zicht op het pand van zijn vijand. Daarna liep hij naar een winkel even verderop.

Een vrouw tikte op zijn schouder en vroeg of hij misschien wat te eten voor haar kinderen had. Ze wees naar een jochie en een meisje die zo'n twee meter achter haar stonden. Het bedelen zat haar niet in het bloed. Job, die tijdens de perioden dat hij in Azië en het Midden-Oosten werkte flink wat bedelaars gewend was, trok zonder zijn ogen van het huis van Roozendaal af te wenden zijn portemonnee en pakte er een paar euro aan kleingeld uit.

'Dit is het laatste wat ik heb,' zei hij nadrukkelijk. 'Meer heb ik niet.'

De vrouw knikte. Ze zag er verlopen en ellendig uit, hoewel ze haar best deed om zichzelf en haar kinderen er schoon en verzorgd te laten uitzien. De triestheid kwam van binnenuit.

Job sjokte verder, maar een van de twee kinderen liep hem achterna en trok hem aan zijn jas. Ze had het koud, dat was duidelijk, te hongerig en koud zelfs om te praten. Weer dook hij met een hand in zijn jaszakken. Hij gaf haar het plastic zakje met nootjes, die hij voor zijn lunch had bewaard. Het waren er niet veel: vijf, zes pinda's en twee kastanjes. Het was zijn hele dagrantsoen.

Met een aai over haar bol drukte hij het meisje de pinda's in handen.

'Vort nu,' zei hij, terwijl hij haar een goedmoedig zetje in de richting van haar moeder gaf. En voor het eerst kon hij weer aan de bus in Bagdad denken zonder de allesoverheersende steek van pijn. Alsof, met het verzwakte meisje, ook het leven zelf een zetje kreeg. Dat leidde af.

Arie Roozendaal, de zakenman zonder strafblad, de moordenaar zonder scrupules, liep buiten voordat Job iets in de gaten had. De man liep over de stoep als een wandelaar die volkomen op zijn gemak was. Zonder om te kijken.

Was Roozendaal onvoorzichtig? Of had hij handlangers in de straat die zijn rug zouden dekken?

Job negeerde nu de moeder en haar kinderen en liep een tiental meters achter Roozendaal aan. Hij voelde een diepe vreugde in zich opborrelen. De vijand had eindelijk een gezicht, en dat maakte alles anders. Iedere veldagent zou dat herkennen: het gevoel dat hij tijdens onder het ijs had gezeten en eindelijk door een donker wak de weg naar boven had gevonden. Lucht! Kleur! Alles was helder!

Pas nu de vijand een gezicht had, kon het gevecht beginnen.

Job Slotemaker paste zijn stappen aan aan het ritme van zijn prooi. Roozendaal was groter dan hijzelf, sterker en forser gebouwd, maar dat maakte in dit geval niet veel uit. Job trok zijn schouders in dezelfde houding als de man voor hem. Borst vooruit; een stoere, makkelijke loop.

Hij liep soepel, veerkrachtig. Met flair. Hoe kon iemand die zoveel doden op zijn geweten had en daarbij zoveel risico's nam, zo zorgeloos over straat lopen? Was hij overmoedig? Hadden zijn successen in het verleden ervoor gezorgd dat hij zich onkwetsbaar, boven andere mensen verheven voelde? Het was opvallend dat niemand hem lastigviel...

Arie stopte bij een van de duurdere auto's in de straat en morrelde wat aan het portier.

Job zag niet goed wat er gebeurde.

Toen hij het eenmaal doorhad, was het te laat.

Roozendaal wist dat hij op eenzame hoogte stond. De wereld lag aan zijn voeten, maar dat was nog geen reden om de voorzichtigheid te laten varen. Hij had een oproep tot nader overleg van Charles en Patrick genegeerd. Hun angst voor de dreigende woorden van de Amerikaanse president was kinderlijk en ongewenst.

Hij, en hij alleen, was boven het maaiveld uitgestegen, en dat voelde goed. Zijn voeten raakten nauwelijks de grond; hij zweefde boven de tegels.

Met elke stap die hij nam, werd hij rijker en rijker. Als Arie nu een briefje van vijfhonderd euro op de stoep vond en het zou oprapen, zou hij in die paar seconden die die beweging hem kostte een veelvoud hebben verdiend van het bedrag waar hij zich voor moest bukken.

Zijn euforie was zo sterk dat hij het gekriebel in zijn nek bijna niet voelde. Maar hij herkende het gevoel. Alsof iemand hem van achteren aanstaarde. Alsof iemand hem volgde.

De auto had met de hand verstelbare buitenspiegels. In een handomdraai had hij er één zo omhooggedraaid dat hij de stoep en de winkelende mensen achter hem in beeld kreeg. Eén man viel op. Een stille, leek het, die zich wonderwel herstelde toen hij zag dat Roozendaal hem via het spiegeltje in het oog had. Eén minieme schrikbeweging, één korte samentrekking van zijn ogen en daarna niets. Hij dook niet weg en draaide zich niet om, maar liep gewoon verder alsof er niets gebeurd was.

Chapeau, dacht Roozendaal. Ze sturen tenminste een echte prof achter me aan.

Maar dat maakte zijn woede er niet minder om.

Hij herkende de man, al duurde het even voordat hij wist waarvan.

De foto. Uit Bratislava. De foto van Ron Coldman, de CIA-agent die achter zijn mensen aan gezeten had, en het half weggedraaide gezicht naast hem.

De CIA had hem dus toch weten te vinden.

Het liefst zou hij zijn achtervolger meteen de nek omdraaien. Hij wist dat hij dat kon: een snelle sprint, een ruk aan het hoofd voordat de man doorhad wat er gebeurde.

Maar het was slimmer om deze taak aan een ander over te laten. Aan de meid met de gifgroene ogen, bijvoorbeeld, die jammerlijk gefaald had in haar jacht op Peter Vink. Misschien verdiende ze een nieuwe kans.

Job liep door. Beet! Roozendaal had zich in de kaart laten kijken, en dat bracht hem met stip boven aan de lijst verdachten. In zijn opwinding liet Job zich bijna door een groepje langsrijdende fietsers overrijden.

'Hé, kijk uit je doppen, klootzak!' werd er meteen geroepen.

Amsterdam op zijn best, dacht Job. Als je hier niet tegen kon, moest je maar ergens anders heen. Hij liep snel door en pakte zijn mobieltje, drukte op de opnameknop en sprak zijn eerste indrukken over Arie in.

Een oude les uit het vak: eerste indrukken zijn goud waard, daarna ga je denken, piekeren, slim doen en raakt alles wat je gezien hebt snel vervuild.

'Roozendaal,' fluisterde hij in de microfoon. 'Een patser. Rijk. Chic. Sterk. Niet bang.'

Hij stak de straat over en keek eenmaal snel over zijn schouder. De man was nergens meer te zien. Hij liet een geur van dure aftershave na, maar dat moest verbeelding zijn.

'Strakke, snelle bewegingen. Ingehouden kracht. De man lijkt een machine.' Job had geen idee waarom hij dat zei. Het was geen logische opmerking. Eerste indrukken, associaties.

'Het leek wel alsof hij een stukje boven de grond zweefde. Niet van deze aarde. Grootheidswaanzin.' Hij had het gevoel dat de soepelheid waarmee Roozendaal bewoog, niet echt was. Alles was functioneel, elke glimlach, elke beweging had een doel. Een imago dat hoog gehouden moest worden. Een dreiging die in stand gehouden moest worden. De flair was gespeeld. Roozendaal was bang en had zich er levenslang in getraind dat te maskeren! Een bange, sterke man...

Wat zou ik doen, dacht Job. Hij vergat het hardop uit te spreken.

'Wat zou ik doen als ik Arie Roozendaal was? Hij is niet gek en moet weten dat er jacht op hem gemaakt wordt. Niemand kan ongestoord professoren vermoorden, ontdekkingen onder de mat schuiven, geneesmiddelenvoorraden in de fik steken, straatrellen veroorzaken en miljarden, miljarden winst maken. Hij weet dat als geen ander! Wat kan hij doen? Waar kan hij heen?'

Job kwam bij zijn auto en ging achter het stuur zitten.

'Heeft hij zijn hand overspeeld? Het kan niet goed gaan... Te veel doden... Te veel ellende... Te veel geld. De ontdekking van het graanvirus was een buitenkans. Die heeft hij gegrepen. De onderschepping van Johnson en Witkam was in zijn ogen een logische stap. Maar nu... Wat nu?'

Het waren indrukken zonder conclusies. Straks zou hij er wel een samenhangend verslag van maken.

Misschien zat hij er helemaal naast. Job Slotemaker zat lang genoeg in het vak om te beseffen dat je alle opties moest openhouden. Misschien was de man juist wél gek. Een geniale gek? Manisch, doorgedraaid en slim?

Maar zijn haar zat goed en zijn pak zat hem gegoten. Roozendaal was een knappe man die duidelijk veel aandacht aan zijn uiterlijk besteedde.

'Een mensenmens,' sprak hij in de microfoon, en voor het eerst had hij het gevoel dat het profiel hem een beetje helder werd. 'Iemand die weet hoe hij mensen moet bespelen.'

Het was druk op straat. Bedelende mensen. Pratende mensen. Winkelende mensen. Hij voelde hoe de indrukken begonnen te vervagen, en moest zichzelf dwingen door te gaan. Alles wat hij nu insprak was meegenomen. Later kon hij het altijd nog wissen als het onzin was.

'Als ik Roozendaal was, zou ik doorgaan,' probeerde hij, terwijl hij startte en de Overtoom op reed. Een verhuiswagen stond half op straat en blokkeerde de doorgang. Een tram belde. Er klonk getoeter en gescheld, maar Job had geen haast. 'Ik zou doen wat ik altijd doe en hopen dat de goden aan mijn kant staan. Gewoon omdat ik niets anders weet. Glimlachen. Charmeren. Cashen. Doden. Mensen voor mijn karretje spannen. Dreigen. Handelen. Gewoon omdat hij, omdat ik, nu eenmaal ben wie hij is, wie ík ben, en niets anders kan...'

Job nam zich voor in beeld te brengen met welke mensen Roozendaal optrok. Dat was bij deze verdachte zinvoller dan allerlei bespiegelingen over strategie. Welke nieuwe relaties had Roozendaal aangeknoopt sinds zijn ontdekking van het virus? En andersom: welke mensen binnen het Nationaal Crisis Coördinatieteam hadden nieuwe relaties aangeknoopt? Waar kwamen deze werelden met elkaar in aanraking?

In zijn inmiddels vertrouwde kroegje, liefdevol bediend door Mimi, probeerde hij zijn eerste indrukken te ordenen. Krassend en krabbelend op de achterkant van een bierviltje kwam hij tot vier karaktereigenschappen die hij bij Roozendaal vond passen:

- *Impulsief, improviserend*
- *Mensgericht (relaties?)*
- *Manipulerend (charmeren, dreigen, doden)*
- *Gewetenloos (alles voor de winst)*

Hij typte alles in een versleuteld sms-bericht en zond het door naar Langley.

Er zaten weinig mensen in de kroeg. Mimi zat achter de tap verveeld haar nagels te lakken en bracht hem een glas whisky toen hij zijn pen had weggeborgen.

'Hier, mooie vent van me,' knipoogde ze. 'Heb je nog plannen voor straks?'

Haar hand raakte de zijne, maar Job had andere verplichtingen.

'Het spijt me,' zei hij zo vriendelijk mogelijk. 'Ik moet straks nog weg.'

De whisky was van het huis, maar Job stond erop te betalen.

'Een andere keer graag, dat weet je.' Hij gaf Mimi een zoen ten afscheid.

Buiten wachtte hem weer een nieuwe taak.

Het was kouder geworden. Wat eerst op motregen leek, bleek natte sneeuw te zijn. Vage, witte stippen bleven secondelang op de koude straatstenen liggen voor ze smolten en in de kieren van de straat verdwenen.

Lara zat in de fitnessruimte beenspieroefeningen te doen. Het was niet druk, dat vond ze prettig. Als altijd galmde de muziek vrij hard door de zaal.

Ietwat afwezig staarde ze door het raam naar buiten, waar ze tot haar verbazing opeens Job Slotemaker langs zag slenteren.

In een opwelling sprong ze van het apparaat en tikte op het raam. Job hoorde waar het getik ongeveer vandaan kwam en keek vragend haar kant op. Uit niets bleek dat hij vanwege haar de straat in was gelopen.

Met drukke armgebaren maakt Lara hem duidelijk dat hij even moest wachten. Ze trok een jas aan over haar sportkleren en liep de kou in. De natte sneeuw kriebelde aan haar wimpers, haar neus, haar lippen. Haar zwarte haren hielden de vlokken net wat langer vast.

De inlichtingenman stond verveeld tegen een muur geleund.

'Ik heb me bedacht,' zei ze.

'Mooi,' reageerde hij afgemeten. 'Er is veel te doen. We hebben verdachten. Maar meer ook niet. Zonder jou en Peter wordt het moeilijk.' Hij koos zijn woorden met zorg. Zij was, had hij gemerkt, niet iemand om met grote woorden in te palmen.

'Wat wil je dat we doen?'

'Een eindsprint,' zei hij. 'Alles op alles zetten om de infiltrant in Peters team te pakken. Ik schat dat het hooguit een paar dagen zal duren.'

Lara knikte. 'Peter wil dat je open kaart speelt, anders haakt hij af. Anders haken wij af, bedoel ik. Geen leugens. Geen geheimen. Dat is wat Peter zei.'

Job had iets dergelijks wel verwacht. Het was niet meer dan logisch dat Peter strenger geworden was. Op zich goed nieuws. Ze zouden het hard nodig hebben.

'Hebben jullie een relatie?'

'Dat gaat je niets aan.'

Dat had hij maar te accepteren.

'Oké. Luister, ik hou het kort. Het is niet verstandig dat we samen gezien worden. Ik wil dat je morgen een krant koopt.'

35

De toenemende honger begon in steeds meer landen zijn tol te eisen. Op het noordelijk halfrond, waar de winter in volle opmars was, hadden bijna alle landen inmiddels de noodtoestand afgekondigd. In de warmere landen waren de problemen anders. Hier kampte men vooral met uitbraken van epidemieën onder de door ondervoeding verzwakte bevolking. Diplomaten vlogen de wereld rond met beloften om de problemen aan te pakken. Maar woorden vullen geen magen. Het Syndicaat kon gerust achteroverleunen. De winst stroomde binnen...

De Monnik, de oude rot, was teruggekeerd naar zijn hol. De eeuwige reiziger was aangekomen op het hoofdkantoor in Langley en draaide vanachter zijn bureau aan de knoppen. Slapende spionnen uit langvergeten tijden werden geactiveerd. Huizen werden gehuurd en tot tijdelijke, strikt geheime bijkantoren gebombardeerd. Luistervinken maakten overuren. Satellieten werden in andere banen gebracht en computersystemen werden aangepast.

'Vijf dagen,' had Coldman gezegd. 'Over vijf dagen zullen we de netten binnenhalen. De leden van het Syndicaat die we dan nog niet in ons vizier hebben, ontspringen de dans. En dat willen we niet op ons geweten hebben.'

Hij besefte als geen ander dat de president hem onder geen enkel beding extra tijd zou gunnen. De voedsel- en klimaatconferentie die was aangekondigd zou over een week plaatsvinden en de president wilde dan, in het licht van de camera's, de arrestatie van de belangrijkste kopstukken van het Syndicaat bekendmaken.

Coldman wist dat hij niet genoeg tijd had om het Syndicaat grondig, kalm en ordelijk op te rollen. De kans dat er criminelen door de mazen van het net zouden ontsnappen, was groter dan hem lief was. Daarom piekerde hij zich suf over manieren om een doorbraak te forceren, om in één klap tot in de diepste regionen van het Syndicaat door te dringen. Een list. Een truc.

Op de meest onmogelijke tijden zond hij opdrachten uit, vroeg hij om verslagen, zond hij extra informatie rond... alles snel en met de hoogste prioriteit. Excuses voor vertragingen werden niet aanvaard.

Nederland bleef zijn grootste probleem.

Om de AIVD zoet te houden werd er een heel systeem van misinformatie opgezet. Dagelijks werden er gefingeerde rapporten naar Den Haag verzonden. Ondertussen slopen de eerste Amerikaanse agenten het land in. Maar met niet meer dan vijf undercoveragenten en een stapel elektronica bleef de CIA zwaar ondervertegenwoordigd in dat land. Job Slotemaker en Peter Vink waren hun sterkste troeven.

'*Our man in the National Crisis Coordinationteam is back in business,*' had Job triomfantelijk geschreven; het contact met Peter Vink was hersteld. Daarnaast was hij uitvoerig ingegaan op zijn 'ontmoeting' met Roozendaal.

De analisten van Langley waren het met Job eens dat Arie Roozendaal waarschijnlijk dé man was die ze zochten. Waarschijnlijk. Nog niet zeker, dus. Maar gezien hun krappe tijdsbestek moesten er nu eenmaal keuzes worden gemaakt.

De Monnik gaf opdracht om het hele relatienetwerk van Arie Roozendaal in kaart te brengen, terugwerkend tot twintig jaar geleden. Hij verwachtte daar weinig van. Die Roozendaal had nooit zo rijk en machtig kunnen worden als hij niet op zijn minst in staat was zijn sporen uit te wissen.

Daarom reserveerde hij zijn beste mensen voor het uitwerken van een ander plan om Roozendaal tot fouten te dwingen. Een impulsief man moet je kietelen. Een manipulerende schoft moet je met zijn eigen wapens bestrijden...

Het Witte Huis belde hem om de paar uur om te horen hoe het ging. 'Schiet op, schiet op,' bleven ze maar herhalen. De internationale topontmoeting die de Amerikaanse president in zijn televisierede had aangekondigd, kwam snel dichterbij. Voor miljarden mensen was het de strohalm waar ze zich aan vastklampten, hun laatste sprankje hoop.

Maar na een tijd was Coldman de nietszeggende telefoontjes zat.

'*Get off my back!*'

Hij verbrak de verbinding en nam zich voor de komende dagen geen telefoontjes van het Witte Huis meer aan te nemen.

Maar nog geen tien minuten later belde de chef-staf zelf. Met opnieuw dezelfde riedel: 'Waar blijft je rapport? Je móét ons resultaten geven. Desnoods bedenk je maar wat. De president kan niet met lege handen blijven staan. Als de mensen geen vertrouwen meer in hun leiders hebben, is het einde zoek. We moeten een visie hebben, we moeten wetenschappelijke oplossingen aandragen, en jij, Coldman, jij moet die maffiosi van het Syndicaat in de boeien slaan. Arrestaties en bekentenissen, verdomme. Liever gisteren dan vandaag. Heb je me begrepen, Coldman?'

Duizenden kilomters verderop, in de vrieskou van Siberië, stond Ursula Walker onder minstens even grote druk. Ze was in een rupsvoertuig de bevroren toendra in het noordoosten van Siberië op gegaan, en ze had een bericht achtergelaten dat ze tot nader order niet gestoord wilde worden.

Midden in een storm, terwijl een lawine van sneeuwvlokken en hagelstenen haar gezicht teisterde en de sneeuwbril die ze ophad haar al het zicht ontnam, kreeg Walker een satelliettelefoon in haar handen geduwd. 'White House. Urgent.'

Op het onderzoeksstation op het kleine eiland, midden in de delta van de Lena, was alles goed gegaan. Het station was volledig naar hun wensen ingericht en na wat opstartproblemen was het onderzoek goed op gang gekomen.

Natuurlijk was het er koud, kouder dan ze zich ooit voor had kunnen stellen. Bij elke inademing sneed de lucht als een vlijmscherp mes tot diep in haar longen, in haar vlees. Maar dat wist ze voor ze ernaartoe gegaan was, dus daar hoorde je haar niet over zeuren.

Haar team had weer een virus gevonden waarvan ze dachten dat het al meer dan 40.000 jaar geleden van de aardbodem was verdwenen. Het nestelde in een nog niet geïdentificeerd kadaver dat de afgelopen zomer uit de smeltende bodem naar boven was gekomen. Dit virus leek huis te houden onder vogels.

Er bevonden zich in deze tijd van het jaar gelukkig weinig vogels in het gebied. De ganzen waren naar warmere streken getrokken en zouden pas in het vroege voorjaar terugkeren. Walker had het virus met spoed naar centrale laboratoria in Texas, Calcutta en Beijing gestuurd, waar men snel zou proberen antistoffen te ontwikkelen.

Maar het was dweilen met de kraan open: er waren simpelweg te veel oeroude virussen die moesten worden opgespoord en geanalyseerd. Het was bijna ondoenlijk om voor elk van die virussen antistoffen te maken, maar elke poging was er een. En wie weet hoeveel problemen op deze manier voorkomen konden worden...

Al snel had ze begrepen dat ze niet te lang in het onderzoeksstation zelf kon blijven. De ijsvlakte was oneindig groot en ondoordringbaar, maar toch was het absoluut noodzakelijk de binnenlanden in te trekken. Daar bevond zich een groot stuk toendra waar millennia-oud ijs lag.

Gedoe met vergunningen had haar en haar team drie volle dagen vertraging opgeleverd, maar uiteindelijk konden ze vroeg in de ochtend vertrekken. De eerste uren had de kou haar nog niet in zijn greep gehad. Ondanks de hoge werkdruk genoot ze met volle teugen. Dit was de wereld in zijn meest pure vorm! De oerkrachten die ze in haar luxe woonomgeving in Amerika miste.

Ze hoopte poolvossen te zien, misschien zelfs een ijsbeer, maar de storm en de sneeuw ontnamen haar elk zicht.

En dan die stomme satelliettelefoon... Haastig werd het voertuig zo gedraaid dat de storm wat minder goed te horen was.

'Waar blijven mijn resultaten?' wilde de chef-staf weten.

Ursula Walker kon haar oren niet geloven. 'Weet u wel waar ik ben? Waar ik mee bezig ben, in wat voor omstandigheden? Denkt u echt dat ik tijd heb om rustig over resultaten te praten?'

'Niks mee te maken,' reageerde de chef-staf plompverloren. Uit niets bleek dat hij ook maar enige moeite deed om rekening te houden met de omstandigheden waarin Walker haar werk moest doen. 'De internationale topontmoeting is volgende week. Wil jij onze president voor schut laten staan?'

Haar protesten dat wetenschap geen goocheltruc was, waarbij zomaar resultaten uit een hoge hoed getoverd konden worden, werden onaangenaam, zelfs agressief, weggewoven.

'Stop met zeuren en stel je niet aan. Die wetenschap van jou is altijd te laat, altijd te traag. Maar dat is verleden tijd. We hebben verdomme nú, nú, resultaten nodig!'

In het wetenschappelijke milieu was dit soort onbeschoft gedrag ondenkbaar. God, wat had Ursula een hekel aan de politiek!

Woedend gaf ze tegengas. 'Wij wetenschappers waarschuwen jullie anders al jaren voor de klimaatverandering. Niks te laat, zou ik zo zeggen. Je kunt moeilijk volhouden dat die boodschap nieuw is. "De opwarming van de aarde verlegt alle grenzen in de verkeerde richting." Doet dat geen belletje rinkelen?'

'Slap gelul,' wimpelde de chef-staf dat af. 'Daar kunnen we niets mee, en dat weet je.'

'*Bullshit!*' Ook Ursula Walker kon bot zijn als het moest. Zeker als ze het koud had. 'Neem het Kyoto Protocol. Dat is het internationale verdrag waarin jaren geleden al de belangrijkste klimaatdoelstellingen tot 2012 werden vastgelegd, nog voor de afspraken van Kopenhagen. Haal het uit de kast. Sla het open en zoek artikel 2. Dan zul je zien dat daarin formeel is vastgesteld dat voor het jaar 2012 een stabilisatie van het klimaat moet worden bereikt "om ons ervan te verzekeren dat de voedselproductie niet in gevaar komt". Alleen hebben wij, de Verenigde Staten, dat verdrag niet ondertekend.'

'Dat lag aan de vorige regering,' zei de chef-staf bijna automatisch. Hoe vaak moest hij dat zinnetje nog gebruiken?

'Dat kan me niets schelen,' schreeuwde Ursula Walker in de telefoon. 'Ik weet best wat jullie wel en niet doen. Zeg niet dat wij ons werk niet hebben gedaan.'

De sneeuwstorm nam zo sterk in kracht toe dat haar sneeuwmobiel begon te kraken. Eén moment dacht ze dat het voertuig zo de lucht in geblazen zou worden.

'Ik moet ophangen,' schreeuwde ze boven het gieren van de storm uit. 'De verbinding is slecht. Ik bel zo gauw ik iets te zeggen heb.'

Het vertrouwen van het volk in de president kalfde snel af. De honger was te pijnlijk, de angst voor onlusten en nieuwe virussen was te groot en goede antwoorden bleven achterwege.

Ook de Nederlandse kranten stonden bomvol doemscenario's. De stijgende zeespiegel. De smeltende poolkappen, die steeds minder zonlicht weerkaatsten, waardoor de opwarming sneller en sneller ging. Nog meer smeltwater, nog meer virussen. Er was geen houden aan. En omdat het smeltwater van de ijskap zoet was en geen zeezout bevatte, verstoorde het de warme Golfstroom, waardoor de gevolgen helemaal niet meer waren te overzien.

Lara had een *Telegraaf* gekocht, zoals Job haar had gevraagd. Ze negeerde alle artikelen over ziekte en ellende en bladerde snel door naar de kleine advertenties achterin. De tekst stond links onderaan, in de derde kolom:

Zeilliefhebber zoekt hulp voor onderhoud kajuitjacht.
Schuren en lakken; € 20 per uur. Omgeving Amsterdam.

Er stond een telefoonnummer bij, dat ze volgens afspraak belde. Hij zei dat ze maar langs moest komen.

36

Het was opgehouden met sneeuwen; een iel, flets zonnetje baande zich een weg door de grijze wolken.

Nieuwsgierig liep Lara naar de grote loods die Job haar had beschreven. Ze had haar lange haar onder een pet verstopt en een dikke, blauwe jas aangetrokken, waardoor ze, naar ze hoopte, op een gewone watersportliefhebber leek.

Het havengebied was een guur terrein vol werven, opslagloodsen en vage, rommelige bedrijfsterreintjes. Overal hekken, oude auto's en bedrijvigheid. Het was hier ieder voor zich: niemand besteedde aandacht aan haar.

De loods hoorde bij een gigantische jachtwerf aan het IJ.

Wat van veraf een loods geleken had, leek van dichtbij één hoge, eindeloos lange muur van golfplaat. De deur bestond uit een stuk uitgesneden metaal.

Gelukkig kwam er net iemand naar buiten. Lara liep er snel heen en glipte naar binnen voor de deur weer in het slot viel. Verbaasd keek ze om zich heen: ze was beland in een tafereel dat niet van deze wereld leek. Overal stonden kajuitjachten op stutten naast elkaar. Elk schip zat in een verstild en onnatuurlijk evenwicht tussen een aantal houten palen vastgeklemd, met kielen die centimeters boven de grond hingen. De loods was groot en tot de laatste centimeter volgestouwd. Als je met een laddertje op het dek van een van die schepen zou klimmen, zou je zonder de grond aan te raken van boot tot boot de hele loods door kunnen wandelen.

Bukkend wurmde ze zich door het woud van stutten en kielen onder de schepen door. Op sommige plekken klonk muziek, op andere plekken het trage janken van een elektrische schuurmachine, het kloppen van hamers of het neuriën van klussende mensen.

'Achterin,' had hij gezegd. 'Een houten scheepje met overnaadse planken. De *Maria Magdalena*. Ik draag een oranje overall.'

Ze stootte een paar keer haar hoofd en gooide bijna iemands ladder om. Geïrriteerd vroeg ze zich af hoe iemand zich in hemelsnaam veilig kon voelen in zo'n surrealistische omgeving. Maar eigenlijk snapte ze het wel. Anoniemer dan hier kon je niet zijn. Niemand stelde vragen, niemand interesseerde zich voor haar.

'Maak geen oogcontact,' had hij gezegd. 'Sommigen zien dat als een opening om een gesprekje te beginnen. En zelfs als ze dat niet doen, onthouden ze eerder je gezicht.'

Het was een overbodig advies: tijdens de hele hindernisloop tussen de stutten door kwam ze niemand tegen met wie ze oogcontact had kunnen maken, zelfs als ze dat gewild had.

'Je bent laat,' zei Job, die zich opeens recht boven haar over de rand van een dek naar haar toe boog.

Hij reikte haar een hand en hielp haar de ladder op. Eenmaal aan boord, bracht hij haar meteen benedendeks. Op een soort vastgeschroefde bank in het vooronder, uit het zicht van iedereen, met het transistorradiootje aan, hadden ze eindelijk de gelegenheid om alles door te praten.

'Het is niet makkelijk,' mopperde Lara. 'Mijn vrienden gaan vragen stellen als ik steeds weer weg moet.'

Job pakte de thermoskan die naast hem stond en vulde twee smerige metalen mokken met koffie.

'Het is nooit makkelijk, maar dat hoeft ook niet. We doen dit niet voor de lol en kennen de risico's,' vertelde hij. 'Gisteren liep ik achter onze hoofdverdachte aan, Arie Roozendaal, een standaardobservatie zoals ik er tientallen heb uitgevoerd, maar hij kreeg me in de gaten. Vanmorgen werd ik gevolgd. Mijn huis wordt in de gaten gehouden. Het Syndicaat heeft ontdekt wie ik ben en wat ik doe. Ik heb geen idee hoe ze dat zo snel hebben gedaan.'

Hij reikte haar een mok aan. Ze moesten het stellen zonder melk en suiker.

'Je moet ze nooit onderschatten, die lui. Je moet altijd voorzichtig zijn, elke keer als je hier komt of weggaat, als je met mensen praat, als je bij Peter bent...'

'Is Peter in gevaar?'

Job schudde zijn hoofd, verbijsterd dat ze hem dat nog vragen moest.

'Peter heeft pech gehad dat hij hierin verzeild is geraakt. Zijn pech is ons geluk. Wij gebruiken hem, net zoals we jou gebruiken. En zoals ik op mijn beurt door anderen word gebruikt. Ja, hij loopt gevaar. Niemand is honderd procent te beveiligen.'

'Denk je dat ze opnieuw proberen om, nou ja, om...'

'Ik denk niets. Ik weet dat we met tuig te maken hebben. Ze gaan over lijken; je hebt zelf gezien hoe Peter eraan toe was. Dat is hoe ze te werk gaan... Zo veel mogelijk ellende veroorzaken. Door straatbendes voor hun karretje te spannen, door medicijnvoorraden in de fik te steken, door voedseltransporten te saboteren, noem het en ze hebben het wel gedaan. Wereldwijd. Ze kijken niet op een dode. Hoe groter de crisis, hoe groter de winst.'

Lara schrok van de opmerking over de straatbendes. Ze kraste met haar nagels in het houten wandkastje waar ze tegen leunde. Vlak naast haar was een klein kajuitraam. Het enige wat daardoor te zien was, was de half kaalgeschuurde romp van een ander schip, dat naast het hunne op wat palen stond. Ze wist dat ergens diep onder hen, niet zichtbaar vanaf de plek waar ze zat, de betonnen vloer van de loods moest liggen. Het was een vreemde, beangstigende situatie, die goed aansloot bij hoe ze zich voelde. Alsof ze de grond onder haar voeten was verloren.

'Je doet niet veel moeite om me gerust te stellen,' constateerde ze, met een poging tot een glimlach.

Job Slotemaker nam een slok koffie. 'Je zou me niet geloven. Geruststellende woorden zijn aan jou niet besteed.'

'Maar anders,' drong ze aan, 'als ik je wel geloven zou, of als ik ervoor kóós om je te geloven, zou je me dan zeggen dat alles mee zou vallen?'

Het gebeurde niet vaak dat mannen zich zo ongevoelig voor haar charmes toonden. De kille, zakelijke houding van Job maakte haar onzeker. Job zag het, maar gaf geen krimp, en daar had ze het mee te doen.

'Oké. Kom maar op, wat is het plan?'

'Simpel. Een laatste truc. We brengen hun het hoofd op hol en hopen dat ze fouten gaan maken. Alles of niets, we hebben weinig tijd.'

Ze liep alleen over straat. Het gesprek met Job Slotemaker had een slechte nasmaak, niet zozeer om wat hij had gezegd of gedaan, maar vooral door alles wat er tijdens hun ontmoeting niét gebeurd was. Er was geen warmte geweest, geen wederzijdse sympathie of afkeer.

Lara wist dat Job getraumatiseerd was. Uitgerangeerd. Een posttraumatische stressstoornis, zoals hij het zelf noemde. Maar toch. De koude rillingen liepen over haar rug als ze aan hun ontmoeting terugdacht. Ze was blij dat ze de loods verlaten had.

Stap voor stap volgde ze de procedure die Job haar had geleerd: tram in, tram uit, wachten, draaien, straat in, omdraaien, teruglopen, winkel in, achteruitgang, sprint, hoek, sprinten, stoppen, wachten. Pas als ze zeker wist dat ze niet gevolgd werd, kon ze naar Peter. En dat moest dan weer ontspannen, zonder op te vallen, zonder zelfs maar over haar schouder te kijken, als een onschuldige vriendin.

'Doe maar dom,' had Job haar aangeraden.

Het moeilijke van de procedure was dat deze haar zo onzinnig leek. De anderen op straat speelden het spel niet mee, ze stonden te kletsen of sjokten gewoon voorbij. Bij elke tramhalte of tussensprint groeide haar overtuiging dat ze zich volstrekt belachelijk maakte, en als Job haar daarvoor niet gewaarschuwd had, zou ze alle voorzichtigheid laten varen. Vooral omdat ze haast had.

Lara gruwde bij de gedachte dat een maniak als Arie Roozendaal het meesterbrein was achter de voedseldiefstallen die zij met haar kompanen had uitgevoerd.

Voordat ze naar Peter ging om hem de informatie en het plan van Job Slotemaker door te geven, zette ze koers naar de garagebox waar Nordin en de anderen meestal rondhingen.

Ze negeerde de walm van hun joints en sprak hen op voor haar doen ernstige toon toe. Maar Karel schoot in de lach en Nordin giechelde als een klein kind met hem mee.

'Relax, Lara. Chill, weet je...'

Daarvoor was ze niet gekomen. 'Jongens, hoor eens! Het gaat om moord. Om heel veel doden!' Ze bleef het herhalen. Hoeveel duidelijker kon ze zijn?

Maar haar vrienden zaten niet op dit soort berichten te wachten.

'Wij hebben niemand vermoord,' zei Nordin.

'En wij zouden nooit medicijnvoorraden in de fik steken,' voegde Karel daaraan toe.

'Klopt,' zei Lara. 'Wij doen dat soort dingen niet, maar anderen wel. Onze geheimzinnige tipgever, bijvoorbeeld, die ons steeds laat weten waar en wanneer we de meeste buit kunnen binnenhalen. We zijn speelbal geworden in een vuil spelletje. Zien jullie dat niet?'

'Interesseert me niks,' bromde Karel meteen. 'Iedereen gebruikt iedereen. Daar doe je niets aan. En de zaken lopen toch goed?'

Het was waar dat ze met het stelen van voedsel goed verdiend hadden op de zwarte markt. Maar die tijden waren voorbij. Andere straatbendes begonnen zich te roeren. Irritaties liepen op en bendeoorlogen dreigden. Niemand had voorzien dat de hongercrisis zo serieus zou worden.

Karel was geïrriteerd en ging uitdagend voor haar staan. 'Zeg het maar eerlijk, je kunt de druk gewoon niet aan. Ik had niet gedacht dat jij zo'n watje zou worden!'

Lara liet zich dat niet zeggen. 'Niet zo'n grote bek, jongetje. Ik heb je met één klap onder de zoden als ik daar zin in heb.' Soms komt het goed uit als je goed in karate bent.

'Als je de top wilt halen moet je niet bang zijn om hier en daar een paar klappen uit te delen,' hield Karel vol. '*No pain no gain*. En het is best leuk om af en toe iemand tegen de vlakte te slaan. Al die lui met hun grote bek... Als je dat niet wilt, moet je nokken. Wegwezen. We kunnen best zonder je.'

Lara keek naar Nordin om te zien of hij er net zo over dacht.

'Hoe weet je dat, over onze tipgever?' vroeg hij.

'Dat gaat je niks aan. Dat weet ik gewoon.'

Dat was olie op het vuur. Spanningen waren normaal in hun groep, maar de gedachte aan een definitieve breuk was nooit bij hen opgekomen. Ze waren vrienden en hadden daarnaast samen van de nood een deugd gemaakt en een goedlopende business opgebouwd.

De afgelopen nacht hadden Karel en Nordin een boerenbedrijf in Waterland beroofd. Iemand had hun verteld dat in de schuur achter die boerderij nog gigantische hoeveelheden aardappelen lagen. Het was opnieuw een succesvolle actie geweest; zelfs de hond had niets doorgehad. Lara had niet meegedaan.

Nu stonden ze in de garagebox om de boel te ordenen. Karel had verwacht dat ze trots en vrolijk hun nieuwe overwinning zouden vieren. Maar in plaats daarvan kwam Lara met een hele reeks gezeur. 'Zaken gaan voor het meisje,' zei hij tegen Nordin, alsof dat nu opeens zo belangrijk was.

'Lul toch niet zo, man,' viel Nordin naar hem uit. 'Die flauwekul van jou komt me m'n neus uit.'

Hij schopte keihard tegen een van de stellingkasten waarin ze restjes gedroogde bonen en ingeblikte groenten bewaarden.

'Die tipgever van jullie heeft flink wat moorden op zijn geweten!' hield Lara vol. 'Dat is wat anders dan af en toe een kloppartijtje in de straat, Karel. Moord, doodslag... Dat kan een stevige veroordeling worden. Laten we eruit stappen voor het te laat is.'

Woedend smeet Karel een zak aardappelen tegen de muur.

'Je kunt dit niet maken, Lara. Of je zegt hoe je dat allemaal weet, óf je houdt er vanaf nu je bek over!'

Job had haar in niet mis te verstane bewoordingen gewaarschuwd. 'Er is geen houden aan,' had hij gezegd. 'Als alle regeringen en inlichtingendiensten op de hele wereld hun krachten bundelen, is niets daartegen opgewassen. Helemaal niets. Zelfs het Syndicaat niet. Iedereen die fout zat zal onherroepelijk worden gepakt.'

Hij had er vastberaden bij gekeken. Een sterke, doelbewuste man. Heel even ving Lara een glimp op van de man die hij was geweest voordat de stress en zijn trauma hem zo hadden aangetast.

Met enige afgunst zag ze hoe makkelijk Job de goede van de slechte mensen kon onderscheiden. Haar vrienden vielen in zijn ogen ongetwijfeld onder de slechteriken, het tuig dat zo snel mogelijk moest worden opgepakt en veroordeeld. Zelf vond ze dat nog niet zo simpel.

Lara had genoeg brave, succesvolle burgermannen gekend om te weten dat deze soms de grootste viespeuken, de gemeenste, schijnheiligste hypocrieten waren. Te midden van alle strijd en alle honger zou je bijna vergeten dat de hele graancrisis alleen maar een gevolg was van de klimaatverandering. Als alle rijke mensen van deze wereld het klimaat niet collectief naar de knoppen hadden geholpen, was er niets aan de hand geweest. En al die wetsdienaren, die zogenaamd brave en oppassende burgers met hun mooie praatjes en hun dure auto's, waren net zo schuldig als de rest. *The good guys are the bad guys.* Zoiets... maar ook weer niet.

Haar vrienden waren ook niet heilig, dat wist ze maar al te goed. Sinds ze Peter had leren kennen, was ze zelf ook steeds meer vraagtekens bij hun inbraken en straatterreur gaan zetten. Maar het waren wel haar vrienden! Ruwe bolsters, dat wel, maar een hart van goud en loyaal tot op het bot. Op een grote schoonmaak door de wetsdienaren van deze wereld zat ze niet te wachten. Het was daarom niet meer dan vanzelfsprekend dat ze haar vrienden probeerde te waarschuwen.

Al pakte dat helemaal verkeerd uit. In plaats van luisteren naar wat ze hun te zeggen had, keerden ze zich tegen haar. Opeens was ze een watje, een verrader, een overloper...

'Pas maar op met al je stoere woorden,' beet ze Nordin toe. 'Dat je een grote bek hebt, wil nog niet zeggen dat je gelijk hebt.'

37

De hele operatie liep vertraging op doordat Lara, tegen de afspraken in, niet rechtstreeks naar Peter was gegaan. Zelfs de Monnik, die toch altijd een toonbeeld van rust geweest was, schoot hierdoor in de stress.

Peter Vink had uren op Lara zitten wachten, maar op een gegeven moment duurde het hem te lang. Den Haag riep!

Hij gaf zijn beveiligers een seintje dat hij op pad ging en stapte voor het eerst in tijden in zijn eentje de auto in. Zijn benen hielden het goed, gas geven en remmen ging redelijk, maar zijn schouder en elleboog weigerden mee te werken bij het sturen en schakelen. Met een van pijn verwrongen gezicht reed hij door de polder. Langzaam, zodat de volgauto geen moeite had hem bij te houden.

Eenmaal in Den Haag werd hij door een politie-escorte opgewacht. Alles was anders geworden. 'Het Fort', zoals ze de vergaderzaal van het Nationaal Crisis Coordinatieteam noemden, deed zijn naam eer aan en oogde als een militaire vesting.

Niemand kon er ongezien in en uit lopen. Overal stonden gewapende beveiligers. Hij moest zich identificeren en werd door meerdere metaaldetectiepoortjes geleid. Peter was blij dat hij het kleine zendmicrofoontje niet meer op zak had, daarmee zou hij nu zeker tegen de lamp gelopen zijn.

Bij binnenkomst werd hij koel door Bol ontvangen. De anderen reageerden gelukkig hartelijker. Ze sprongen op om hem de hand te schudden en welkom te heten.

Peter liep op krukken en zag er nog steeds niet uit. De pijnstillers hielpen nauwelijks, maar hij klaagde niet.

'Je ziet dat je er niet populairder op geworden bent,' had Johan geprobeerd de sfeer met een grapje te verzachten. 'We kunnen onze kont niet keren of er gaat wel ergens een alarm af. Dat hebben we aan jou te danken!'

Peter liet zich zo snel als hij kon in een van de stoelen zakken die rond de grote tafel stonden opgesteld. Bol wachtte ongeduldig tot iedereen weer was gaan zitten.

Je maken af waar we mee bezig zijn, Peter, daarna wil ik je graag even onder vier ogen spreken.'

Het kersverse AIVD-hoofd, Truus Dankers, keek bezorgd toe.

'Iedereen is blij dat je terug bent. Ook ik, natuurlijk. Blij dat je het overleefd hebt, blij dat je weer gezond bent. Maar verder weet ik het zo net nog niet, Peter. De noodtoestand heeft weinig goeds gebracht. En ik heb zo mijn twijfels over wat jij de laatste tijd allemaal hebt uitgespookt. Ik verwacht dan ook een ijzersterke en waterdichte verklaring.'

Peter had wel op een kritische noot gerekend, maar dit overtrof zijn stoutste verwachtingen. Bol had wel lef. Hij keek hem aan en hield zijn mond. Dat was een tip van Job geweest. *In geval van twijfel, hou je gewoon je mond. Ga eens niet gelijk als een dolle stier in de aanval. Laat de anderen maar praten. Ik heb een stuk liever dat zij fouten maken dan dat jij je vastlult en door de mand valt.*

'Het punt is, jongeman,' zei Bol, 'dat jouw verhaal voor geen meter klopt. En hoe zielig je er ook bij loopt, ik wil daar het fijne van weten.'

'Als je mijn terugkeer niet ziet zitten, moet je me maar ontslaan,' bitste Peter, alle goede voornemens ten spijt.

Smalend leunde Bol achterover in zijn stoel. 'Denk jij echt dat ik deze baan ge-kregen had als ik van zo'n opmerking onder de indruk zou raken?'

'En denk jij dat ik schrik van je loze dreigementen en holle woorden?'

Klaas Bol hees zich uit zijn stoel omhoog en priemde met een van opwinding trillende vinger in zijn richting. 'Godverdomme, Vink, jij ondankbare...'

Zijn tirade werd gesmoord door een klop op de deur. Een fractie later kwam het hoofd van Truus Dankers achter de deur tevoorschijn. 'Stoor ik?' Zonder ant-woord af te wachten liep ze verder naar binnen en ging in de stoel tegenover Bols bureau zitten.

'Wat kom je doen?'

'Je weet best waar ik voor kom, Klaas. De spanning tussen jullie tweeën is om te snijden en het hoort bij mijn werk om te weten wat er speelt.'

Peter was ervan overtuigd dat Bol haar meteen de kamer uit zou werken, maar dit gebeurde niet.

'Ik wijs Peter Vink er zojuist op dat zijn verhaal op flink wat punten erg onge-loofwaardig is. Dat kan ik niet accepteren. Zeker niet nu we midden in de nood-toestand zitten en de problemen van alle kanten op ons afkomen.'

'Goed. Peter?' Ze keek hem vragend aan.

'Peter?'

'Ja, wat?'

'Het lijkt me een goed moment om een en ander voor ons op te helderen.'

Bol draaide Vink de duimschroeven aan.

'Hoe kwam je erbij om die professor Witkam op te zoeken? Een werktuigbouw-kundige, nota bene? Wat is er met Witkam gebeurd nadat je hem gesproken hebt? Waar heb je de nacht na de aanslag doorgebracht? Hoe kan het dat je wel puf hebt gehad om ons te bellen met een gedetailleerd verslag van de ontdekking van Wit-kams expeditie, maar daarna nog geen twee minuten vrij kon maken om mij te ontvangen? Ik ben verdomme nog diezelfde ochtend voor niets naar het zieken-huis gegaan. Waarom heb je al die tijd geweigerd met ons te praten, terwijl je wel met die professor in Siberië gebeld hebt en zelfs de stad in bent gegaan voor een of ander familiebezoek?'

Peter was even uit het veld geslagen. Hoe wist Bol dat hij met Ursula Walker gebeld had?

'Peter, Peter,' zuchtte Truus Dankers, alsof ze een klein kind toesprak. 'We zijn niet gek, er staat veel op het spel. Natuurlijk houden we in de gaten waar je mee bezig bent.'

'Het kan niet lang meer goed gaan,' vertelde hij Lara toen ze die avond bij hem aanklopte. 'Ze weten dat er iets niet klopt en we draaien als een stel giftige slangen om elkaar heen.'

'Niemand heeft gezegd dat het makkelijk zou zijn,' zei Lara, de woorden van Job indachtig. Ze had besloten hem niets over haar ruzie met Nordin, Ibrahim en Karel te vertellen en concentreerde zich op de versgefrituurde sprinkhanen.

Deze maakten deel uit van een soort cursuspakket dat het Coördinatieteam on-der alle Nederlanders liet verspreiden. Er werden eetbare kruiden en planten in beschreven die in het wild te vinden waren en die iedereen dus zelf kon zoeken, zoals brandnetels, zuring en beukenblad, en daarnaast de belangrijkste eetbare insecten.

Nood breekt wet, stond er in de folder.

Het is aan ieder van ons om eigen keuzen te maken, maar een te lange periode van ondervoeding tast de gezondheid aan. Om dat te voorkomen kan het nodig zijn uw toevlucht te nemen tot onconventioneel voedsel.

Lara wist niet wat het woord 'onconventioneel' betekende, maar las door.

Regenwormen zijn goed te eten, mits ze niet in vervuilde grond gevonden zijn. Spoel het zand goed weg. U kunt de diertjes als u wilt even in kokend water gooi-en, hoewel ze rauw iets voedzamer zijn. Ook een heleboel soorten kakkerlakken, bijen, vliegenlarven of maden zijn eetbaar. Zeg niet te gauw nee tegen dit soort

alternatieve voedingsmiddelen. Ze kunnen het leven van u en uw kinderen redden!
In dit pakket zijn enkele gefrituurde sprinkhanen bijgevoegd. In veel landen is het heel normaal om deze op te eten. De Voedsel- en Landbouworganisatie van de Verenigde Naties, de FAO, beveelt op haar website het eten van sprinkhanen aan, omdat deze diertjes rijk zijn aan proteïne.

De sprinkhanen zaten in een plastic zakje. Ze hadden een soort bijenlichaam, met een gestreepte rug en zwarte ronde ogen die je verwijtend aankeken. De lange, harige poten deden Lara denken aan de strijkstok van een viool. Ze lagen opgevouwen langszij, pal naast de ongeveer twee centimeter lange vleugels, die als in een dwangbuis tegen het lijfje geklemd waren.

Lara nam een heel klein hapje van het achterlijf. Het smaakte een beetje naar borrelnootjes, stelde ze verbaasd vast. Stukje bij beetje knabbelde ze verder. Als laatste at ze de ogen, door ze knarsend tussen haar tanden te vermalen.

Voor Peter waren de dieren geen traktatie. Voor hem was elke hap een nederlaag, een bewijs dat hij en zijn collega's er niet in waren geslaagd het Nederlandse volk voldoende te beschermen, dat ze er niet in waren geslaagd te voorkomen dat de mensheid zich moest verlagen tot dit soort praktijken.

'Ze zijn niet lekker, maar ook niet vies,' vond Lara, terwijl ze een vleugeltopje dat tussen haar tanden was blijven steken probeerde los te peuteren. 'Gewoon even wennen.'

Ze boog zich naar Peter toe en legde een hand op zijn knie.

'Weet je, we kunnen aan alles wennen. We zullen anders eten, anders leven, maar het belangrijkste is dat we zullen overleven.'

'We?'

'De hele mensheid, jij, ik. We komen hier wel doorheen.'

Peter had even gedacht dat ze alleen hem en haarzelf had bedoeld. Zij tweeën, een verrassend paar in oorlogstijd. Maar zover was het nog niet. Als twee verre planeten draaiden ze om elkaar heen, te ver van elkaar om samen te komen, te dichtbij om elkaar weer te verliezen. Eenzaam draaiden ze hun rondjes...

'*Uit Cambodja komt het volgende recept voor gevulde sprinkhaan,*' las Lara hardop voor.

Neem enkele tientallen volwassen sprinkhanen, bij voorkeur vrouwtjes, maak een inkeping in de romp en stop er een pinda in. Bak de beestjes dan kort in een wok of frituurpan, beetje zout en olie naar smaak erbij. Niet te lang, en oppassen dat ze niet aanbranden.

Peter verbaasde zich erover hoe mooi Lara was, zelfs nu, terwijl ze smerige insecten at als een inboorlinge. Haar lange, zwarte haren glansden nog precies zoals die ene nacht, toen ze tussen hem en haar agressieve vrienden gesprongen was. Dat leek inmiddels een eeuwigheid geleden.

In een impulsieve hunkering boog hij zich naar haar toe, maar onwillekeurig keerde ze zich van hem af.

Peter wist niet hoe hij het had. Toen hij gewond en gebroken bij haar voor de deur had gelegen was ze met hem naar bed gegaan. Ze hadden gevreeën, voorzichtig maar gulzig, teer en gretig, grenzeloos. Maar nu hij weer was opgeknapt, weerde ze hem af bij zijn eerste poging tot toenadering. Zelfs een vluchtige zoen zat er niet in.

'We hebben weinig tijd,' zei ze. 'Job was daar heel duidelijk over.'

Peter was niet geïnteresseerd in wat Job wel of niet gezegd had. Nu even niet; hij was geïnteresseerd in háár.

'Hou jij van vechten? Ik bedoel, vind je het echt leuk?' Hij wilde contact, desnoods door provocatie. Liever ruzie dan helemaal niets. 'Zoals die nacht toen we elkaar voor het eerst zagen. Met die vrienden van jou die met een stiletto om me heen dansten, die met hun mobieltje filmden hoe ik klappen kreeg. Krijg jij daar een kick van?'

Lara toonde zich niet aangevallen of beledigd. Ze dacht gewoon na over wat hij gevraagd had en gaf hem eerlijk antwoord.

'Ja, best wel. Ik hou ervan om zelf te vechten. Ik doe aan karate. De kracht en de bewegingen doen je voelen dat je leeft. Vechten is puur, mens tegen mens, en een stuk minder huichelachtig dan gekonkel en gedraai met woorden. In een goed gevecht heb je respect voor je tegenstander. Je test elkaar. En de sterkste wint.'

Ze vond het leuk om zo tegen hem te praten. Speels, eerlijk en uitdagend. Met lichtjes in haar ogen keek ze hem aan, wachtend op zijn volgende vraag.

'Maar die ene nacht. Jullie waren met een hele groep en ik was alleen. Daar is weinig puurs aan.'

'We vonden je een blaaskaak,' zei Lara. 'Een patsertje. Een heilig boontje dat minachtend op ons neerkeek en met zijn heilige gelijk ons dacht te kunnen veroordelen. Zo iemand verdient een paar klappen.'

'Het jatten van eten blijft strafbaar. En het is bovendien bijzonder asociaal.'

'Vraag je nou om nog meer klappen?' vroeg ze lachend.

Eén grap, één lach, daar moest hij het mee doen. Daarna gaf ze hem de instructies van Job Slotemaker door.

38

De uitgetypte geluidsband was bij een eerste schifting afgevallen.

'Een maffe egotrip,' had de dienstdoende analist geoordeeld. 'Betekenisloos gebabbel.'

Omdat het een gesprek van Arie Roozendaal betrof, had hij de transcriptie niet meteen vernietigd, maar op de grote stapel gelegd met 'later te verwerken materiaal'. Dat kwam zo ongeveer op hetzelfde neer.

De opnamen waren gemaakt in de badkamer van het appartement in de PC Hooftstraat. De geavanceerde apparatuur die de CIA enkele dagen eerder had geïnstalleerd, stelde Coldman en zijn eenheden in staat alles te volgen wat er in het huis van Arie Roozendaal gebeurde.

Arie Roozendaal had intens tevreden voor de spiegel gestaan. Zijn zwarte krullen begonnen licht te grijzen. Dat mocht ook wel, op zijn leeftijd. Menige vrouw had hem al laten weten hoe goed hem dat stond. Zijn kop werd er nog mooier, nog gedistingeerder van.

Wat hij zag was een charmante, knappe man in de kracht van zijn leven. Bijna jammer, dacht hij, dat hij over een kleine twee weken onherkenbaar veranderd zou zijn.

De plastisch chirurg zat op hem te wachten. Een haciënda, vlak buiten Mexico City, was speciaal voor hem ingericht als een complete kliniek. Hij zou er als Arie Roozendaal naar binnen gaan en als Dimitri Malenkov, een Rus met een onopvallend en vooral onbesproken verleden, weer naar buiten lopen.

Zijn eiland aan de kust van Thailand was bijna klaar. Alleen aan de haven en de hangars voor zijn privévliegtuigen en helikopters werd nog gewerkt. In het aparte gebouw boven op de klip, met uitzicht op de oceaan en de zonsondergang, waar hij een eigen harem in gepland had, hadden de eerste streng geselecteerde meisjes al hun intrek genomen. Dat was niets te vroeg. Malenkov stond te popelen om er zijn tweede jeugd te beginnen.

Maar Arie Roozendaal had niet voorzien dat het hem moeite zou kosten af-

stand te doen van zijn oude identiteit. Nu het bijna zover was, vond hij het zwaa
Zo'n mooie kop. Zo'n groot leider. Ter compensatie had hij besloten groots en meeslepend van de aardbodem te verdwijnen. Op de dag van de internationale topconferentie die de Amerikaanse president had aangekondigd, zou hij met enkele uitgekiende handelingen alle belangrijke beurzen tegelijk opblazen. Dat was, als je zoveel geld achter de hand had als hij, niet eens zo moeilijk. De paniek zou prachtig zijn.

Op hetzelfde moment zou hij, precies zoals de Amerikaanse president dat had gedaan, het volk toespreken. Waarom niet? Was hij niet een veel machtiger leider dan die rare politici die keer op keer op de knieën moesten voor de stemmen van de burgers?

'Onderdanen!' zo zou hij beginnen. Met een grijns oefende hij zijn tekst in de spiegel.

'Onderdanen! Hier spreekt Arie Roozendaal, uw heerser. U hoort me goed. Ik ben de rijkste man ter wereld en dus uw heerser. Denk niet dat koningen, presidenten of politici iets over u te zeggen hebben. Politiek is passé. Wees blij dat u niet van hen afhankelijk bent. Kijk wat voor zootje ze ervan hebben gemaakt. U lijdt honger! En wat hebben uw leiders gedaan om daar verandering in te brengen? Niets! Helemaal niets! Oeroude virussen zwermen op dit moment uw kant op. Ziekten waarvan u niet weet dat ze ooit hebben bestaan. U zult ze inademen. U zult ze eten. Drinken. U zult elkaar besmetten, en de koorts zal toeslaan. En wat hebben uw leiders gedaan om dat te voorkomen? Niets! Helemaal niets! Ik, een man met geld en macht, ben uw enige hoop. Met één druk op de knop kan ik u maken en breken.'

Na deze woorden zou hij naar zijn computer lopen en duizenden en nog eens duizenden aandelentransacties tegelijk versturen. De beurs zou naar adem snakken.

'U vraagt zich af wat ik doe? Gaat mijn duim omhoog of gaat mijn duim omlaag?' Hij zou het publiek bespelen als een Romeinse keizer die al dan niet gratie verleent aan zijn gladiatoren.

Het optreden was goed voorbereid. Hij had een kamer laten inrichten die in alles een kopie was van de Treaty Room, van waaruit de Amerikaanse president zijn volk toegesproken had. Wat die vent kon, kon hij toch zeker zelf ook. Zelfs meer dan dat! Hij had de obligate familiefoto's en statige portretten vervangen door foto's van alle rampen waar hij de hand in had gehad. Het waren opnamen van explosies, gewonden, rellen, rook en wanhoop uit alle delen van de wereld. Als bewijs dat het hem geen ene moer kon schelen wat anderen van hem dachten.

De camera stond klaar, de tekst was goed geoefend. Alles draaide nu alleen nog om de timing.

Arie Roozendaal wist dat het net rondom hem zich langzaam sloot. Zijn bron uit Den Haag had hem laten weten dat Peter Vink weer aan het werk was gegaan bij het Nationaal Crisis Coördinatieteam. Eén grote schijnvertoning, vond Roozendaal. Deze zogenaamde 'regering in oorlogstijd' wist niet eens dat de CIA allang doorhad wie er achter de aanslag op Peter Vink zat. Terwijl hij toch echt de man herkend had die hem volgde voor zijn huis, en inmiddels alles van hem wist. Slotenmaker. Fotomodel uit Bratislava. Makker van de CIA.

Het maakte weinig uit. Ze waren dom en traag, de mensen die hem achterna-zaten. Eén week hield hij het makkelijk uit.

'En dan, waarde onderdanen, kan het feest beginnen!'

Het was louter toeval dat de Monnik de notitie uit de stapel pakte. Hij slenterde, zoals hij dat wel vaker deed, min of meer doelloos door de lange gangen van het hoofdkwartier. Een praatje bij de koffieautomaat, een glimlach naar een vermoeide analist.

In de analistenkamer werden alle transcripties vluchtig doorgenomen. Er zaten zes mannen, van wie Coldman er niet één kende. Dat was de prijs van zijn lange zwerftochten door Europa, besefte hij. Hier in Langley liepen mensen in en uit, de een na de ander promoveerde, nam ontslag of ging met pensioen, en van dat alles kreeg hij haast niets mee. Onbekende gezichten en gekonkel over macht waar hij geen weet van had.

Omgekeerd wist iedereen wel wie hij was: de levende legende, het fossiel uit de tijd van de Koude Oorlog dat op indrukwekkende wijze de stap naar de moderne tijd had weten te maken. De Monnik, hun onverzettelijke *Chief Operations* in moeilijke dagen.

'Blijf zitten, blijf zitten,' mompelde hij toen iedereen ter begroeting wilde opstaan. 'Ik slenter maar wat rond.'

Het hield ze scherp, dit soort onaangekondigde bezoekjes. Voor zover ze nog niet scherp waren.

De stapel papier lag naast de enige stoel die nog vrij was. Zijn oog viel op de naam Roozendaal en hij wierp een vluchtige blik op de vertaling.

'Wie heeft dit behandeld?'

De man die het vel op de grote hoop gegooid had, had in de nachtploeg gewerkt en was al naar huis. De Monnik las de tekst een aantal keer over.

Eén fragment trok zijn aandacht: *Ik, een man met geld en macht, ben uw enige hoop. Met één druk op de knop kan ik u maken en breken.*

Wat werd daarmee bedoeld?

'Gaat mijn duim omhoog of gaat mijn duim omlaag?'

Coldman mompelde een vage groet ten afscheid en liep de gang weer op. Met vaste tred beende hij naar de kamer van de directeur.

De directeur was een lul, vond Coldman, maar nu het eropaankwam, toonde de man zich niet bang uitgevallen. Hij nam Coldmans aanbevelingen stuk voor stuk over en gaf toestemming om extra manschappen in te zetten.

Job Slotemaker, die in allerijl werd opgepiept, bevestigde dat Peter Vink op scherp was gezet. Binnen enkele uren verwachtte hij de bevestiging dat Vink mee zou doen. Als die kwam, kon alles in gang worden gezet.

Coldman kreeg twee dagen de tijd. Dat was gul, zeker als je in ogenschouw nam dat de internationale topconferentie al over drie dagen zou plaatsvinden.

'Dank je,' mompelde de Monnik, verbaasd toen hij zichzelf dat tegen zijn baas hoorde zeggen. Wie had dat ooit gedacht?

'Alleen die knop zit me dwars. "Met één druk op de knop..."'

'We kunnen een vertraging in zijn computer inbouwen. Als we willen kunnen we zelfs opdrachten blokkeren.'

'Merkt hij dat?'

'Zoekopdrachten laten we meteen door. E-mails worden vertraagd. En het up-loaden van bestanden. Alleen als hij gaat chatten of skypen kan hij iets merken.'

Dit was typisch een besluit dat je niet wilde nemen. Een besluit waar je je mee in de vingers kon snijden.

'Dit gaat niet mee naar de PDF.' Daar waren ze het snel over eens geweest. Ze hadden inmiddels alle twee een hekel aan de President's Daily Brief.

'Ik kan alles op mijn eigen houtje doen,' opperde Coldman. 'Dit gesprek heeft dan nooit plaatsgevonden. Als het fout gaat... Ik zit tegen mijn pensioen aan.'

De directeur gaf hier geen antwoord op. Eén opgeluchte, nauwelijks waar-neembare knik was alles. Daarna boog hij zich over zijn bureau en ging aan het werk alsof de Monnik niet bestond.

De toekomst van de wereld lag in handen van een getraumatiseerde ex-agent en twee amateurs. De Monnik sjokte door het hoofdkwartier en overpeinsde de vreemde situatie.

Hij stuurde een bericht naar Slotemaker.

Bevestig instemming van Vink.
Alles in gereedheid voor morgen 9.30 uur plaatselijke tijd.

Maar de bevestiging liet op zich wachten, want Lara was weer eens een blokje om.

Lara wist dat het niet professioneel was en als ze er bewust over had nagedacht zou ze het ook nooit hebben gedaan. Maar het gebeurde min of meer toevallig. Misschien had ze intuïtief dezelfde behoefte als Job gehad. Ze fietste gewoon wat door de stad, straat in, straat uit. Het was koud, maar mooi fietsweer. Pas op de hoek van de straat durfde ze onder ogen te zien waar ze was. De PC Hooftstraat, met in een van de statige herenhuizen het kantoor van Roozendaal. Nu ze er toch was...

Er reden zoveel fietsers door de straat, dat het vast geen kwaad kon als ze even voor het pand langs zou rijden. Ze wilde zich een beeld vormen van de vijand over wie Job haar had verteld, van de geheime tipgever van haar bende en de bijna-moordenaar van Peter.

Het pand was een stuk minder statig dan ze had verwacht. Er zat vitrage voor de ramen, waardoor ze bij het langsfietsen niet naar binnen kon kijken.

Lara overwoog te stoppen en wat aan haar achterband te gaan frummelen of zo, om zichzelf wat meer tijd te geven het kantoor goed te bekijken. Ze durfde het niet aan. In gestaag tempo, met het vale zonnetje op haar gezicht, trapte ze daarom door. Het verkeerslicht bij het kruispunt, zo'n twintig panden verderop, stond op rood. Fietsers stopten, maar Lara maakte zich op om er zonder vaart te minderen langs te laveren. Ze stopte nooit voor rood. Auto's gingen toch wel opzij als je je er handig genoeg doorheen slingerde.

Maar de man die plots uit de BMW stapte, deed haar abrupt remmen. Hij stond aan de overkant van het zebrapad, half op de stoep naast de kiosk. Terwijl iedereen een jas of op zijn minst een dikke trui aan had, ging hij alleen gekleed in een strak wit overhemd met opgerolde mouwen. Hij had mooie, gespierde armen en een gezicht dat ze herkende uit het dossier dat Job haar had getoond. Het was mister Roozendaal in eigen persoon!

Ze stapte af en liep met haar fiets de stoep op. Er stond een boom, waar ze een beetje dommig bij ging staan. Haar lange zwarte haren hingen als een slecht sluitend gordijn voor haar gezicht.

Roozendaal leunde volkomen ontspannen tegen zijn auto. Uit niets sprak dat hij zich zorgen maakte of hij geschaduwd werd. Integendeel, hij was het type man dat graag bekeken wordt. Gespierd, bruin verbrand, bijna een filmster. Het was verbijsterend dat dit de man was die opdracht had gegeven Peter te vermoorden, de man die Nordin en Karel voor zijn karretje spande, die de expeditieprofessoren uit de weg had laten ruimen en die elke ramp en crisis verergerde om er zelf zoveel aan te verdienen. Maar waar ze het meest van schrok was dat ze hem erg aantrekkelijk vond. Een knappe, sportieve, charmante man! Veel meer haar type dan Peter Vink.

Hij zat op de motorkap met één voet op de grond, terwijl hij speels, bijna puberaal, om zich heen keek. Lara vergat haar fiets en keek hem met open mond aan. Er kwam een vrouw naar hem toe gelopen, in een keurig mantelpakje maar verlegen en giechelig als een klein meisje.

Arie Roozendaal was kennelijk wel heel blij om haar te zien. Uit zijn broekzak diepte hij een glinsterend voorwerp op, een glanzende gouden ketting, die hij in een intiem gebaar om haar hals hing. De vrouw werd rood van opwinding. Ze vloog hem om de hals en bedankte hem met een lange kus op zijn mond.

Een loverboy, dacht Lara opeens; dat was wat ze zag. Niet zo'n type dat ze regelmatig zelf had ontmoet, maar een loverboy van stand. Hij had een krachtig aura van macht en van geweld. Een charmante maar meedogenloze, hondsbrutale, wrede moordenaar! Toen ze zich dat eenmaal goed realiseerde, was zijn aantrekkelijkheid op slag verdwenen.

Hij keek opeens haar kant op. Peinzend. De situatie inschattend.

Lara pakte met een kordaat gebaar haar fiets. 'Bedankt, hè!' riep ze naar niemand in het bijzonder.

Zo snel ze kon sprong ze op de fiets en reed weg. De verkeerde straat in, maar dat maakte niet uit.

Niet omkijken, dacht ze, dit is niet het moment om nog meer risico te nemen. Maar ze kon zich niet bedwingen en deed het toch. Hij stond weer geanimeerd met de vrouw te praten.

39

Nooit rechtstreeks naar de jachthaven gaan! Warenhuizen binnen lopen en via een andere uitgang weer verlaten. Overstappen op een andere bus, en kijken of andere mensen hetzelfde doen. Lara had haar fiets al snel verruild voor tram en bus en paste alle trucjes toe die Job haar had geleerd.

In de loods werd nauwelijks gewerkt, en dat maakte de omgeving nog stiller en vreemder dan ze al was. Haar holle voetstappen weergalmden tegen het hoge golfplaten dak. Ze baande zich zo stil mogelijk een weg van boot naar boot. Maar hoe stiller het werd, hoe meer ze dacht te horen. Hoorde ze voetstappen achter zich? Ademde daar iemand in haar rug? De ongenaakbare verzameling masten, kielen, stutten, lijnen en ladders deed haar bijna hyperventileren. Voor de zekerheid liep ze Jobs boot voorbij, helemaal tot aan de andere kant van de loods. Langs de zijkant, waar zo'n twintig kano's en wat motorbootjes lagen, liep ze weer terug.

Zwijgend hielp Job haar omhoog en stuurde haar gelijk naar binnen, de kajuit in, naar beneden. Zelf bleef hij zitten. Hij had een stuk touw in zijn handen, dat hij uit de knoop probeerde te halen. Al zijn zintuigen waren gespitst op het slagveld van drooggelegde plezierjachten, en vooral de schaduwen daartussen.

Pas na een minuut of vijf ging ook Job naar binnen. Hij zette een muziekje op en schonk hun beiden een kop koffie in.

'Oké, vertel!'

Hij verwachtte dat ze hem meteen zou vertellen hoe Peter op de plannen had gereageerd – en of hij mee wilde doen – maar ze was nog vol van haar ontmoeting met Roozendaal. Druk pratend vertelde ze hem wat ze gezien had.

Job stond meteen op scherp.

'Hoe zag ze eruit?'

'Hij had een wit overhemd aan en een beige broek en aan zijn...'

'Nee, die vrouw die bij hem was.'

Lara had een stuk meer moeite om de vrouw te beschrijven; het was Roozendaal zelf die haar zo betoverd had. Stukje bij beetje, met veel geduld en gerichte vragen, kreeg Job wat informatie uit haar los.

Ze was ongeveer dertig jaar en even groot als Roozendaal, dacht ze. Misschien zelfs iets langer. Ze had geblondeerd haar, modieus in laagjes opgeknipt – 'een dure kapper, zo te zien' – en een mooi gezicht met een iets te smalle, puntige neus. Niet dik, niet dun. Dat was alles wat ze zich met heel veel moeite kon herinneren.

'Maar die vrouw is niet belangrijk,' wist ze. 'Roozendaal speelde wat met haar, dat zag je zo. Hij heeft vast een hele trits van dat soort vrouwen om hem heen.'

Job dacht daar het zijne van.

'Blijf daar in het vervolg uit de buurt,' beval hij, alsof ze dat niet zelf kon bedenken. Hij bleef haar een onbehaaglijk gevoel geven, misschien omdat door Jobs gedrag ook de schaduwen uit haar eigen verleden zich weer begonnen te roeren. Ze kreeg er de kriebels van.

'En Peter?' vroeg Job, eindelijk ter zake.

'Peter zit weer tot over zijn oren in het werk. Gisteren had hij bonje met Klaas Bol. En die vrouw van de AIVD, Truus Dankers. Die gaven hem niet wat je noemt een warm welkom.'

'Hoezo?'

'Bol was pissig dat Peter hem niet in het ziekenhuis wilde ontvangen. Hij vond Peters opstelling niet acceptabel. Niet zoals het een lid van zijn kernteam betaamde. En die Dankers was het kennelijk met hem eens. Heel lullig allemaal. En verdacht, natuurlijk.'

'En toen? Hoe liep dat af?'

'Nou gewoon, een beetje ruzie. En daarna gingen ze alle drie gewoon weer aan de slag. Dat is tenminste hoe Peter het vertelde.'

'En de operatie? Doet ie mee?'

Lara haalde haar schouders op. 'Het is ingewikkeld. Vannacht kwam er telefoon uit Amerika. Het schijnt dat Peter is uitgenodigd om bij die internationale topconferentie in Beijing aanwezig te zijn. Hij moet zelfs een praatje houden. Heel belangrijk allemaal. Klaas Bol is ziedend dat Peter weer alle eer krijgt. Ze houden nu een persconferentie in Den Haag. Peter is daarbij. Omdat hij het bericht over die oude virussen naar buiten heeft gebracht.'

Maar Job was slechts in één antwoord geïnteresseerd.

'Doet hij het?'

'Eén keer. Morgenochtend, dat wil hij wel. Maar dat is dan meteen ook het laatste, moest ik van hem zeggen. Dan wil hij weer gewoon aan het werk met die virussen en zo. En naar de conferentie.'

Job moest zekerheid hebben. 'Dus je weet zeker dat hij het doet?'

'Ja! Eén keer. Dat zeg ik toch?'

Job verstuurde meteen de bevestiging naar Langley. Daarna namen ze alle instructies nog een paar keer door, totdat Lara, helemaal moe en chagrijnig, tussen alle boten door weer naar buiten mocht.

'Hou vol,' drukte hij haar op het hart. 'En blijf uit de buurt van Roozendaal en de PC Hooftstraat.'

Ze had het gevoel dat Roozendaals ogen zich in haar rug boorden, alsof er een geest over haar graf gleed, terwijl ze tussen de kielen, stutten en ladders naar de uitgang liep.

Ze fluisterde zichzelf moed in. 'Loop door, Lara. Nog even en je staat buiten.'

Klaas Bol had al zijn trucs en zijn relaties in de strijd geworpen om ervoor te zorgen dat hij, en hij alleen, het nieuws bekend mocht maken. De televisieredacties hadden hem niet graag voor de camera. Zijn pedante optreden wekte weerzin op, en daarbij zeurde Bol altijd dat de lampen te warm waren, waardoor hij steeds zwetend in beeld kwam. Waarop de cameramensen meestal van de weeromstuit begonnen te klagen dat zijn bril het licht te veel weerspiegelde, waardoor zijn ogen niet te zien waren en de kijkers werden verblind. Geen gelukkig huwelijk dus, Klaas Bol en de tv, maar deze keer wilde hij schitteren. Hier werd historie geschreven en een van zijn eigen ondergeschikten speelde daarin een centrale rol!

Nieuwscentrum Nieuwspoort was voor de gelegenheid omsingeld door bewakers en beveiligers, die iedere journalist die naar binnen of buiten wilde omslachtig fouilleerden. De straat was schoongeveegd: politieagenten hadden iedereen voor het gebouw met zachte hand verwijderd en een mobiele eenheid had de groep demonstranten die sinds het uitbreken van de hongersnood en het uitroepen van de noodtoestand elk optreden van Klaas Bol probeerde te verstoren, zonder pardon uiteengeslagen.

Bol had daar geen moeite mee; het deed wel recht aan het belang van het moment. Hij had even overwogen om zijn eigen persoonlijke beveiligers schuin achter zich te posteren, net in het beeld van de camera's. Dat zag je weleens op tv, mannen met zonnebrillen die spiedend om zich heen keken. Maar in de opwinding van het moment was hij dat vergeten.

Zijn stropdas zat recht en zijn haar strak in model toen hij achter de microfoons plaatsnam.

'Het doet mij vreugde dat ik vandaag de details bekend mag maken van de belangrijkste topconferentie ooit. De leiders van de hele wereld zullen overmorgen in Beijing samenkomen om de dreigingen van de klimaatverandering en de voortdurende honger voor eens en voor altijd het hoofd te bieden. Er is bewust voor gekozen om niet op voorhand vast te leggen hoe lang die conferentie duren gaat. Zowel de Amerikaanse president als zijn Indiase en Chinese collega's hebben laten weten de conferentie te zullen bijwonen zolang de situatie hierom vraagt. Dat kan een dag zijn, maar ook een week, of desnoods een hele maand. Ik ben ervan overtuigd dat deze gemeenschappelijke aanpak snel een einde zal maken aan de hongersnood. Het graan zal weer bloeien, de bedreigende virussen zullen worden vernietigd en de klimaatverandering zal worden gekeerd.'

Bol zette beide handen fier voor zich op tafel en keek met ware presidentiële allure de camera in.

'Vanochtend heel vroeg werd ik persoonlijk gebeld door een van de naaste medewerkers van de president. Hij vroeg mijn team, ons eigen Nationaal Crisis Coördinatieteam, om een van de eerste inleidingen tijdens de centrale vergadering te verzorgen, en ik heb hem natuurlijk meegedeeld dat wij deze taak graag op ons nemen. Mijn Nationaal Crisis Coördinatieteam speelt, zoals u ongetwijfeld allen weet, een cruciale rol in de aanpak van de graancrisis. Het is dankzij ons dat de oorsprong van het graanvirus bekend geworden is. Nederland en de rest van de wereld kunnen trots op ons zijn.'

'U doelt hier op de onthullingen van Peter Vink?' vroeg een van de journalisten. Verschillende journalisten keken bij deze woorden achterom naar de plaats waar Peter met zijn rug tegen de muur geleund stond. Een enkele fotograaf maakte foto's van de wonden op zijn gezicht.

'Vink is inderdaad de persoon die in Beijing het woord zal voeren, maar onthullingen zijn nooit het werk van één man alleen,' verklaarde Bol met nadruk. 'Het Nationaal Crisis Coördinatieteam werkt altijd als een eenheid.'

Het rode opnamelampje van de camera van het NOS-journaal doofde voor hierover kon worden doorgevraagd. De beelden zouden onmiddellijk per straalzender naar Hilversum gaan en over hooguit een halfuurtje zou hij overal in het land in de huiskamers verschijnen.

Peter was woest. Dat Klaas Bol de verrader binnen het Coördinatieteam was, kon hij nog niet bewijzen. Maar dat hij een gluiperd was stond buiten kijf, en het was walgelijk om te zien hoe Bol hier de show kon stelen.

Maar veel erger nog, vond Peter, was dat alle inwoners van Nederland zand in de ogen werd gestrooid. Voor de zoveelste keer werd de indruk gewekt dat de crisis nu snel zou worden bezworen. Dat was een regelrechte leugen. Iedereen wist dat het organiseren van een topconferentie geen enkele garantie gaf dat de problemen werden opgelost. De ergste honger moest nog komen, maar niemand had het lef de bevolking hiervoor te waarschuwen. Niemand!

Hij besloot ter plekke in te grijpen.

t was tekenend voor de angst die iedereen in zijn greep hield dat geen enkele journalist het aandurfde de vinger op de zere plek te leggen. Elke strohalm van hoop werd collectief gekoesterd. Slechts één journalist waagde zich aan een kritische vraag.

'Kunt u aangeven hoe het met Tamiflu en andere virusremmers staat? Bent u erin geslaagd voldoende voorraden hiervan te bestellen en kunt u de Nederlandse bevolking op dit punt geruststellen?'

Hoe succesvol de conferentie ook zal zijn, leek hij daarmee te zeggen, elke druppel antiviraal geneesmiddel die we kunnen bemachtigen zal hard nodig zijn. Zeker zolang we niet weten welke virussen ons nog te wachten staan.

Bol zuchtte. 'Dat is een punt van aandacht. Nederland heeft enkele miljoenen in voorraad en daarnaast hebben we extra bestellingen bij Roche geplaatst.'

'Hebt u enig idee hoe lang de levertijd is?'

'Deze problematiek heeft, zoals ik al zei, onze onverdeelde aandacht. We doen alles wat in ons vermogen ligt.'

De journalist knikte somber en schreef alles zonder verder commentaar in zijn aantekeningenboekje.

'Nog meer?' Bol keek nors de zaal rond. Hij had een hekel aan vragen, en nu er geen televisieopnamen meer werden gemaakt, toonde hij zich een stuk minder presidentieel.

'Ja, hier.'

Een jonge verslaggeefster van *De Telegraaf* stak haar hand op.

'Het wordt snel voorjaar. Over enkele weken zullen de eerste groenten weer uit de grond komen. Ligt de ergste honger dan achter ons? En kunt u aangeven wanneer de noodtoestand kan worden opgeheven?'

Bol schudde zijn hoofd. 'Daar kan ik helaas niets zinnigs over zeggen, nee.'

Tot ieders verbazing bleef het verder stil in de zaal. Er waren geen vragen meer.

Terwijl de journalisten aanstalten maakten de zaal te verlaten, sjokte Peter gemoedelijk naar de dame van *De Telegraaf*. Hij kende haar vaag, omdat zij hem een tijdje geleden had aangesproken met wat vragen over plantenziekten.

'Ha, Maaike. Zeg, heb je zo tijd om even een kopje koffie te drinken, hier verderop in de straat?'

De journaliste rook een scoop en stond meteen op scherp. Zonder een spier te vertrekken mompelde ze de naam van een van de koffietenten op het Plein.

'Goed, ik zie je daar over tien minuten.'

Nieuwsgierig zag ze hoe Peter weer opgeslokt werd in de mist van journalisten, collega's en beveiligers.

Een getergd man, dacht ze, dat wordt een mooi artikel.

40

Ze zaten achterin, ver weg van de ramen. Peters beveiligers – hij betrapte zich erop dat hij ze bijna 'bewakers' ging noemen – zaten twee tafeltjes verderop. In het zicht, daar was niets aan te doen, maar in elk geval buiten gehoorsafstand. 'Gefeliciteerd,' begon de journaliste. 'Het is een hele eer om op de belangrijkste conferentie uit de moderne geschiedenis het woord te mogen voeren.'

Peter ging er niet op in. 'Heb je een recorder bij je?' vroeg hij.

Maaike knikte en haalde een ouderwetse minirecorder uit haar tas.

'Goed, luister. Ik voel de behoefte om zelf ook wat tegen de pers te zeggen. Zo'n persconferentie is niets voor mij. Ik praat liever met één journalist dan met een hele groep, dus je hebt vandaag mazzel.'

De journaliste durfde nauwelijks te ademen. Peter Vink was hot, zeker nu bekend was dat hij op de topconferentie alle wereldleiders zou toespreken. De mogelijkheid om hem, op dit moment, exclusief te interviewen, was een kans uit duizenden. Ze zag de ankeiler al staan op de voorpagina... Ze mocht dit absoluut niet verknallen!

'Oké,' zei ze zo rustig mogelijk.

'Ik wil geen leugens, geen overdreven verhalen in de krant. Na dit gesprek neem ik het bandje mee, jij zult het met je aantekeningen moeten doen. Ik raad je aan zorgvuldig te luisteren. Voel je vrij om vragen te stellen als zaken je niet duidelijk zijn. Als de dingen die je opschrijft niet kloppen, heb ik de opnamen en zal ik je aanklagen en op z'n minst een rectificatie eisen. Begrijp je dat?'

'Wil je het artikel van tevoren zien?' vroeg ze. Dat gebeurde vaker.

'Nee. Na dit gesprek wil ik jou voorlopig ook niet meer zien. Geen e-mails, geen aanvullende vragen. Ik heb het druk. Eén gesprek, één artikel. *It better be right.*'

Daar kon zij wel mee leven. Niet dat ze veel te kiezen had.

Terwijl Peter met de journaliste in de kroeg zat, was Ron Coldman druk bezig extra manschappen vanuit Duitsland naar de Amerikaanse legerbasis in Zuid-Limburg te dirigeren. Dit gebeurde buiten medeweten van de Nederlandse overheid.

De commando's van de Monnik staken in burgerauto's de grens over. Op een parkeerplaats aan de rand van Heerlen stapten ze, vrolijk lachend als een groep onschuldige toeristen, over in een touringcar. Een volgauto vol met moutainbikes versterkte de vakantiesfeer. In een bos nabij het dorp Gulpen stond een aantal grijze bussen van de technische dienst van hun eigen Amerikaanse leger klaar, precies tussen twee heuvels, uit het zicht van iedereen. Daarmee werd de tocht naar de legerbasis voortgezet, rechtstreeks naar de werkplaats die door Coldman was gevorderd en voor de komende 48 uur hun hoofdkwartier zou zijn. Eén officier was op voorhand ingelicht, verder was niemand op de hoogte.

De Nederlands-Amerikaanse officier Rob Walstra coördineerde de operationele zaken. Hij had de auto's voorbereid, de apparatuur klaargezet en een dvd-presentatie gemaakt over de omgeving van het ministerie waarin het Nationaal Crisis Coördinatieteam was gehuisvest en bij het woonhuis van Arie Roozendaal in de PC Hooftstraat in Amsterdam. Nadat alle in- en uitvalswegen en vluchtroutes in beide gebieden waren doorgenomen, kwamen de opnamen van Klaas Bol aan de beurt.

'Dit is hem dan, *in the flesh*,' zei Walstra in telegramstijl. 'Op dit moment de machtigste man van Nederland. Slimme, arrogante zak. Heeft veel te danken aan de crisis. Macht. Aanzien. Geld. Heeft toegang tot alle dossiers en heeft zich meermalen verdacht gedragen. *Our prime suspect.*'

De commando's kregen een compilatie van beelden te zien: televisieopnamen van publieke optredens van Bol, afgewisseld met opnamen die ter voorbereiding op de operatie in het geheim door vooruitgeschoven cia-agenten waren gemaakt.

'Ken uw vijand. Let op zijn lichaamstaal. Hij weet hoe belangrijk hij is en heeft er geen moeite mee om mensen naar zijn hand te zetten.'

'Waarschijnlijk geen harde loper,' merkte een van de commando's op. 'Hij beweegt zich stram en stijf. Een typische bureauman.'

'De vluchtkans is inderdaad gering,' gaf Walstra toe.

Er ontstond enige hilariteit over de gedachte dat een man als Bol rennend zou proberen te vluchten. Toen iemand de scène schetste met Bol vluchtend op een fiets, steeg er zelfs een luide bulderlach op. Voor Amerikanen was een oude man op een fiets überhaupt nauwelijks voor te stellen.

'Rare jongens, die Hollanders!'

'Dan hadden we die mountainbikes dus toch kunnen gebruiken!'

Walstra liet ze begaan. Een kort moment van ontspanning, vlak voor 7
ratie, kon geen kwaad. Even uitrazen moest kunnen. Daarna vervolgde hij ~
briefing. Systematisch analyseerde hij het gedrag van Bols beveiligers. Hoe ver ze
van hem af liepen. Hoe ze om zich heen keken. Wat voor wapens ze droegen.
De beelden werden diverse keren achter elkaar afgespeeld.

Vervolgens kregen de arrestatieteams aparte instructies. De schaduwteams,
verantwoordelijk voor het volgen van de verdachten, bleven zitten. Het draai-
boek werd doorgenomen en de wapens werden gesmeerd. Daarna werden de
bivakbedden uitgeklapt. Binnen een klein halfuur klonk er niets dan gesnurk.

De scherpschutters hadden zich de hele tijd niet laten zien. Die verzamelden
zich ergens anders.

De redactieruimte van *De Telegraaf* lag er stil, bijna verlaten bij. Alle pagina's
voor de krant van de volgende ochtend waren opgemaakt en van een passende
kop voorzien. Behalve het hoofdartikel.

'Lees je even mee?' riep Maaike naar haar hoofdredacteur.

Dit zou haar meesterwerk worden; ze had er uren aan geschaafd, maar de tijd
begon te dringen, want de krant moest over een kwartiertje persklaar zijn.

'Print even uit, wil je?' reageerde haar baas, die het sinds zijn hernia van vorig
jaar niet langer op kon brengen om continu over de schouders van zijn medewerkers naar computerschermen te turen.

De printer ratelde. De hoofdredacteur trok de vellen uit het apparaat en begon
te lezen. Vrijwel meteen wist hij dat hij vuurwerk in handen had.

*Ik feliciteer Peter Vink met het feit dat hij op de belangrijkste conferentie ooit het
woord mag voeren.*
*'Een hele eer,' zeg ik, maar dat wimpelt hij met een bruusk armgebaar van zich
af.*
*'De Amerikaan Bing Johnson heeft de relatie tussen de klimaatverandering en
het virus blootgelegd. Hij vond de half weggerotte mammoetmaag met de resten
van oud paars graan. Niet ik. En Johnson is dood. Zijn collega Ernst Witkam
was daarbij en hij lijkt van de aardbodem te zijn verdwenen. Misschien dood,
misschien niet, ik weet het niet. Ik praat namens hen, niet namens mezelf.'*
'Klopt het dat de Amerikaanse president persoonlijk naar u gevraagd heeft?'
*Vink reageert bijna boos, alsof ik hem van iets onbetamelijks beschuldig. 'Het
heeft geen zin zulke vragen te stellen! Daar gaat het nu niet om! Het gaat niet
om personen. Niet om mij of de president of wie dan ook. We moeten oppassen
met mooie woorden. En het is ronduit onacceptabel de dreiging van virussen te
bagatelliseren. Toch is dat wat er op dit moment gebeurt. Dat versluiert de pro-*

blemen en mensen hebben recht op de waarheid. We mogen niet vergeten dat er veel meer aan de hand is dan de virussen alleen, hoe erg dat ook is. Nu het klimaat eenmaal verstoord is, kunnen er van alle kanten problemen opduiken. Wetenschappers waarschuwen ons daar al tientallen jaren voor: de oprukkende ziekten zoals de ziekte van lyme, malaria en knokkelkoorts, dan de problemen met de voedselvoorraden. Ook voordat het graanvirus uitbrak rezen de voedselprijzen al de pan uit. Steeds vaker mislukken de oogsten door orkanen, regenperioden of extreme droogte. Dat wordt elk jaar erger! En dan heb je nog de problemen met het stijgende zeewater, de dreiging van dijkdoorbraken, de toename van milieuvluchtelingen... alles komt tegelijk op ons af en je weet nooit wanneer wat toeslaat. De regering wist al jaren dat dit er, in één of andere vorm, zat aan te komen, maar had de wilskracht niet om een echt goed klimaatbeleid op poten te zetten. Nu is het te laat. Met een topconferentie en een productielijn van Tamiflu is niet alles opgelost.'

'Een opgefokt knaapje,' mompelde de hoofdredacteur. 'Kennelijk niet te beroerd om de knuppel in het hoenderhok te gooien.'

'Ja, en dat is nog niet alles. Lees maar.'

Hij las door:

'De energiecrisis, de kredietcrisis, de voedselcrisis en de klimaatcrisis buitelen als een nest jonge hyena's over elkaar heen. Mensen kunnen niet langer op de overheid en zeker niet op de welwillendheid van andere landen vertrouwen. Regeringen kunnen nog geen deuk in een pakje boter slaan. Mooie woorden en goede voornemens, hoe welgemeend deze soms ook zijn, zijn niet genoeg. Dat is wat de geschiedenis van de klimaataanpak van de afgelopen tien, vijftien jaar ons leert.' Op mijn vraag of hij wel goed beseft wat hij hier zegt, knikt de heer Vink zwijgend. Ik besef dat het geen makkelijke, vrijblijvende opmerkingen zijn van iemand die langs de kantlijn staat. Duidelijk is dat Vink, als geen ander, de last van de graancrisis op zijn schouders draagt.

'Waar het om gaat,' benadrukt hij met klem, 'is dat iedereen meer en meer op zichzelf is aangewezen naarmate de problemen groter worden. Zorg dat je zelf overleeft. Leer hoe je zelf aan eten kunt komen. Begin een moestuin, plant een appelboom, zaai worteltjes op je balkon, het maakt niet uit wat, als je maar aan jezelf en je naasten denkt. Zorg dat je een kacheltje in huis hebt voor als er geen olie, gas of elektriciteit meer is. Regel zonnepanelen. Ga samenwerkingsverbanden aan met vrienden of mensen in je buurt. Neem een voorbeeld aan wat er op kleine schaal al gebeurt in de zogenaamde Transition Towns.'

'Is dat niet wat kneuterig allemaal? Kunnen we op die manier echt genoeg energie

opwekken en voedsel verbouwen voor alle miljarden mensen die op aarde leven?'
Peter Vink kon deze vraag wel waarderen: 'Iedereen die met eigen appelboom-
pjes en bonenstruiken in de weer is, dat is ook niet mijn idee. Een van de vruch-
ten van onze beschaving was juist dat we daar niet allemaal mee bezig hoefden
te zijn. Het was een verworvenheid dat we niet meer met z'n allen vooroverge-
bogen in de modder hoefden te wroeten. Maar laten we eerlijk zijn, we hebben
weinig keus. Systemen storten in. Het graanvirus heeft alles op scherp gezet. De
voedselketen valt uit elkaar, de financiële wereld gaat aan hebzucht ten onder,
het klimaat raakt oververhit en de politiek is failliet. Dat sluimerde al langer,
maar heeft nu het kookpunt bereikt. We kunnen niet zeggen dat we het niet heb-
ben zien aankomen. Als we hadden willen voorkomen dat iedereen zo op zich-
zelf zou worden teruggeworpen, hadden we als samenleving eerder moeten in-
grijpen. Dat hebben we niet gedaan. En nu is het te laat. Nu is het zaak een
nieuw evenwicht te vinden: kleinschalige activiteiten dicht bij huis en als aan-
vulling daarop een grootschaliger voedselproductie op vruchtbare, niet al te druk
bevolkte gronden. Dat is te doen. Het één hoeft het ander niet uit te sluiten. Het
gaat om veerkracht. We mogen nooit meer alle taken in handen geven van één
organisatie of bedrijf. Dat maakt ons veel te kwetsbaar. Laten we het zelf doen.
In eigen regio. Daarmee verdelen we ook de risico's! Als een virus dan één gebied
treft, blijkt het dorp verderop misschien resistent te zijn. Gewoon omdat het er
daar anders aan toegaat. Vertrouw op eigen kracht. Bereid je voor op de moei-
lijke jaren die ons ongetwijfeld te wachten staan.'

De journaliste grijnsde. 'Die Vink windt er in elk geval zelf geen doekjes om,
vind je niet? En ik moet toegeven dat hij zijn rug recht hield toen ik hem lastige
vragen ging stellen.'

'Begrijp ik u goed, dat u het einde van de verzorgingsstaat voorspelt en pleit voor
het recht van de sterkste?'
De heer Vink keek me een tijdlang met zijn door honger en zorgen gekwelde ogen
aan.
'Ik pleit niet voor het recht van de sterkste, begrijp me goed, dit is niet wat ik wil.
Maar als het voor iedereen een kwestie van overleven is, zal dat wel meespelen.
Ongetwijfeld. Kijk, tot op de dag van vandaag is geweld gemonopoliseerd door
de staat. Niemand mag wapens dragen, behalve het leger en de politie. Niemand
mag anderen slaan, behalve – als dat nodig is – de politie. Kleine vormen van
geweld, gewoon tussen mensen in huis of op straat, worden onderdrukt, en grote
vormen van geweld – de oorlogen – worden ver van hier uitgevochten. Maar we
kunnen de problemen niet langer op afstand houden. Nu honger, virussen, stor-

men en andere problemen ook in Nederland mensenlevens eisen, en de overheid daar overduidelijk niets aan kan doen, zullen mensen het heft weer in eigen hand nemen. En als ze dat doen, wie zijn wij dan om dat te veroordelen? Geweld hoort bij het leven, bij het overleven, net zo goed als liefde, solidariteit, angst, hoop... zeker nu de staat heeft afgedaan. Daar kunnen we niet omheen. Ik beschouw het als mijn taak als lid van het Nationaal Crisis Coördinatieteam om alle mensen hierop te wijzen. De topconferentie in Beijing, hoe belangrijk ook, doet daar niets aan af.'

'U voorziet straatrellen, zoals we die al jaren kennen uit Parijs, Johannesburg en in mindere mate hier in ons eigen land, uit een aantal wijken in Utrecht en Amsterdam-West? U denkt dat de voedselrellen van deze winter niet tijdelijk zijn; dat we structureel overgeleverd zullen zijn aan hangjongeren, aan tuig van de straat?'

'Niet alle hangjongeren zijn tuig,' reageerde Vink. 'Wat kan een overheid die het zelf laat afweten hun verwijten?'

'Kan dit?' vroeg Maaike bezorgd. 'Kunnen we dit zo publiceren? Hij praat verdorie wel als lid van het Nationaal Crisis Coördinatieteam. Een ambtenaar in functie! Krijgen we niet meteen een proces aan onze broek? Wat gebeurt er als alle mensen die hier buiten elke ochtend urenlang in de rij voor de voedselbanken staan, elkaar met dit artikel in de hand de kop inslaan?'

De hoofdredacteur gaf geen antwoord. Hij las verder.

'U hebt de brute moord op de heer Wennemars van dichtbij meegemaakt. En u bent ook zelf ternauwernood aan een moordaanslag ontsnapt. Het is een kei- en keiharde wereld en toch spreekt u over...'

'Wat ik heb meegemaakt is niet relevant. Een moord, een misdaad, een straatrel, een ziekte... er gebeurt altijd zoveel tegelijk. Iedereen heeft z'n eigen verhaal. Ik ook, moet u weten, iedereen. Maar daar gaat het nu niet om. Waar het uiteindelijk om gaat is of we met z'n allen de kracht hebben, of we de wilskracht kunnen opbrengen, om gezamenlijk de honger en de oorzaken van de honger aan te pakken. Of we er echt iets aan willen doen. Saamhorigheid en collectieve wilskracht... zelfs nu is nog niet duidelijk of we die wel hebben.'

Maaike keek haar hoofdredacteur verwachtingsvol aan.

'Nou, één ding is zeker,' mompelde deze. 'Dat joch heeft lef. Hij praat wat verward, haalt wat dingen door elkaar. Dat kan door de spanning of de honger komen. Ik vraag me af wat hij met die saamhorigheid bedoelde.'

'Wat maakt het uit? Wij hebben een primeur.'

41

Lara was blijven slapen. Ze had een aantal extra voedselpakketten uit haar gestolen voorraad meegenomen en voor de allereerste keer had Peter erin toegestemd daarvan te eten.

'Het klopt niet,' had hij gezegd. Maar hij deed het toch.

Terwijl hij zijn reiskoffer van zolder haalde en de eerste spullen klaarlegde voor zijn reis naar de topconferentie in Beijing, was zij naar het station gefietst om een *Telegraaf* te kopen.

Samen lazen ze het artikel. De opmerking 'Niet alle hangjongeren zijn tuig' leverde hem een vrolijke lach en een dikke zoen van Lara op.

Zenuwachtig maar vastberaden stapte Peter om vijf voor acht in zijn auto. De taak die Job Slotemaker hem had gegeven was simpel, maar cruciaal. Eén achteloos uitgesproken zinnetje, van man tot man, van een ondergeschikte tot zijn baas. De kracht zat hem erin dat hij niets dan de waarheid zou spreken. Timing was de sleutel.

'Vergis je niet,' had Job tegen Lara gezegd. 'De moeilijkheid ligt in de eenvoud. Het moet subtiel, achteloos, vanzelfsprekend. Alleen dan wek je geen achterdocht.'

Hoe kun je iets achteloos doen als je zo doordrongen bent van het belang ervan?

'Het is onze enige kans. Als Bol niet hapt, ontsnapt hij ons. Morgenvroeg wordt Arie Roozendaal gearresteerd, tegelijk met alle andere leden van het Syndicaat van wie we de naam kennen. De president wil dat de beelden daarvan nog voor de topconferentie kunnen worden vrijgegeven.'

Peter had geen idee wat er ging gebeuren als hij die ene explosieve zin tegen Bol zou hebben uitgesproken. Job had geweigerd daarover te praten.

'Daar moet Peter zich niet druk om maken. Anderen zullen daarvoor zorgen. Professionals, neem dat van mij aan.'

'Je vrienden van de CIA?' had Lara aangedrongen.

Job had niet ontkend en niet bevestigd: 'Ieder doet zijn ding, het heeft geen zin om meer te weten dan nodig is.'

Op de weg stond een korte file. Peter kwam om tien over negen op het ministerie aan. Iets te vroeg. Met een kort knikje liet hij zijn beveiligers weten dat hij het boven, in het Fort, wel zonder hen kon stellen.

Peter had het gevoel dat iedereen van meters afstand aan hem kon zien dat hij vandaag zou proberen de grote baas erbij te lappen. Dubbelspel. Een held en een verrader. Voor de laatste keer repeteerde hij zijn tekst: '*Er zijn geruchten...*' '*Het is vertrouwelijk...*'

De luistervinken zaten klaar, satellieten hingen gretig boven het land. Amerikaanse commando's stonden op scherp, ergens in de buurt, om zo nodig met vol materieel uit te rukken. Maar de praktijk bleek weerbarstig.

Hij had nog geen voet over de drempel gezet, of alles ging fout.

Bol was woest. 'Naar mijn kamer!' blafte hij Peter toe. 'Nu!'

Witheet beende Bol voor Peter uit.

'Hoe durf je! Insubordinatie! Het land in crisis, hongersnood, rellen, we zitten midden in een noodtoestand en dan stook jij het vuurtje nog eens op. Jij! Iemand van mijn eigen team! Je zou als verrader aan de schandpaal moeten worden genageld. Wat ben je voor een vuile klootzak dat je mij dit aandoet!'

Peter vergat waarvoor hij was gekomen en werd minstens even kwaad.

'Dat ik jou dit aandoe!' schreeuwde hij Bol in het gezicht. 'Vuile hypocriet! Denk je dat ik bang ben voor jouw grote woorden? Alsof ik niet doorheb dat je alleen maar aan jezelf denkt!'

Briesend stonden ze tegenover elkaar.

'Het interesseert me geen ene moer wat jij over mij denkt, Vink, en je zou er goed aan doen je grote bek eens dicht te houden en te luisteren naar wat ik te zeggen heb. Je bent een vlieg aan de muur. Een omhooggevallen ambtenaartje dat ik met één knip van mijn vingers kan vervangen. En al verschijnt jouw hoofd duizend keer op CNN, ik ben hier de baas. Ik bepaal wat er gebeurt! En ik bepaal dat jij mijlenver over de schreef bent gegaan. Het is voorbij, Vink. Ik pik het niet langer.'

'Lul niet,' schamperde Peter, die het echt helemaal zat was. 'Jij bent niets, Bol. Een praatjesmaker. Een dikdoenerig patsertje van niets. Heb jij, of al je zo belangrijke vriendjes, de afgelopen dertig jaar iets aan het klimaat gedaan? Niets! Terwijl iedereen wist dat de gevolgen desastreus zouden zijn en er dus meteen iets gebeuren moest. Jaar in, jaar uit! En hebben jullie daar conclusies uit getrokken? Zijn jullie afgetreden omdat jullie iedereen in de steek hebben gelaten door niet te doen wat nodig was? Nee! Wat heb jij nou echt gedaan? Behalve foeteren, afbekken en...'

De deur ging open en opnieuw kwam Truus Dankers binnen.

'Heren, het lijkt me goed,' begon ze, 'om...'

'Eruit,' schreeuwden Peter en Bol in koor.

Het AIVD-hoofd trok wit weg en verliet meteen de kamer.

'Je bent een leugenaar, Klaas Bol! Je liegt als je de mensen voorspiegelt dat je met wat maatregelen hier en daar hun veiligheid wel even zult regelen. Je sust de boel, terwijl iedereen juist gewaarschuwd moet worden. Daar hebben mensen recht op, maar daar heb jij schijt aan. Je bent een klootzak!'

Kennelijk troffen deze woorden doel. Klaas Bol veranderde opeens van een agressieve, koppige chef in een kalme, oude baas. Hij veegde nadenkend wat zweet van zijn wenkbrauwen, wachtte tot de ergste woede uit zijn lichaam wegtrok en keek Peter bijna droevig aan.

'Ga zitten, Vink, en luister. Je hebt het mis. Niemand is gebaat bij paniek. We zullen het samen moeten doen. En jij bent niet langer een deel van de oplossing, maar misschien wel het grootste probleem van dit moment. Staatsvijand nummer één, als je begrijpt wat ik bedoel.'

Peter had Bol nog nooit zo ingehouden, zo vol zelfbeheersing zien praten, en voor het eerst kreeg hij echt door hoe gevaarlijk deze man was. Bol was geen blaaskaak of een brulaap meer, maar een ijzige en daardoor waarschijnlijk dodelijk effectieve tegenstander.

'Het gaat je niet lukken, Bol, wat je ook probeert. De mensen zijn niet gek. Ze zien wat je doet!'

'En wat doe ik dan, meneertje betweter?'

'Je bent alleen begaan met jezelf. Je grijpt elk probleem aan om duidelijk te maken hoe goed je bent. Het interesseert je niet hoeveel mensen er honger lijden. Het hele team dat je hebt opgebouwd, dit hele Nationaal Crisis Coördinatieteam, is waardeloos. Besluiten zijn uitgelekt voordat ze genomen zijn. Weinig maatregelen die we ooit hebben genomen, blijken effectief. De dag voordat het voedsel bewaakt werd, werd het gestolen. De dag voordat alle export verboden werd, ging alles de grens over. De dag voordat de Tamiflu-voorraden beveiligd werden, stak iemand ze in de fik. Is dat een manier om effectief de noodtoestand te regelen? Is dat waar jij zo trots op bent?'

'Hou je kop, Vink, je weet niet waar je over praat. Alle inlichtingendiensten en politiediensten in dit land maken overuren, dat weet je net zo goed als ik. Geert Wennemars heeft zijn leven hiervoor gegeven en Truus Dankers werkt dag en nacht. Hou je oordelen over hen maar voor je. Fouten worden gemaakt, en ja, af en toe lekt er weleens iets uit. Geen enkele organisatie is helemaal waterdicht, wat je ook probeert.'

'Ik vraag me anders af of je dat überhaupt probeert,' snauwde Peter.

Bol sprong op, als door een wesp gestoken. Hij keek Peter met onverholen haat aan. 'En wat wil je daarmee zeggen, Peter Vink?'

Peter balde zijn vuisten en zette zijn tanden op elkaar.

Met alle zelfbeheersing die hij in zich had riep hij zichzelf tot de orde. 'Niets.' Het was vijf minuten voor halftien, hij had een missie te vervullen.

'Donder op,' zei Bol. 'Ga weg. Pak je spullen. Verlaat het gebouw. Ik wil je voorlopig niet meer zien.'

De kamer van Klaas Bol was een van de weinige ruimten in Nederland waar de afluisterapparatuur van Coldmans mannen geen waarde had. Het hele Fort was van een elektronisch gordijn voorzien dat ondoordringbaar was voor de luistervinken van de CIA. Via een camera op het gebouw aan de overzijde van de straat kon worden vastgesteld dat Vink met Bol aan het praten was. Het was eenvoudig vast te stellen dat er niets terechtkwam van de voorgenomen 'achteloosheid'.

De beelden, die werden doorgestuurd naar de legerbasis in Zuid-Limburg en daar op een grote flatscreen binnenkwamen, leidden tot heftige discussie.

Rob Walstra maakte daar abrupt een eind aan: '*Shut up, everybody*! Iedereen blijft op zijn post en houdt zich stil. *It ain't over yet.*'

Alle commando's rond het ministerie bleven in positie. Ze bevonden zich in wat bekendstond als 'de zweethut': je zag het fout gaan, zonder er iets aan te kunnen doen. Alleen wachten. Klaarstaan en wachten.

Arie Roozendaal lag ondertussen onder zijn zonnebank.

Enkele minuten voor de start van de topconferentie in Beijing zou zijn optreden op YouTube iedereen versteld doen staan. Dan kon hij er maar beter voor zorgen dat hij er goed gebruind op stond.

Deze dagen, in het zicht van zijn ultieme overwinning, zou hij blij moeten zijn. Extatisch! Euforisch! Maar hij voelde vooral woede en een diepe, diepe haat. Hij had de mooipraterij van Peter Vink in de krant gelezen. Het was onvoorstelbaar dat een naïeve, zogenaamd 'verantwoordelijke' sukkel als Vink zoveel aandacht kreeg.

Welbeschouwd had Peter Vink hem de laatste tijd meer dwarsgezeten dan wie ook. Hij had Witkam ingepakt totdat deze hem over de oorsprong van het virus vertelde. Hij had de link tussen de smeltende poolkappen en de hongersnood bekendgemaakt. Door zijn eigen snelle actie had Arie Roozendaal voorkomen dat hem dat op grote verliezen was komen te staan. Hij had altijd wel geweten dat het mammoetverhaal vroeg of laat bekend zou worden en had ook deze keer weer vette winst gemaakt. Maar dat maakte Vink niet minder irritant. Dat joch haalde hem het bloed onder de nagels vandaan. Zijn ontsnapping aan de moordenaar was onacceptabel geweest en zijn aanstaande glansrol in Beijing was ronduit te gek voor woorden.

Niet dat dat veel uitmaakte, dat wist Roozendaal ook wel. Zijn eigen optreden en het spectaculaire opblazen van de beurzen zouden alles in één klap veranderen.

Hij liet zich op zijn zij rollen en stapte onder de zonnebank vandaan. Met de verborgen camera konden de commando's zien hoe hij zichzelf een geurtje opspoot en poedelnaakt door de badkamer heen en weer banjerde.

'Onderdanen,' klonk zijn stem door de microfoon.

'Taxi vijf, hier taxi vijf,' gaf de commando door. 'De adelaar zit op zijn nest.'

Peter wist dat hij niet weg kon lopen.

In de luwte van het moment herinnerde hij zich weer wat hem te doen stond.

'Wat sta je daar verdomme nog te dralen! Heb je me niet gehoord? Ga uit mijn ogen, Vink, voordat ik je iets aandoe.'

De wijzers op de klok die aan de muur hing, gaven aan dat het twee minuten voor halftien was.

De Amerikanen moesten het er maar mee doen, besloot Peter, die twee minuten was hun zaak, hij kon niet langer wachten.

'Ik moet je nog iets anders vertellen,' zei hij met een afgeknepen stem. Snel, voordat Bol er iets tussen in kon brengen, leverde hij zijn 'pakketje' af.

'Er zijn geruchten. Of eigenlijk is het zeker. Maar het is strikt vertrouwelijk, ik mag het niet eens weten en we mogen het aan niemand vertellen.'

'Nou, als zelfs jij het niet eens mag weten,' smaalde Bol. Maar hij luisterde tenminste. Waarschijnlijk niet zozeer uit nieuwsgierigheid, maar meer uit angst. Pure angst om iets te missen.

'Er zijn bewijzen dat een bende topcriminelen bewust bezig is de hongersnood te verhogen. De Amerikaanse president suggereerde dat al een beetje in zijn toespraak. Nu schijnt het dat een van de leiders van die bende in Nederland woont. Ze willen hem vannacht of morgenochtend oppakken. En iedereen die met hem samenwerkt. Tot dat moment willen ze alles strikt geheimhouden, dat spreekt vanzelf. Je mag er met niemand over praten.'

Het was één minuut voor halftien.

'Wie willen het geheimhouden?'

Vertel niet te veel, had Job gezegd. *Geef niet alles weg. Hoe minder je hem vertelt, hoe meer je hem in de tang hebt. Zijn probleem is dat je niets dan de waarheid spreekt. Een kat in het nauw maakt rare sprongen.*

'Dat zeg ik niet,' schokschouderde hij daarom. 'Ik mag mijn bronnen niet prijsgeven.'

'Je bent een lul, Vink. Je bent de grootste klootzak die ik ken.'

Het is het gevaarlijkst als je de berg af komt. Als het pakketje is gepost, als het gelukt is, doe dan geen rare dingen. Word niet overmoedig, zeg niets raars, laat je zelfs niet verleiden tot een glimlach.

Peter begreep opeens waar Job hem zo nadrukkelijk voor gewaarschuwd had. Alles wees erop dat Bol, de verrader, had gehapt! Hij zou worden ontmaskerd en gepakt. Door hem!

De informatie moet zijn werk doen. Niet jij.

Hou je koest en maak je uit de voeten.

Op de Amerikaanse legerbasis in Zuid-Limburg staarde officier Rob Walstra naar het mobieltje dat voor hem lag. Het trilalarm was afgegaan.

Een sms'je van Vink, niet meer dan één letter, verstuurd door een druk op de knop die zo simpel was dat Vink er zijn mobieltje niet eens voor uit zijn broekzak had hoeven halen.

De officier draaide zich meteen naar het paneel en drukte razendsnel een twintigtal knoppen in.

Het pakketje was gepost.

De Monnik zat in zijn eentje in zijn kantoor en wachtte.

Zijn computerschermen toonden simultaan de gegevens van alle e-mailberichten en telefoongesprekken, inclusief die via mobieltjes, in en uit het Nederlandse Fort, en daarnaast alle communicatie van en naar Arie Roozendaal.

Om de minuut verscheen er een klein groen lampje onder in zijn beeld.

Zijn eenheden waren paraat...

Drie Amerikaanse mariniers in burger hielden het pand aan de PC Hooftstraat in de gaten. Roozendaal was nog steeds thuis, dat wisten ze. Een blok verderop, aan de Overtoom, stond een oud, versleten volkswagenbusje met een verrassend nieuw motorblok en zeven tot aan de tanden toe bewapende commando's in de geblindeerde laadruimte. In de Vondelstraat en op het Leidseplein stonden snelle auto's klaar, een grijze bmw en een Saab turbo. In beide auto's zaten vier commando's, in paren van man en vrouw.

Drie vergelijkbare eenheden bevonden zich in Den Haag, klaar om Klaas Bol te overmeesteren zo gauw die zich verraden had.

Als ze in actie zouden moeten komen, zou dat snel en meedogenloos gebeuren.

Job had geëist dat hij in een van deze auto's mee mocht doen, maar zijn eis was niet ingewilligd. De commando's opereerden in een vaste samenstelling, daar wilde Walstra onder geen beding van afwijken. Dus zat Job nagelbijtend in zijn boot in de jachthaven in Amsterdam-Noord. Ron Coldman zou hem op de hoogte houden. Als Bol of Roozendaal gepakt werd, zou Job meteen een seintje krijgen. Hij zou worden opgehaald en bij het eerste verhoor aanwezig mogen zijn. Dat zou de woede van de AIVD, die geheel buiten de operatie was gehouden, wellicht nog iets bekoelen. Tenslotte was het Wennemars zelf die Job bij deze zaak betrokken had.

Het was inmiddels vijf minuten over halftien en er was nog niets gebeurd.
    Hoewel...
    Het Fort schudde op zijn grondvesten.
    Klaas Bol banjerde, briesend als een stoommachine die op het punt van exploderen stond, door de gangen. Met een knalrode kop snauwde hij bevelen rond, zette mensen op hun nummer en griste gegevens uit een kaartenbak, om vervolgens zonder opgaaf van redenen naar buiten te vertrekken.

42

Het observatieteam in Den Haag zag hoe Klaas Bol het gebouw verliet en met grote passen de Prins Clauslaan overstak. Vier commando's volgden hem te voet; een van de auto's reed van de parkeerplaats en nam een nieuwe positie in, pal naast het station waar Bol nu heen liep.

Bol had, geheel tegen zijn gewoonte in, zijn auto bij het ministerie laten staan, en dat zorgde voor de nodige verwarring.

Walstra zat achter de knoppen. 'Taxi drie?'

'Target en beveiligers in zicht; geen extern contact; geen teken dat ze weten dat ze gevolgd worden.'

'Taxi één?'

'Bevestig visueel contact.'

Elke beweging werd vastgelegd en doorgegeven. Op de grote computerschermen in de werkplaats op de legerbasis kon Walstra in één oogopslag zowel de positie van Bol als die van zijn mannen zien.

Hij zag hoe Bol abrupt van richting veranderde, het Bezuidenhout over, naar de vijver aan de rand van het Haagse Bos. Zijn beveiligers schrokken ervan en moesten enkele meters ruimte toestaan, omdat ze pas konden oversteken nadat een rij auto's gepasseerd was.

Team drie liep door alsof er niets gebeurd was. Zij zouden naar een van de geparkeerde auto's gaan en de plek innemen van de collega's die daar op hun post zaten. Twee andere collega's stonden aan de overkant al klaar om het van hen over te nemen.

Bol werd geen moment uit het oog verloren. Hij had nog steeds niemand aangesproken, nergens een briefje achtergelaten en zijn mobieltje niet gebruikt.

In de PC Hooftstraat gebeurde ondertussen niets. Klaas Bol had Roozendaal nog niet gewaarschuwd, terwijl het daar juist om was begonnen.

Om tien over halftien kregen alle Amsterdamse eenheden opdracht zich te verplaatsen.

Iedereen in het Fort was onthutst door het plotse, snelle vertrek van Klaas Bol.

'Oef,' zei een van de juristen, terwijl hij als een kleine jongen op zijn voetzolen heen en weer sprong. 'Niet normaal, man!'

Hij was de eerste die wat zei.

'Het blijft een mafkees,' reageerde Ronald, een andere jurist.

'Let op je woorden, jongeman,' snauwde Truus Dankers. 'En hou je gemak.'

Ze klonk niet erg overtuigend; ze was nog niet helemaal bekomen van de manier waarop Bol en Vink haar gezamenlijk de kamer uit geschreeuwd hadden.

'Wat is er gebeurd?' vroeg ze aan Peter, die net de werkzaal binnen kwam.

Peter negeerde alle aanwezigen, kroop achter zijn computer en ging als een bezetene aan het werk, alsof het niemand wat aanging waar hij mee bezig was.

'Ik vroeg je wat, Peter Vink,' zei Dankers op hoge toon. 'We hebben met z'n allen een belangrijke klus te klaren, dus ik meen dat iedereen in deze zaal op zijn minst het recht heeft om te weten waar het over ging, daarbinnen.'

'Vraag maar aan Bol,' reageerde Peter koel. 'Ik heb geen zin om er verder ook maar één woord aan vuil te maken.'

'Geen zin... geen zin,' bootste Dankers hem met een misselijkmakend stemmetje na. Ze draaide helemaal door. 'Ik geloof niet dat het ertoe doet waar jij zin in hebt.'

Peter draaide zich naar haar toe en haalde diep adem om eens flink tegen haar uit te vallen, maar Johan Vermeulen zag het aankomen en greep tijdig in.

'Oké, time-out! Time-out!' riep hij. 'Kalm aan, we staan allemaal onder druk, iedereen heeft hard gewerkt, en ik hoef niemand eraan te herinneren dat Peter nog niet zo lang geleden helemaal in de kreukels in het ziekenhuis lag. Rustig blijven nu. Iedereen!'

Niemand in het Fort had ooit meegemaakt dat Johan op zo'n manier verantwoordelijkheid nam; het was dan ook waarschijnlijk uit pure verbazing dat iedereen naar hem luisterde.

Truus hield haar mond, de jurist ging weer zitten en Peter staarde zijn vriend zonder verder iets te zeggen verbaasd aan.

'Kom mee, Peter, we lopen even een blokje om,' zei Johan. 'Even bijkomen... Frisse lucht...'

Hij troonde Peter mee naar buiten, hem strak bij de arm houdend alsof hij bang was dat zijn vriend elk moment bij hem vandaan kon glippen.

'Frisse lucht!' zei Johan nog eens toen ze buiten stonden. 'Kom maar, Peter, hier is alles rustig.'

Ze liepen over de stoep waar Geert Wennemars vermoord was, maar het was duidelijk dat Johan daar niet aan dacht.

'Kijk om je heen, zie hoe mooi het hier is. Een mooi winterzonnetje... Je moet echt kalmeren, Peter. Volgens mij ben je behoorlijk overwerkt.'

'Nee, het is iets anders,' gaf Peter aan.

'Geeft niet, geeft niet, komt wel goed,' zei Johan.

Ze liepen langs de vijver, waar alle voorgaande jaren altijd eenden en ganzen hadden rondgedobberd. Nu was het water leeg, alle dieren waren maanden geleden al gevangen, geroosterd, opgegeten. Het was dezelfde vijver waar Klaas Bol nog geen tien minuten geleden langs gelopen was.

'Gaat het weer een beetje?'

Peter knikte.

'Goed, mooi... Wat was dat allemaal, met Bol, bedoel ik?'

'Bol is een lul,' zei Peter. Johan knikte en moest grinniken om de directheid van zijn vriend.

'Hij zat zeker over je artikel in *De Telegraaf* te zeiken?'

Peter ging hier niet op in.

Niet wetend wat te doen, keek Johan om zich heen. Afgezien van de persoonsbeveiligers die hen op gepaste afstand volgden, liep er niemand in de buurt.

'Mij is het soms ook te veel, weet je. Niet dat ik hetzelfde heb meegemaakt als jij, met die aanslag en zo. Maar gewoon... de noodtoestand, de honger, de beveiliging. Soms wilde ik dat alles weer gewoon was. Dat we weer gewoon kunnen lachen, kletsen, voetballen zonder ons ergens druk om te moeten maken.'

Peter luisterde maar half. Hij voelde een diepe triomf in zich opborrelen.

Verwacht geen blaasorkest als het lukt, had Job gezegd. *Zelfs als het werkt, is het niet zeker dat we meteen tot arrestatie overgaan. Bol zal Roozendaal inlichten en die zal meteen maatregelen nemen. Waarschijnlijk tipt hij een aantal anderen binnen het Syndicaat... De Amerikanen bepalen wanneer ze ingrijpen, dat is niet aan ons.*

De Monnik nam vanuit Langley contact op met Job Slotemaker.

'We weten nog niets,' vertelde hij zonder omwegen. 'Misschien komt het nog. Bol is naar huis gegaan en rommelt daar wat rond. Misschien is hij toch niet degene die we zoeken.'

'Of misschien werken ze met codes die jij niet kent,' beet Job de Monnik toe. Hij was verontwaardigd. De zaak dreigde hem door de vingers te glippen en de Monnik was verantwoordelijk.

'Of misschien werken ze met codes die wíj niet kennen,' weerlegde Coldman geduldig. 'Bol is ineens het gebouw uit gelopen, maar hij had dezelfde kleren aan als altijd. Dezelfde kleur sjaal, dezelfde jas, hetzelfde aantal knopen dicht, de kraag die altijd omlaag gevouwen zat, zat vandaag niet omhoog. Hij deed niets ongewoons. Hij heeft wel zijn auto laten staan. Dat kan de code zijn; we dachten dat we beet hadden. Maar hij was gewoon woest en nam kennelijk de tijd om wat af te koelen. Een kort uitstapje langs de vijver in het park.'

'Dat kan ook een code zijn!'

'Ja, dat zei ik, het is mogelijk, maar het kan ook loos alarm zijn. Hij heeft geen veters vast- of losgemaakt, hij heeft niemand aangesproken en is nergens blijven staan. En toen hij naar zijn auto ging, reed hij rechtstreeks naar huis. Standaardroute, geen gedoe. Dus hou je gemak, Job, mijn mensen weten wat ze doen.'

'Het kan een code zijn!' bleef Job stug herhalen.

'Roozendaal heeft geen enkel bericht ontvangen,' zei de Monnik. 'En Bol heeft de telefoon niet aangeraakt. Zijn computer staat uit...'

Coldman wreef vermoeid over zijn kale schedel. Zijn computer had een directe verbinding met de centrale computer in de werkplaats van de legerbasis in Zuid-Limburg. Van daaruit was het verslag van de commando's direct te horen.

'Wacht! Hij pakt zijn telefoon... moment... Nee, hij belt niet... hij checkt zijn voicemail.'

'Blijf erbovenop zitten,' drong Job aan.

'Rustig maar, Job. Ergens in de loop van de komende uren... één foutje en we hebben hem.... één noodlottige seconde... geloof me, we zijn er klaar voor.'

Peter was naar huis gegaan. Hij liep naar boven, waar Lara zat te wachten, en ging languit, met zijn hoofd op haar schoot, op de bank liggen.

'Twee minuten te vroeg,' zei hij.

'Geeft niet. Je hebt het gedaan, daar gaat het om... Meer kon je niet doen.'

Beiden hadden ze hun mobieltje binnen handbereik.

Als Bol ontmaskerd werd, zouden ze meteen worden gebeld. Alle twee. Via een open lijn. Al het stiekeme gedoe zou dan voorbij zijn.

Peter vertelde uitgebreid hoe het gegaan was, van de eerste ruzie tot het moment dat Johan hem naar buiten had getroond. Hij was moe, maar heel tevreden.

'Johan is een goede vriend,' zei Lara. 'Hij staat er als je hem nodig hebt.'

'Hij heeft geen flauw idee wat er gaande is.'

'Gelukkig maar. Het is niet makkelijk om te weten wat wij weten, en om te doen wat jij net hebt gedaan. Wees blij dat hem dat bespaard blijft.'

Daar zat wat in.

Peter greep naar de afstandsbediening en zette de televisie aan. Lusteloos zapte hij van zender naar zender, maar nergens werd melding gemaakt van spectaculaire arrestaties in Amsterdam en Den Haag.

Niets. Er werden enkel herhalingen getoond, van lachende mensen uit de tijd dat nog niemand van het graanvirus had gehoord.

Zijn beveiligers, die zich gewoontegetrouw hadden teruggetrokken in de bijkeuken, keken ongetwijfeld naar dezelfde melige uitzendingen. Hoe dom kunnen we zijn, met z'n allen.

Peter lachte met het schorre geluid dat hij de laatste tijd vaker liet horen. Het was geen echte lach, meer een grom, een grom van iemand die zich door niets en niemand meer laat stoppen.

Hij kwam in één beweging overeind en nam Lara's handen in de zijne. 'Hij heeft ons uitgenodigd,' zei hij.

'Wie?'

'Johan.'

'Uitgenodigd waarvoor?'

'Gewoon... een avond samen. Eerst naar de voetbalclub met de jongens en daarna bij hem thuis. Hij zegt dat hij eten heeft en nodigt ons uit voor een diner.'

Maak je uit de voeten, had Job gezegd. *Doe normaal, maar doe dat ergens anders.*

'Hoe komt Johan nu aan eten?'

'Wat maakt dat nou uit! Hij heeft zo'n lespakket uitgeprobeerd. Is met onkruid en boombast aan de slag gegaan. Jij bent ook uitgenodigd. Dat zei hij er expliciet bij. Hij wil graag dat je er ook bij bent.'

'Maar hij kent mij niet eens.'

Peter haalde zijn schouders op. 'Ik heb hem over je verteld. Niets bijzonders. De vrienden van mijn vrienden... Dat kan toch? Trouwens, daarnaast komt het hem denk ik wel goed uit als je meekomt. Wendy, zijn vrouw, heeft de laatste tijd flink de balen van hem. Misschien wil hij met zo'n etentje de sfeer weer wat ten goede keren.'

Lara wist niet wat ze daarvan denken moest. 'En Beijing dan? Heb je al gepakt?'

Zwijgend wees Peter naar de twee kloeke koffers die gebroederlijk naast elkaar klaarstonden.

'Johan heeft gelijk,' vond hij. 'Zonder vrienden is niets vol te houden. Ik wil ook graag jouw vrienden leren kennen. Als dit allemaal voorbij is...'

43

Aan het einde van de middag had Bol nog geen bericht naar Arie Roozendaal gestuurd. Ook had hij niets ondernomen wat erop wees dat hij zijn eigen ontsnapping voorbereidde, voor het geval het hele netwerk van het Syndicaat zou worden blootgelegd en dus ook hij ontmaskerd zou worden.

Job zat in zijn boot en hield zichzelf voor dat hij boven alles kalm moest blijven. Bol zou voor middernacht moeten happen, hadden ze besloten. Als hij dan nog niets gedaan had, zou hij niet langer als verdachte worden beschouwd. Dan hadden ze een verkeerde analyse gemaakt, met als gevolg dat een ander de dans zou ontspringen.

Maar zo ver, hield Job zichzelf voor, was het nog lang niet. Hij had schuursponsjes en emmers klaargezet om zijn boot goed schoon te maken. Half liggend, tussen de palen, begon hij de dikke laag van vastgekoekte algen van de kiel te schuren, maar al na een paar minuten zag hij in dat het gekkenwerk was om dat nu te doen. Hij kon zich toch niet concentreren. Dus pakte hij zijn spullen weer bij elkaar en klom via het krakkemikkige houten laddertje het dek op.

De Monnik zou hem elk uur bellen. Puur om iets omhanden te hebben greep hij een papiertje en begon met een potlood schetsen te maken van de schepen die om hem heen in de loods waren gestald. Als tiener had hij altijd veel getekend. Gezichten, brommers, huizen. Zelfs een enkel naaktportret van een wellustig klasgenootje. Zijn handen wisten nog hoe het moest; de lijnen, de vlakken en de schaduwen verschenen als vanzelf op papier. Job merkte dat het hem iets kalmeerde.

Zonder op de afloop van de operatie vooruit te lopen besefte hij dat de kans dat Bol de man was die ze moesten hebben met de minuut kleiner werd. Of hij was de verrader niet, of hij was slimmer dan ze dachten en had een systeem van communicatie opgezet waar zij de vinger maar niet op konden leggen. Een goed systeem, wist hij, was niet te kraken. Misschien had Bol terwijl hij langs de vijver liep, zijn linkerhand even in zijn zak gehad. Of juist niet. Hoe kwam je er ooit achter welk gebaar een code was en welk niet? Wie had zijn signalen opgepikt?

Dat de CIA ondertussen ook Roozendaal in beeld had, sprak natuurlijk in hun voordeel. Wat de code ook was, als er een sms of mail naar Roozendaal ging, zouden zij dat weten. Sinds de opmerking van Roozendaal over 'één druk op de knop' lag zijn computer helemaal aan banden. Niets ging erin of eruit zonder dat Langley daarvan op de hoogte was.

Job had durven zweren dat Klaas Bol de infiltrant was die ze zochten. Hij herinnerde zich het vreemde optreden van Bol nog als de dag van gisteren, in het ziekenhuis waar Peter had gelegen. En ook op andere momenten had de man zich, zacht gezegd, verdacht gedragen.

De minuten verstreken. Als Klaas Bol voor middernacht geen enkele boodschap naar Roozendaal gestuurd had, was hij schoon. Daar moest hij het mee doen.

Terwijl hij vanuit de losse pols de ene na de andere boot op het papier toverde, ging Job in gedachten de andere verdachten na.

In Langley waren ze het met hem eens geweest dat Klaas Bol waarschijnlijk de infiltrant was. Hun tweede verdachte was Truus Dankers, het nieuwe hoofd van de AIVD. Job begreep waarom de CIA dat dacht, maar had zelf niet het gevoel dat zij de persoon was die ze zochten. Truus Dankers had weliswaar promotie gemaakt dankzij de moord op Wennemars, maar dat maakte haar nog niet tot een verrader. En daarbij kwam dat hij nog steeds een hoge dunk van zijn vorige werkgever had. Als er bij de AIVD zaken niet klopten, wat nooit helemaal uit te sluiten viel, was het onwaarschijnlijk dat het op zo'n hoog niveau binnen die organisatie fout was gegaan.

Uit de verschillende computeranalyses was geen enkele andere verdachte komen bovendrijven.

Kon het zijn dat ze iets fout hadden gedaan? Dat ze iets over het hoofd hadden gezien? Job probeerde al zijn bestaande theorieën overboord te zetten en de situatie helemaal blanco te benaderen.

Bij wijze van gedachte-experiment besloot hij Arie Roozendaal te bestuderen alsof hij met een amateur, een rommelaar, te maken had. Niks masterplan! Gewoon iemand die improviseert en zonder enige scrupules van buitenkansjes gebruikmaakt.

Op zich, besefte hij, was dit nog niet zo'n gekke benadering; hij had eerder zo gedacht. Het was een misverstand dat zo'n impulsieve crimineel minder belangrijk of gevaarlijk zou zijn dan meer strategisch opererende misdadigers. Integendeel! 's Werelds gevaarlijkste leiders van internationale misdaadsyndicaten, maffiosi en witteboordencriminelen hanteerden een impulsieve, intuïtieve aanpak. Het vormde de basis voor vaak volstrekt onvoorspelbaar en daardoor extreem moeilijk te bestrijden gedrag. Misschien was dat het probleem met Arie Roozendaal.

Wat zou zo iemand doen om in het Nationaal Crisis Coördinatieteam te infiltreren? Zelfs met al zijn voorkennis kon hij nooit geweten hebben wie er in dit team zouden worden aangesteld.

Hij moet hebben gewacht tot hij wist wie er bij het kernteam kwamen en toen hebben toegeslagen. *Focus op nieuwe contacten*, had Job in een van zijn aanbevelingen naar de CIA geschreven, maar dan moest je wel weten naar wat voor contacten je zoeken moest.

Met een half oog op de klok, die tergend langzaam voorttikte, volgde Job het spoor van zijn gedachten. Als Truus Dankers niet de infiltrant was die ze zochten, moest de dader een van de mannen van het Nationaal Crisis Coördinatieteam zijn. Zou het kunnen dat Roozendaal een mooie meid op een van deze knapen had afgestuurd? De geschiedenis van de spionage was bezaaid met voorbeelden waarbij dit effectief gebleken was. Mooie meiden zijn moeilijk te weerstaan, hoe sterk je karakter ook is.

Daarmee kwam hij op een van de kernvragen waar hij zich natuurlijk al veel eerder op had moeten richten: wie van de mannen was de laatste tijd met een nieuwe vrouw gesignaleerd?

Met een schok dacht Job aan Peter Vink. Waarom hadden ze Lara's geschiedenis nooit aan een nader onderzoek onderworpen?

De Monnik belde precies om halfzes. Coldman had weinig te zeggen. In feite was zijn enige boodschap dat er geen nieuwe ontwikkelingen waren.

Buiten was het inmiddels donker. De loods was verlaten. Iedereen behalve Job was al op huis aan.

Job, inmiddels op van de zenuwen, ontvouwde zijn nieuwe gedachten. De Monnik hoorde hem aan, om Job meteen nadat hij was uitgepraat te bevelen 'in de discipline' te blijven.

'Tot het eind van de operatie. *It ain't over yet*, Job. Niet voor middernacht.'

Peter en Lara hadden hun auto netjes op de parkeerplaats gezet en liepen nu langs de voetbalvelden in de richting van de kantine.

Johan zat met zijn lange lijf op zijn hurken in de bosjes, samen met de hem toegewezen twee mannen van de beveiliging, onkruid te plukken.

'Een smulbos!' gilde hij toen hij hen zag. 'Heel erg lekker!'

Ter gelegenheid van hun bezoek zou hij een salade maken, voornamelijk bestaande uit de korte brandnetelscheuten die tot laat in de winter onder de dikke mat van dode bladeren te vinden waren.

Een beetje ongemakkelijk liepen Peter en Lara op hem af. Hun beveiligers waren aan de rand van het sportcomplex blijven wachten. Peter negeerde hen altijd zo veel mogelijk. Hij deed het liefst of ze er helemaal niet waren, maar nu Johan zo vertrouwd met zíjn beveiligers brandnetels zat te plukken, was dat plots moeilijk vol te houden.

'Hier kan het,' zei Johan, die hun tegemoet liep en zijn ongemak goed interpreteerde. 'Thuis moet ik me inhouden. Wendy zou in de gordijnen klimmen van woede.'

Peter schoot in de lach bij de gedachte aan Johans vrouw die ergens boven in de gordijnen hing.

'Dit is Lara.'

Johan gaf haar een hand. 'Leuk je eindelijk eens te ontmoeten,' grijnsde hij. 'Niet dat Peter veel over je verteld heeft, maar ik wéét dat hij vaak aan je denkt.'

De beveiligers knikten Peter beleefd toe en trokken zich snel terug bij hun collega's aan het hek.

'Kom binnen. Iedereen is er al.'

'Iedereen?' vroeg Lara.

Johans grijns werd breder en breder. 'Je zult het wel zien,' zei hij.

In de kantine barstte een luid gejuich uit toen ze binnenkwamen. Peter werd onmiddellijk op de schouders genomen.

'En nu geen smoesjes meer, hè,' schreeuwde hun reusachtige centrumverdediger. 'Op de televisie laten zeggen dat je gewond bent, gewoon omdat je te lui bent om naar de training te komen. Daar trapt hier niemand in, hoor!'

Peter zag hoe iedereen zijn best deed. Hij was Lara direct uit het oog verloren. Af en toe ving hij een glimp van haar op terwijl ze, omringd door een aantal van zijn vrienden, aan de bar zat.

Puur voor de gezelligheid had Johan ook de mannen van de beveiligingsdienst binnengehaald. Maar deze konden de sfeer niet waarderen. Ze klampten Peter aan en legden hem uit dat deze drukte veel en veel te veel veiligheidsrisico's met zich mee bracht. Peter kon niet anders dan hen daarin gelijk geven en dus werd hij, geflankeerd door twee beveiligers, meteen de kantine weer uit geleid. Eén man ging terug om Lara op te halen.

Johan had net op tijd door wat er gebeurde.

Hijgend stormde hij achter hen aan de parkeerplaats op. 'Wat is er aan de hand?'

'Het gaat niet, Johan,' verontschuldigde Peter zich. Hij wilde zijn vriend niet kwetsen. 'Het is allemaal te druk. Te veel... Snap je?'

Johan was teleurgesteld, maar nam het sportief op.

'Geen probleem. Geef me één minuutje om het aan de anderen uit te leggen en dan gaan we naar mijn huis.'

Lara stapte alvast bij Peter in de auto.

Als een soort begrafenisstoet verlieten ze het voetbalcomplex: vooraan de auto van Peter en Lara, daarachter Johan in zijn kleine Fiat, dan de beveiligers van Peter in hun gepantserde BMW en als hekkensluiter de twee beveiligers van Johan.

Peter zat aan het stuur. Hij kende de weg naar Johans huis en draaide gedachteloos de goede richting in. Lara had hem zelden zo gespannen gezien.

'Was je bang? Was je bang dat die moordenaar in de drukte op zou duiken? Dat ze je nog een keer te pakken zouden nemen?'

Het duurde even voor hij reageerde. 'Job heeft nog steeds niet gebeld.'

Pal voor het huis van Johan en Wendy kwam de stoet tot stilstand.

Peter en Johan reden ieder de oprit op. De twee auto's van de beveiliging stopten schuin aan de overkant. Vandaar hadden ze een goed overzicht over de hele straat. De twee beveiligers van Peter stapten uit, checkten even bij hem of alles oké was en liepen naar de auto van hun collega's, terwijl Peter, Lara en Johan naar binnen gingen. Een huis in de gaten houden is zo moeilijk niet; je kunt ondertussen prima een potje klaverjassen.

'Wendy, schat, ik ben thuis!'

Vanuit de keuken klonk wat gestommel. Wendy was kennelijk niet echt in een gastvrije stemming, ze bleef waar ze was en heette hen op geen enkele manier welkom.

Johan wierp Peter een veelbetekenende blik toe. 'We hebben echt een fijn huwelijk,' constateerde hij opgelaten.

Hij hielp Lara uit haar jas, hing ook Peters jas aan de kapstok en ging hun voor, de woonkamer in.

'Maak het je gemakkelijk. Ik ga meteen even met deze salade aan de gang... We komen zo.' Op de drempel hield hij even halt. 'Speciaal voor jullie heb ik trouwens nog een extra verrassing. Tulpenbollen uit eigen tuin. Ik kwam pas een aantal oude recepten tegen van vroeger, uit de hongerwinter tijdens de Tweede Wereldoorlog.'

Hij haalde een verfrommeld velletje papier uit zijn achterzak en streek het glad tegen de deurpost.

'"Gebakken tulpenbollen", las hij voor. '"Als uien snipperen, in de frituur lichtbruin bakken. Bindingskracht is gelijk aan die van aardappelen. Een middel voor diegenen die niet van de zoete kastanjesmaak van tulpen houden is: de bollen voor het gebruik gedurende 24 uur in koud water zetten." Dat laatste heb ik gedaan, jullie kunnen ze straks zelf proeven.'

En weg was hij, naar de keuken. Het was inmiddels vijf minuten over zes.

De commando's die Klaas Bol in de gaten hielden, meldden dat Bol aan een tafel in zijn woonkamer driftig zat te schrijven.

De twee scherpschutters lagen al een kleine twaalf uur op hun buik op het platte dak tegenover het huis van Bol. Voor het die ochtend licht werd hadden ze hun posities al ingenomen, in het grijs gehuld, grijs geschminkt en onder een grijs camouflagenet. Om hun lichaam wakker en 'scherp' te houden, en te voorkomen dat het bij gebrek aan beweging in de kramp zou schieten, gebruikten ze dezelfde methode die de Engelse paleiswachten in Londen altijd gebruikten: zonder te bewegen spanden ze een voor een elk spiertje in hun lichaam aan, eerst bij hun tenen, dan hun middenvoet, hun enkels, hun onderbenen, hun knieën, helemaal tot aan het topje van hun schedel en dan weer van het begin af aan. Het was deze routine die hen in staat stelde ruim 24 uur aan één stuk alert te blijven.

Om zes uur precies zagen ze hoe Klaas Bol naar het raam toe liep en de straat in keek. Ze hielden hun vinger aan de trekker, en de loop van hun geweer precies op zijn voorhoofd gericht.

In het volkswagenbusje verderop in de straat zaten de zwaarbewapende Amerikaanse commando's van het eerste arrestatieteam. Snelle, actieve jongens die er een hekel aan hadden stil te zitten. Ze mochten zich niet bewegen en geen geluid maken dat de aandacht kon trekken. Hun commandoleider onderhield de communicatie met Zuid-Limburg. Hij gaf zijn maten een seintje dat ze paraat moesten zijn toen hij de melding kreeg dat Bol voor het raam stond. Maar buiten was niemand te zien en zo op het oog werd er geen enkel signaal gegeven.

Bol trok de gordijnen dicht. Door een kleine kier was er nog enig visueel contact mogelijk; verder waren ze nu volledig afhankelijk van elektronica.

No problem...

De klok sloeg zes keer.

Peter en Lara hadden nog geen bericht van Job Slotemaker gekregen. Lara stond, met haar handen op haar rug, voor een foto die bij Johan boven de bank hing. Een kampioensfoto. Elf bemodderde mannen hingen jongensachtig over elkaar heen, met een grote zilveren beker voor hen in het gras gestald. De lange, slungelachtige Johan stond zelf vooraan, in het midden. Het duurde even voordat Lara in de kluwen van mannen de gestalte van Peter herkende.

'Kampioenen?' vroeg ze.

'Wereldberoemd in heel Amsterdam-Zuid,' beaamde Peter.

Tot haar verbazing zei hij het met een zekere trots. Mannen blijven kinderen...

'Het eten is bijna klaar,' zei Johan terwijl hij haastig de kamer in liep om de tafel te dekken. 'Het wordt de lekkerste salade die jullie ooit hebben gegeten! Echt zelfredzaamheid, Peter. Precies waar jij van houdt! Brandneteltopjes, vogelmuur...'

Lara trok direct haar wenkbrauwen op.

'Verwacht je echt van mij dat ik brandnetels ga eten?'

'Vertrouw me maar. Je zult het zalig vinden. Heb je die folder bij die voedselpakketten niet gelezen? Over brandnetelsoep en brandnetelsalade? Daarin stond precies uitgelegd hoe je de brandnetels een nacht in de diepvries kunt leggen om het prikken minder te maken. Het wordt iets tussen een salade en een soort andijvie in. Onder de dode bladeren in de berm heb ik ook nog een paar paardenbloembladeren gevonden. Een feestmaal, speciaal voor jullie, wacht maar af. Peter, heb je de koffers in de auto laten liggen? Hoe lang is het eigenlijk vliegen naar Beijing?' Al kletsend dekte hij in hoog tempo de tafel.

'Waar is Wendy?' vroeg Peter.

'Ik kom eraan!' gilde Wendy vanuit de keuken. 'Bijna klaar!'

'Zullen wij vast gaan zitten?' Johan wees Lara een stoel en schoof deze galant voor haar aan. 'Ga jij daar maar zitten, Peet.' Hij was duidelijk erg ingenomen met hun bezoek en deed er alles aan om het hun naar de zin te maken.

'Wijntje?'

'Graag.'

'Peter, moet ik Kees en Tim ook een glas brengen? Wat vind jij?'

Peter had even geen idee wie Kees en Tim waren, maar algauw bedacht hij dat dat Johans beveiligers moesten zijn, die buiten in de auto zaten.

'Die mogen geen alcohol onder werktijd,' vond hij.

'Hoi Peter!'

Wendy kwam binnen en keerde Peter op wat afstandelijke wijze haar wang toe. Hij zoende haar en zei, zonder veel overtuiging, dat ze er goed uitzag.

De honger had Wendy geen goed gedaan. Ze had een wat vale huid gekregen en ingevallen wangen, alsof ze ziek of op zijn minst zwaar depressief was. Haar modieus geblondeerde haren, een grote hoeveelheid rouge en felrode lippenstift maskeerden haar gemoed.

'Ik had al veel eerder langs moeten komen,' verontschuldigde Peter zich slapjes. 'Maar ja, je weet hoe dat gaat... ik heb het vrij druk gehad; het zijn niet de makkelijkste tijden geweest.'

'Ja, ik weet het. Druk, druk, druk. Dat zegt Johan ook altijd.'

Ze reageerde kil, op het onbeschofte af, en Johan kon, over haar schouder naar Peter kijkend, niets anders doen dan in een onmachtig gebaar zijn schouders ophalen. Hun huwelijk liep niet best, dat had hij al gezegd, maar dat ze zich zo kil zou opstellen had Peter niet verwacht.

Hij wendde zich tot Lara en stelde beide dames in een soepele beweging aan elkaar voor. 'Wendy, dit is Lara.'

'Aangenaam,' zei Wendy terwijl ze Lara een hand gaf.

Lara voelde hoe het bloed uit haar gezicht trok, ze had moeite om overeind te blijven staan. Terwijl ze op de automatische piloot Wendy's hand schudde, greep ze zich met haar andere hand aan de tafelrand vast. Ze zag opeens allemaal zwarte vlekken en was bang dat ze ter plekke flauw zou vallen.

'Willen jullie... willen jullie me even excuseren,' stamelde ze terwijl ze op een drafje de kamer uit holde.

Lara kende het huis niet en wist niet waar de wc was. Gelukkig bleek die zich achter de eerste deur te bevinden die ze opendeed.

Ze dook naar binnen en draaide de deur op slot. Eén blik in de spiegel leerde dat ze er lijk- en lijkbleek uitzag. Snel plensde ze wat water in haar gezicht. Ze moest helder blijven! Nu meer dan ooit.

Hijgend ging ze op de wc-pot zitten. Kalm, Lara, kalm.

Ze dwong zichzelf rustiger te ademen, maar schoot keer op keer in een soort hyperventilatie. Niets hielp: staan... weer zitten... staan... een slok water... zitten... staan... nog een plens water in haar gezicht. Haar hart bonkte in haar keel. Ze ademde wat rustiger nu.

Wat moest ze doen? Lara sloot haar ogen en deed een schietgebedje, iets wat ze sinds haar kindertijd niet meer gedaan had, en haalde de deur van het slot.

Met de deur op een kiertje riep ze Peter: 'Peter, kun je even komen, alsjeblieft?' Ze zag hoe hij bezorgd de gang in liep.

'Wat is er, Laar?'

Toen hij binnen handbereik was, stak ze haar arm de gang in, greep hem bij zijn schouder en sleurde hem in één beweging de wc in.

'Hé, voorzichtig... wat doe je?'

De wc-ruimte was veel te klein voor twee personen. Ze pasten er domweg niet in! Hijgend, zonder iets te zeggen, wrong ze zich om Peter heen, duwde hem op de wc-pot, trok de deur dicht en schoof het haakje op het slot.

'Wat is er aan de...'

Ze sprong boven op hem, half over zijn schouders, half bij hem op schoot, met haar hoofd tegen de stortbak en haar knieën bij de wc-rol.

'Zij is het,' siste ze in zijn oor. 'Ik heb haar bij die Roozendaal gezien. Die ene keer op straat. Zij is de verrader!'

Intermezzo

Johan liep naar de gang en vroeg of er iets aan de hand was.

Gestuntel in de wc, een vreemde situatie.

Hij klopte. Vroeg of er een probleem was. Of hij de dokter moest bellen.

Langzaam, aarzelend, ging de deur open en kwamen ze naar buiten. Lara eerst, daarna Peter... Bleek, alsof ze in shock waren, zonder iets te zeggen.

Wat was er in hemelsnaam gebeurd?

En toen was daar Wendy. Zo had hij haar nog nooit gezien: haar lippen vertrokken, haar neus nog spitser dan anders – als een dolk, als een zwaard – en ogen die vuur leken te spuwen. Ze had een hand om de ketting aan haar hals gebald – een gouden ketting waarvan hij zich niet kon herinneren dat hij die haar had gegeven – alsof ze daar kracht uit putte. Kracht in een strijd die hij niet kende.

Neus aan neus stonden ze tegenover elkaar, Lara en de vrouw van wie hij wist dat ze de zijne was. Ooit. Nog steeds. De vrouw voor wie hij geen geheimen had, aan wie hij alles vertelde, maar die nu een vreemde voor hem was.

Lara en Wendy stonden oog in oog in een allesverlammend evenwicht. Maar Peter bewoog. Hij trok Lara met zich mee. Sleepte haar mee in de richting van de voordeur.

Johan zag het in slow motion. Een film waarvan hij slechts kon hopen dat het fictie was.

Wendy dook erachteraan... Greep het tasje dat Lara om haar schouder had... Scheurde het handvat... Krijste wanhopig toen de twee haar ontglipten.

Waarom? Waarom snapte hij nooit wat er gebeurde? Zijn hele leven al begreep hij het nooit.

Peter en Lara zaten in hun auto nu. Hij kon er niets aan doen. Wendy greep zich huilend aan zijn enkels vast terwijl ze wegreden.

Zijn beste vriend. Ze reden met hoge snelheid van hem weg.

DEEL 5

44

Met gierende banden schoot hun auto de hoek om.

De beveiligers, die volkomen overvallen werden door het snelle, paniekerige vertrek van Peter en Lara, sprongen met getrokken pistolen de straat op. Maar de straat was alweer leeg. Johan had Wendy de gang in geduwd en de voordeur achter zich dichtgedaan. Van Peters auto was alleen het motorgeronk in de verte nog te horen.

'Jullie tweeën! Het huis!' gilde een van Peters mannen terwijl hij naar zijn auto sprintte. Hij rukte aan het stuur en reed de auto vol gas achteruit. Na een halve draai kwam de wagen dwars op de weg te staan. Zijn partner gooide de passagiersdeur open en dook bij hem naar binnen. Vloekend schakelde de bestuurder en draaide tot de auto eindelijk in de goede richting stond en hij de achtervolging kon inzetten.

Lara en Peter lagen minstens twee blokken voor.

'Linksaf,' gilde Lara. 'En dan direct rechts!'

Ze scheerden rakelings langs een fietser en reden vervolgens bijna een bejaard echtpaar aan. Met een snelle ruk aan het stuur kon Peter een ongeluk voorkomen. Zijn voet was niet van het gaspedaal af geweest.

'Bel Job,' zei hij.

'Wat?'

'Bel Job. Het maakt niet uit of de lijn beveiligd is. Vertel hem wat we ontdekt hebben. Bel hem! Nu!'

Lara greep naar haar handtas om haar mobieltje te pakken, maar kon hem niet vinden.

'Shit! Mijn tas! Mijn telefoon!'

'Wat?'

Peter vloog in volle vaart op een verkeerslicht af, dat vlak voor hen op rood sprong. Geen tijd om te stoppen; zonder rechts of links te kijken schoot hij het kruispunt op, verder de stad uit.

'Ik kan mijn tas niet vinden! Wendy heeft hem van me afgepakt!'

'Pak mijn mobieltje, in mijn jaszak.' Peter knikte zijn hoofd wat naar achteren, om aan te geven dat zijn jas achter Lara op de achterbank lag. Of althans behoorde te liggen...

Lara zag niets. Ze klom half over de stoel om achter op de grond te kijken en viel boven op Peter toen hij weer met gierende banden een bocht om schoot.

Peters jas hing nog bij Johan aan de kapstok!

Ontdaan klauterde Lara weer terug in haar stoel.

Zo snel mogelijk reed Peter de snelweg op. Lantaarnpalen zoefden als mitrailleurkogels langs de ramen. Hij kon het nauwelijks bevatten dat Wendy de verrader was. Zijn eigen domme, goedmoedige, naïeve vriend had jarenlang samengeleefd met dat hypocriete secreet. Wendy had hem uitgezogen, vervloekt, verraden. En waarschijnlijk speelde Klaas Bol achteraf gezien dus toch geen dubbelspel. Hij was en bleef een opportunist, maar was kennelijk wel eerlijk. Peter sloeg hard met zijn vuisten op het autostuur en vloekte hartgrondig.

Lara zat trillend als een rietje naast hem. 'Wat moeten we nu doen?'

Peter had geen idee. Het zweet stond hem op zijn voorhoofd.

Lara boog zich naar hem toe en greep hem bij zijn schouder. 'Nu moeten we bewijzen wat we waard zijn, Peet. Nu of nooit. We moeten Job waarschuwen. Of de politie. Of wie dan ook. Wendy zal alarm slaan. Roozendaal moet gearresteerd worden. Wendy moet worden verhoord. Bedenk alsjeblieft hoe we dat gaan aanpakken, want ik weet het gewoon niet. Denk mee, Peter, alsjeblieft!'

Peter knikte en gaf een fikse ruk aan het stuur toen een vrachtwagen opeens de linkerrijbaan op schoot.

'Kalm maar,' hijgde hij, op een manier die allesbehalve kalmte verried. 'Ik moet ook op de weg letten. Blijven rijden. Ik bedenk wel iets.'

Maar echt veel kalmte was hun niet gegund.

Als uit het niets doemden twee motorrijders achter hen op. Een van hen kwam naast hen rijden en keek Peter recht in het gezicht. Een vrouw met gifgroene ogen. Hij wist meteen wie dat was.

Er doken nog meer motoren op. Drie reden er nu voor hen, een stuk of vijf, zes achter hen. De vrouw nam wat gas terug en ging tussen haar makkers rijden.

Haar team, dat in opdracht van Arie Roozendaal elke beweging van Peter op de voet volgde, had klaargestaan. De jongen die het huis van Johan in de gaten hield, had een prachtig uitzicht gehad op de spectaculaire aftocht van Peter en Lara en het gestuntel van de beveiligers dat daarop volgde. Zonder zich te verroeren had hij zijn waarneming aan de anderen doorgegeven.

De CIA onderschepte de vergeefse pogingen van achtereenvolgens de moordenaar en Wendy Vermeulen om Arie Roozendaal aan de telefoon te krijgen. Toen op de legerbasis in Zuid-Limburg ook een tap van de paniekerige gesprekken tussen Peters beveiligers en hun hoofdkwartier en – via een andere lijn – de minstens even verwarrende woorden van Johans beveiligers werden opgevangen, waren de Amerikanen het overzicht helemaal kwijt. Ze hadden zich met al hun manschappen en aandacht op de ontmaskering van Bol gericht en waren totaal niet voorbereid op wat er nu gebeurde.

Pas op de plaats, besloot de Monnik vanuit Langley.

Hij gaf zijn mensen opdracht om hem van seconde tot seconde van alle gebeurtenissen op de hoogte te houden, en wilde verder door niemand worden gestoord.

Als in trance volgde Coldman de berichten op zijn scherm. Iedereen schoot in de stress. Behalve Coldman.

Hij besefte als geen ander dat dit niet het moment was om een operatie te verknallen. De topconferentie in Beijing zou spoedig beginnen. De wereld, verstijfd van angst voor virussen en honger, klampte zich daaraan vast als was het een laatste strohalm. Niemand zat te wachten op de politieke rel die zeker uit zou breken als bekend werd dat de CIA de AIVD en met hen alle Nederlandse gezagsdragers al weken achtereen met valse informatie aan het lijntje had gehouden. De inlichtingendienst van de Amerikanen, die nota bene tegelijkertijd hun mond vol hadden van internationale samenwerking. En wat zou er gebeuren als daarnaast bekend werd dat hij, tegen alle afspraken in, zwaarbewapende commando's in Nederlandse straten en op Nederlandse daken had gestationeerd, zonder medeweten, laat staan toestemming, van de Nederlandse regering? De pleuris zou uitbreken en zijn eigen president zou moeten boeten. Coldman moest er niet aan denken. Hoewel, beter gezegd, dat was precies wat hij wel moest doen.

Volkomen kalm draaide Coldman een van zijn communicatielijnen open en beval Rob Walstra aan de lijn te komen. Deze begon direct verslag te doen van alles wat er op dat moment gebeurde, maar Coldman kapte hem af.

'Hou even je mond, Walstra. Ik heb een paar vragen waar ik een kort en helder antwoord op wil. Geen woord te veel, dus hou je in. Begrepen?'

'*Yes sir!*'

'Eén: hoe zit het met Klaas Bol?'

'Geen beweging, sir. Geen waarneembare contacten met Roozendaal of iemand anders. Ik denk dat...'

'Twee: waar is Roozendaal en wat doet hij nu?'

'Zit thuis op zijn kantoor, sir. Diverse mensen proberen contact met hem te krijgen via telefoon en mail, maar Roozendaal neemt de telefoon niet op. Waarschijnlijk weet hij dat wij hem in de gaten houden, sir. Te slim om zich nu bloot te geven.'

'Drie: wat weten we van Wendy Vermeulen?'

Punt voor punt slaagde de Monnik erin de chaos te ontrafelen. Hij deed weinig tot niets; het gesprek met Zuid-Limburg duurde hooguit één minuut.

'Oké, luister. Ik neem even de tijd om mijn gedachten te ordenen en kom dan terug met instructies.'

Hij verbrak de verbinding en sloot zijn ogen. Patronen en prioriteiten, daar ging het om. Een heel duidelijke prioriteit, dat besefte hij maar al te goed, was dat tegen elke prijs voorkomen moest worden dat zijn president door hem in de problemen zou komen. Pas daarna, op grote afstand, kwamen andere belangen.

Een piepje op de computer gaf aan dat er een urgent bericht was binnengekomen. De Monnik opende één oog en las de eerste melding van een wilde achtervolging op de snelweg. Hij haalde twee keer diep adem en nam een besluit.

Job was nog steeds in zijn boot in de loods toen de telefoon ging.

Amerika. Zonder zijn naam te noemen nam hij met een vage grom op.

'Job, de Monnik hier. Het spijt me, *old friend*, maar we gaan het over een andere boeg gooien. Het ziet ernaar uit dat Klaas Bol niet de infiltrant is die we zoeken. En mevrouw Dankers van de AIVD is ook schoon. En dus zitten we diep in de shit. Ik moet mijn manschappen terugroepen, ik neem verder geen risico's. Ze trekken op dit moment het land uit. Ze zijn nooit in Nederland geweest. Er heeft geen operatie plaatsgevonden, de CIA heeft geen afspraken geschonden en heeft zeker niet geblunderd.'

Job kon het nauwelijks geloven. 'Je laat me gewoon barsten... Je laat mij en Nederland gewoon in de steek?'

'Ik zei dat het me spijt, maar het gaat zoals het gaat. Er gebeurt veel op dit moment en ik heb weinig tijd. Er zijn problemen. Eén laatste dienst kan ik je nog bewijzen, één team. Ga naar buiten, Job, de loods uit. Mijn mannen pikken je zo op. Snel!'

Voordat Job goed en wel doorhad wat er gebeurde, was de verbinding al verbroken. Hij schoot overeind en stootte zijn hoofd tegen een houten balk. 'Shit!'

Hij greep zijn pistool en klom zo snel hij kon via het laddertje zijn boot af. Sprintend, in een soort slalom tussen alle schepen, stutten, ladders en bouwmaterialen door, stoof hij naar de uitgang van de loods. Zijn auto stond aan het water, op de parkeerplaats, maar daar rende hij voorbij.

Iets verderop, bij de ingang van het terrein, kwam een volkswagenbusje aanscheuren. Met piepende remmen kwam het pal voor hem tot stilstand. Het zij-portier was opengeschoven en een Amerikaanse commando wenkte hem.

Binnen zaten nog drie commando's, allemaal met verbeten blik en tot de tanden toe gewapend.

'Wat is er aan de...' begon Job, maar ze gebaarden hem stil te zijn en naar de radio te luisteren.

Deze stond afgestemd op de radiofrequenties van de politie.

Er klonk gepiep en gekraak, en toen haastige, niet gecodeerde stemmen. 'Wagen veertien, wagen veertien, waar ben je?'

'Wagen veertien hier. Bevestig één dode, één zwaargewonde motorrijder. Rijbaan afgesloten. Verzoek assistentie.'

'Op dit moment geen assistentie beschikbaar, veertien, jullie staan er even alleen voor... Wagen twee, wagen zeven, meld jullie.'

'Ja, zeven hier. De auto is net voorbijgereden. Vijf of zes motoren in hun kielzog. Ze rijden met minstens 180 kilometer per uur richting Osdorp, A9. Wij volgen.'

'Twee hier, nog niets gezie... o, wacht, klerelijers nog aan toe, daar komen... motorrijders... Ik zweer het je... het gebeurt pal voor onze neus. Motor over... en... shit... wacht... nééééé.'

'Wagen twee, wat gebeurt er? Wagen twee?'

'Een kettingbotsing, vijf, zes wagens boven op elkaar. Stuur ambulances! Traumahelikopter! Shit... tien, vijftien auto's. We kunnen er niet bij! Jimmy klimt de wering over... Pas op...! Assistentie, alsjeblieft, snel.'

'Wagen twee, ambulances zijn gewaarschuwd en onderweg.'

Job luisterde met stijgende verbazing. Wat was er gaande? Wat was er aan de hand? Had Ron Coldman hem hiervoor gebeld? Helemaal vanuit Langley? En wat deed hij in dit busje met deze zwijgende commando's?

Er klonk een andere stem over de radio. Een zwaardere stem, die gezaghebbend en rustig overkwam: 'Oproep aan alle wagens. Luister goed... achtervolging van auto op A2... achtervolgers op motoren zijn waarschijnlijk onderdeel van een goedgeorganiseerde, staatsgevaarlijke bende. Mogelijk gewapend. Inzittende van auto lid van Nationaal Crisis Coördinatieteam. Is eerder moordaanslag op gepleegd. Moet tot elke prijs worden beschermd. Wegblokkade en arrestatie voor afslag A9. Pas op en succes!'

Job wist niet hoe hij het had. Peter!

De geluiden vervaagden.

Ze keek hem aan en zag dat hij wist wat ze ging doen. Maar het deerde haar niet... ze deed het toch.

Hij bewoog zich niet; hij was verlamd... waarschuwde zijn kameraden niet. Nooit meer...

Zo hard hij kon gaf Job zichzelf een dreun voor zijn kop. Lul! Lafaard! Hou je aandacht erbij! Peter, zíjn man, was in de problemen.

Peter en Lara reden vol gas op de snelweg. Negen vijandige motoren zwermden als bloeddorstige muskieten om hen heen.

Zonder aankondiging trapte Peter op de rem. Eventjes maar.

De twee motoren die het dichtst achter hen reden, knalden tegen zijn bumper en schoten slingerend opzij, tegen de vangrail. Een van hen vloog met een grote boog over de rail heen en werd zonder pardon door een tegenligger overreden.

Een tweede stuiterde terug en gleed onderuit, los van de motor nu, om pas zo'n dertig meter verder op het asfalt het bewustzijn te verliezen.

Geen van de andere motoren stopte.

'Nog zeven,' stelde Peter verbeten vast.

Lara keek hem geschokt aan, maar zei niets.

Een van de motorrijders die vlak naast hen reed, haalde uit. Met zijn vuist, waarschijnlijk met een boksbeugel, sloeg hij het raampje naast Peters hoofd aan diggelen. De suizende wind sloeg een wolk van glasscherven door de auto.

Lara gilde het uit, maar Peter knipperde amper met zijn ogen.

Hij slingerde wat om de motorrijder op afstand te houden. Bij de eerstvolgende afslag sorteerde hij voor, compleet met knipperlicht naar rechts, om op het laatste moment toch rechtdoor te gaan. Een van de motoren die voor hen reed trapte erin. De andere niet.

'Nog zes.'

De gierende wind suisde door zijn haren. Er rolden zweetdruppeltjes in zijn ogen, die hem het zicht op de weg ontnamen, maar het leek hem niet te deren.

Plankgas reed hij verder.

De rode en blauwe zwaailichten gaven de plek een spookachtig aanzien. Auto's remden hard en het was een wonder dat er niet nog meer doden of gewonden vielen. Een van de agenten van de verkeerspolitie reed over de vluchtstrook in zijn achteruit, tegen het verkeer in, om de in volle vaart aankomende automobilisten te waarschuwen. Vijf politiewagens waren dwars over de weg gezet. Het was een complete chaos. In een mum van tijd stond de boel muurvast.

De verkeershelikopter, die Peters auto en de daaromheen zwermende motoren inmiddels in het vizier had, was te laat om de collega's bij de wegblokkade te waarschuwen dat Peter eraan kwam.

Peter minderde nauwelijks vaart. Het was duidelijk dat hij het niet aandurfde om te stoppen. De agent van de verkeerspolitie werd volkomen overvallen door de auto die met meer dan honderd kilometer per uur de vluchtstrook op slingerde en recht op hem afkwam. Hij nam een duik over de motorkap van zijn eigen stilstaande auto en voelde de wind van Peters voorbijzoevende wagen door zijn broek gieren.

Een van de andere agenten bij de blokkade zag het gebeuren en waarschuwde zijn collega's. Een politieauto verplaatste zich om de vluchtstrook te blokkeren. Het bevel aan de chauffeur dat hij ruimte moest maken om Peter te laten passeren, kwam te laat. Peters auto raakte de politiewagen zo hard dat het metaal als een soepblikje opengereten werd. Het gegil van Lara klonk boven alles uit. De politiewagen lag in de kreukels en niemand wist hoe groot de schade aan Peters auto was. Hij was in volle vaart doorgescheurd.

Toen kwamen de motoren, nog sneller misschien dan Peter langs was gereden. Twee van hen reden achter Peter en Lara op de vluchtstrook en stoven nu in volle vaart op de verwrongen en gedeukte politiewagen af. De andere motoren slingerden zich ondertussen langs de file van stilstaande auto's, zodat de hele bende links en rechts de wegblokkade naderde. Drie agenten doken weg, andere toonden meer moed en plichtsbesef. Een agent had de tegenwoordigheid van geest om de deur van zijn auto open te smijten toen de motoren langsraasden. Hij had zijn moment goed gekozen. De eerste motor knalde keihard tegen het portier aan en stuiterde de vangrail over. De tweede motor probeerde de auto tevergeefs te ontwijken en reed in volle vaart door de open deur naar binnen. De agent die het portier had opengezwaaid stierf ter plekke.

Zijn collega's zagen het niet gebeuren, omdat ze volledig in beslag werden genomen door de zwerm van brullende motoren die – slingerend tussen de opstopping van auto's – op hen afkwam.

Een motorrijder slaagde erin de blokkade te doorbreken.

Zijn boksbeugel raakte een agent vol in het gelaat.

Vol ongeloof zagen zijn collega's hoe de motor ongehinderd in de achtervolging leek te kunnen gaan. Maar een droge knal uit een politiepistool maakte daar een einde aan.

Het was een knap schot, op een bewegend doel dat inmiddels al zo'n vijftien meter bij de schutter vandaan was.

Nu het eerste schot eenmaal gelost was, had iedere agent opeens een wapen in zijn hand. De motorrijder met de boksbeugel werd midden in zijn hartstreek geraakt, bij twee toestormende motoren werd het voorwiel getroffen. De vierde ontkwam. Als collega-agenten worden vermoord, veranderen de regels. In het hele land was geen politierechter te vinden die de agenten voor deze schoten zou vervolgen...

'Yes!' gilde Lara toen ze zag dat er helemaal geen motoren meer achter hen aan zaten. Overmand door doodsangst en opluchting vloog ze Peter om de hals.

Peter had moeite het stuur vast te houden. Hij had nu een lege snelweg voor zich, maar de wind gierde met orkaankracht door het kapotte zijraam langs zijn oor.

Hij nam de afrit naar het centrum en reed de stad in.

'Wat nu?' riep hij. Hij minderde vaart, waardoor het gegier van de wind minder werd.

Lara was op slag weer nuchter. 'Moeten we niet stoppen?' hijgde ze. 'Wachten op de politie? We moeten Job waarschuwen. Roozendaal zal vluchten. Zijn hele bende zal gewaarschuwd zijn en weet ik veel wat voor schade aanrichten. Ook in Amerika, of Australië, of waar dan ook. Nu! Meteen!'

Maar Peter stopte niet.

'Weet je zeker dat er niemand meer achter ons aan zit?' vroeg hij.

Lara keek angstig achterom. Ze zag niets, geen motoren tenminste. Wel auto's, fietsers, brommers...

'Ik zie niemand,' zei ze aarzelend.

Doordat de weg slingerde en Peter ook nog regelmatig links en rechts afsloeg, hadden ze geen overzicht. En dus reed Peter door. Met staalharde ogen volgde hij de route die hij inmiddels zo goed kende.

45

Truus Dankers had een vroege douche genomen en lag nu, gekleed in haar favoriete joggingpak, languit op de bank voor de televisie. Ze werd gebeld door de Rijkspolitie, die haar op de hoogte bracht van de stand van zaken rond de wegblokkade. Met stijgende verbazing hoorde ze het aan, tot ze afgeleid werd door een andere, inkomende lijn.

'Moment, ik krijg een ander gesprek binnen. Ik moet je even in de wacht zetten,' liet ze de verbouwereerde agent van de Rijkspolitie weten terwijl ze, zonder op zijn reactie te wachten, de andere lijn doorschakelde.

'Ja?'

'*High priority* telefoon uit Amerika,' liet haar secretaresse weten.

'Verbind maar door.' Ze liet haar verwarring niet merken.

'Hallo Truus, met Job Slotemaker. Ik moet je bijpraten over de situatie met Vink.'

Truus schrok. Ze wist dat Job een goede veldagent was geweest die al enige tijd geleden eervol ontslag was verleend en begreep niet hoe hij op haar lijn kon hebben ingebroken.

'Wegwezen, Slotemaker, wat je ook wilt. Daar heb ik nu geen tijd voor. Ik wacht op telefoon uit Langley.'

Ze had meteen spijt dat ze dit gezegd had. Het ging deze ex-agent niets aan met wie zij belde. Ze was niet scherp genoeg, terwijl ze dat nu wel moest zijn.

'Ik ga nú de verbinding verbreken, Job.'

'Wacht! Ik ben Langley. Je moet naar me luisteren. De CIA heeft me op mijn verzoek doorgeschakeld. Dit was de enige manier om je snel te bereiken. Ik werk buiten jou om aan de zaak-Vink. In opdracht van Wennemars. Luister goed, we weten wie...'

'Hoho, wat zei je daar?'

Dankers beende woedend door haar kamer.

'Arie Roozendaal is de misdadiger die we zoeken,' zei Job, haar reactie negerend. 'De problemen begonnen vandaag in het huis van Johan Vermeulen van jullie Nationaal Crisis Coördinatieteam. Geen idee of die deel uitmaakt van zijn bende, maar ik stel voor dat je Johan meteen laat arresteren. Ook Roozendaal moet meteen worden gearresteerd. PC Hooftstraat. Amsterdam. Hij is waarschijnlijk vuurgevaarlijk. Doe het snel, Truus, elke seconde telt. Ik blijf aan de lijn.'

Hijgend van opwinding probeerde ze haar gedachten op orde te krijgen.

'Job, vertel eerst eens...' begon ze, maar Job snauwde dat ze haar mannen aan het werk moest zetten. Ze merkte dat hij ook hijgde. Alsof hij al bellend aan het rennen was.

Goed, besloot ze. Ze drukte op het knopje dat haar direct met haar eigen hoofdkantoor verbond en gaf bevelen door.

Ondertussen verbrak Job, ondanks zijn belofte aan de lijn te blijven, de verbinding.

'Blijf kijken,' zei Peter.

Terwijl hij, met rode ogen van de spanning, de straat voor hen af bleef speuren, was het aan Lara om te zien of ze nog gevolgd werden. Ze zat achterstevoren op haar knieën op de stoel en tuurde zonder onderbreking door de achterruit.

Maar hoe ontdek je of je gevolgd wordt? Er reden voortdurend auto's en brommers achter hen aan. Soms een motor, die ze dan extra argwanend in de gaten hield. Geen van de auto's bleef lang achter hen; een enkele keer sloeg een auto of motor gelijk met hen een straat in, maar dan ging Peter meteen weer rechtsaf, of juist links, en reed de ander altijd door, zonder op of om te kijken. Dit garandeerde echter niets, wist Peter. 'Ik snap er niets van,' zuchtte Lara. 'Het ging te snel. Niemand, zelfs niet zo'n superman als Roozendaal, kan in zo'n korte tijd een grote groep achtervolgers op de been brengen.'

'Blijf toch maar kijken.'

Er was geen beginnen aan, zelfs als ze alles rustig in zich op zou kunnen nemen, was het nog veel te druk. Natuurlijk bleef ze kijken... naar de auto achter hen en de auto daar weer achter... en dáár weer achter. Tot ze er tureluurs van werd.

'Klote dat we geen mobieltje bij ons hebben,' herhaalde ze voor misschien wel de tiende keer. 'Dan hadden we Job kunnen bellen. Nu heeft die klootzak van een Roozendaal alle tijd om op de vlucht te slaan.'

'Wendy sleurde jouw tas van je schouder,' herinnerde Peter haar. 'Daar kon je weinig aan doen. En mijn jas hangt nog aan de kapstok.'

Hij zag voor hen een motorrijder de straat in komen en sloeg ruim voordat ze deze naderden links af.

'Wie had kunnen denken dat het Johans vrouw zou zijn!' Lara kon het maar niet geloven.

'We moeten zo snel mogelijk bellen.'

Peter reed inmiddels voorbij de door Lara gekraakte werkplaats. Een laatste controle om te zien of ze gevolgd werden. Bij het eerstvolgende kruispunt parkeerde hij op de straathoek, zette de motor uit, doofde zijn lichten en bleef drie minuten zo staan. Pas toen ze ook hier geen verdachte voertuigen zagen, haalde hij opgelucht adem.

'Kom, we kunnen.' Hij startte de auto weer en reed terug naar Lara's huis. Gelukkig was daar nog een parkeerplaats vrij.

'Laten we gauw naar binnen gaan.'

Lara keek nog een laatste maal door de achterruit en draaide zich toen weer gewoon op de stoel. Ze merkte nu pas hoe moe ze was. Ze keek door de voorruit naar de diepe deuken die er op de motorkap te zien waren, en zag twee zwartleren laarzen die ineens op de motorkap verschenen. Iemand was er in één beweging bovenop gesprongen.

Ze schrok zo erg dat ze niet eens gilde. Ook Peter, naast haar, verstijfde in paniek.

De man droeg een soort zwart duikerpak. Hij had een masker voor zijn gezicht, dat alleen zijn mond, neus en ogen vrijliet. Met zijn rechtervuist sloeg hij het glas voor Peters gezicht in één klap aan gruzelementen.

De man schudde het versplinterde glas uit de sponning en greep met twee handen naar Peters keel.

Peter, die zijn hoofd doodsbang tegen de hoofdsteun aan geperst had, kon geen kant op. Hij sloot zijn ogen en wachtte op wat er onvermijdelijk ging komen.

Lara greep in. Ze dook naar de graaiende handen en knalde de armen met al haar kracht tegen de nog uitstekende glassplinters in het raam.

De man in het duikerpak gromde en sleurde Lara in één beweging dwars door de voorruit de auto uit.

Peter wilde iets doen en deed een halfslachtige poging de wegglippende Lara bij haar benen vast te houden. Maar ze lag al op straat.

Dwars door het kapotte zijraam sloeg iemand anders, die hij nog niet eens gezien had, keihard tegen zijn linkeroor. Hij was op slag bewusteloos en werd als een slappe pop de auto uit gesleept.

Het was mistig en donker. Hij wist niet waar hij was en dat maakte hem eerlijk gezegd ook weinig uit. Het ritmische gebonk van zijn hartslag, dat als een zware discodreun door zijn schedel galmde, had een hypnotiserend, slaapverwekkend effect; hij zou zo uren kunnen blijven liggen.

Behalve dan die stem. Een krijsende, hysterische vrouwenstem op de achtergrond gilde iets wat hij niet kon verstaan. Keer op keer, steeds harder.

'Peter!'

'Peter!'

'PETER!'

Een beetje geïrriteerd probeerde hij zijn ogen open te doen, maar dat wilde niet goed lukken. Zijn oogleden leken wel aan elkaar geplakt... of het was zo donker dat hij niet eens merkte dat hij zijn ogen al open had.

En dat vrouwmens bleef maar gillen!

Hij probeerde nog een keer met zijn ogen te knipperen en kreeg opeens een beetje licht binnen. Maar waar was hij? Wat was er aan de hand?

'PETER, sta op, godverdomme!'

Hij keek wat beter nu en verloor zich meteen in een déjà vu. Een keihard gillende meid was tussen hem en een aantal vechtersbazen gesprongen. Hoe lang was dat nu geleden? Een maand of drie? Langer misschien. Hij had een aantal hangjongeren ergens op aangesproken en dat was meteen gigantisch uit de hand gelopen. Het was, herinnerde hij zich vaag, de eerste keer dat hij Lara had ontmoet.

Lara?

Hij zag nu dat het Lara was die voor hem stond, vechtend, karatetrappen uitdelend, in een hopeloze strijd tegen vier in duikerpak gehulde mannen.

'Ik... ik kom,' stamelde hij. Een kapotte auto, naast hem, diende hem tot steun terwijl hij zichzelf overeind trok. 'Wacht, Lara, ik kom.'

Versuft probeerde hij zijn evenwicht te hervinden. In zijn hoofd dreunde het als een gek. Als hij de auto los zou laten, zou hij onherroepelijk weer vallen.

Lara kon weinig doen. Ze had haar meest directe belager tegen zijn strottenhoofd getrapt, maar terwijl deze rochelend en met zijn handen aan zijn keel op de grond zakte, hadden de anderen zijn positie alweer ingenomen. Peter werd volledig genegeerd, want Lara vormde zonder twijfel hun enige bedreiging.

Ze bleef zijn naam gillen, in de hoop dat hij bij zijn positieven zou komen... Hij moest opstaan! Vluchten! Maar ze kreeg de kans niet om te kijken of hij haar gehoord had.

De mannen waren niet bewapend, maar ze waren duidelijk goed getraind.

Ze greep de enkel van de man die haar een vliegende trap naar haar hoofd probeerde te geven. Een draai, een ruk, normaal zou ze hem hiermee volledig uit zijn evenwicht hebben gekregen en zou hij een eenvoudige prooi zijn voor een genadeslag, maar de man zwiepte zijn tweede been omhoog en haalde daarmee uit. Dat had ze moeiteloos kunnen pareren als de andere twee belagers er niet waren geweest. Ze kon haar verdediging tegen hen niet verwaarlozen en moest de eerste man daarom laten gaan. Een snelle stap naar achteren en meteen weer een naar voren, opdat de afstand tussen hen en de weerloze Peter achter haar niet verloren zou gaan.

Opnieuw gilde ze zijn naam, en aan het gestommel achter haar meende ze te kunnen opmaken dat hij in beweging kwam.

Twee mannen vielen tegelijkertijd naar haar uit. Ze blokte een reeks trappen en stoten, maar kon niet voorkomen dat een derde man schuin langs haar onbeschermde zij dook en met een snelle, harde trap Peter opnieuw tegen de vlakte smeet. 'Shit!'

De man was terug in het gelid voor ze het doorhad.

'Als ik jou was, zou ik het maar op een rennen zetten, meisje. Je hebt geen schijn van kans.'

Lara was blij dat een van de mannen begon te praten, hoe schamper en neerbuigend hij ook deed. Het maakte dat ze haar kop erbij hield. Ze dwong zichzelf iets achterover te leunen en haar adem wat te reguleren.

Ontspannen! Deze keer is het menens.

Lichtvoetig stond ze daar, volledig in evenwicht op de ballen van haar voeten. Kalm wipte ze heen en weer. In beweging blijven.

De tijd zou in haar voordeel werken. Een vechtpartij op straat trok altijd mensen aan, en dit was haar wijk. Nordin zou komen, of Ibrahim. Of Karel.

Ze reguleerde haar ademhaling zo goed als ze kon en bleef strak gefocust op de bewegingen van haar belagers. Zo lang mogelijk volhouden, niet verslappen nu! Daar ging het om.

Maar het liep anders. Het was niet een van haar vrienden die in beeld kwam, maar Arie Roozendaal, de klootzak in zijn protserige auto.

Even was Lara afgeleid – ze keek geschokt naar het ontspannen, lachende gezicht van haar vijand – en dat ene moment was genoeg voor de langste van haar drie belagers om haar verdediging te omzeilen en haar keihard tegen haar slaap te slaan. Lara zakte door haar knieën, liet zich in één vloeiende beweging op haar linkerzij rollen en nam de triomfantelijk toekijkende vechtjas in een beenklem die hem uit evenwicht bracht. Een welgemikte karatestoot in zijn maag was voldoende om hem uit te schakelen.

One down, two to go.

Ze krabbelde weer op en probeerde niet te laten merken hoe de klap haar evenwicht verstoord had. Elke seconde dat ze niet toesloegen gaf haar tijd voor wat herstel.

Roozendaal had geen haast. Hij stapte kalm uit de auto en streek zijn kleren glad. De meid met de gifgroene ogen stond naast hem. Ze hing bezitterig om zijn schouder en verheugde zich duidelijk op wat er komen ging. Roozendaal droeg mooie schoenen, zag Lara, zichzelf meteen vervloekend dat ze op zulke dingen lette.

'Zo! Zo zien we elkaar nog eens terug, nietwaar? Gaat alles goed?'

Hij had haar dus opgemerkt toen ze hem en Wendy bespiedde. Zulke ogen zagen altijd alles.

'Je had beter gewoon naar me toe kunnen lopen,' slijmde hij. 'We hadden samen een hoop lol kunnen maken. Dat lijkt me een stuk leuker dan een leven met dat hoopje ongedierte dat daar achter je op de grond ligt.'

Lara keek niet om. Ze wilde graag weten hoe Peter eraan toe was, maar kon het zich niet veroorloven haar belagers uit het oog te verliezen. Roozendaal was bij zijn auto vandaan gelopen en stond nu schuin achter zijn mensen, zodat ze iedereen tegelijk in beeld had.

'Wat is er dan zo leuk aan jou?' hijgde ze, in een wat knullige poging tijd te winnen.

'Ik hou van het goede leven. Types zoals jij lopen dat altijd mis, nietwaar? Het ligt voor het oprapen, maar je ziet het niet. En je zult toch zelf ook wel begrijpen dat het nu te laat is.'

Een van de vechtersbazen viel naar haar uit. Maar Lara zag de trap van mijlenver aankomen en kon hem vrij makkelijk blokkeren.

'En Wendy was zeker op tijd?' vroeg ze uitdagend. Elke minuut dat ze hem aan de praat hield vergrootte de kans op hulp.

'Wie?' vroeg hij, kennelijk geamuseerd door haar pit. 'O, je bedoelt Gwendolyn de schone. Steun en toeverlaat van het Nationaal Crisis Coördinatieteam. Zij is niet belangrijk. Wat ik je te bieden heb, is van een heel andere orde.' Hij liep dichter naar haar toe. 'Misschien moet ik me even netjes voorstellen. Ik ben God. Voor jou ben ik God. Ik heb meer geld dan jij je kunt voorstellen.'

Er stonden inmiddels wat mensen op straat, op een veilige afstand. Lara zag dat Peter inmiddels, als een soort dronkenman, half overeind was gekomen.

'Peter,' riep ze. 'Vlucht!'

'Ah ja... Peter Vink. Tenslotte is het allemaal om hem te doen, nietwaar? Hij zal bloeden in de hel, en omdat jij zo'n mooie meid bent, mag jij toekijken!'

Roozendaal knikte naar een plek schuin achter haar en voordat Lara kon reageren werd er een dun, nylon wurgtouwtje om haar nek geslagen, dat meteen strak werd aangetrokken. Ze voelde een knie midden op haar ruggengraat. De draad sneed in haar hals en blokkeerde zowel haar luchtpijp als de bloeddoorstroming naar haar hoofd. Ze kon geen kant op en staakte haar verzet.

Een van de twee mannen voor haar trapte haar keihard in haar maag.

'Zozo, een echte wilde kat... Kalm aan, jij, anders trek ik je hoofd in één ruk van je romp,' siste iemand die ze niet kon zien haar in het oor.

Lara kon niet eens knikken dat ze hem begrepen had. Machteloos moest ze toezien hoe Arie Roozendaal op haar toeliep en in een ijzig gebaar over haar gezicht streek.

'Het blijft zonde,' mompelde hij sarcastisch.

46

Ibrahim en Nordin zaten samen in Ibi's garage een jointje te roken. Ze hadden op straat een meisje opgepikt, dat suffig bij hen op de bank hing. De muziek stond vrij hard, waardoor het even duurde voordat ze iets meekregen van de onrust op straat. Ibi keek vragend naar Nordin, en stapte toch maar op toen Nordin daar duidelijk geen aanstalten toe maakte.

'Ben zo terug.'

Op straat was niets te zien, maar dat was niet zo vreemd. Ibi's garage bevond zich in een doodlopend steegje waar nooit iets gebeurde. Hij sjokte naar de hoofdstraat, min of meer van plan om niet meer dan een vluchtige blik om de hoek te werpen en dan weer terug naar binnen te gaan. Naar de joint. Het meis-je.

Er reden nauwelijks auto's. Geen politie, geen opstootje, niets te zien.

Alleen in de verte zag hij twee kinderen een zijstraat in rennen. Hij wist dat Lara daar woonde, maar zij was niet iemand die snel in de problemen kwam.

Zonder veel overtuiging slenterde Ibi in de richting van de bewuste straathoek. Nog twee mensen renden erop af.

In looppas nu ging hij hen achterna. Als er iets gebeurde, wat dan ook, zou hij het snel weten.

Wat hij zag deed zijn bloed verstijven: een auto in de kreukels, twee mannen in een soort ninja-outfit kreunend op de grond, meer mannen daaromheen... een half bewusteloze jongeman die niet uit de buurt kwam, maar die hij toch vaag herkende, werd door hen naar voren gesleept en daarachter... Lara in doodsnood met een wurgkoord om haar hals!

Lara!

Ibrahim keek snel om zich heen en wenkte een van de jochies die zich op de stoep verzameld hadden.

'Haal de anderen. Snel!'

Het jochie was diep onder de indruk dat Ibi hem zo'n belangrijke opdracht toevertrouwde. 'Waar?' vroeg hij.

'Mijn garage!'

Zo snel hij kon maakte het jongetje zich uit de voeten.

Ibrahim liep meer naar voren en probeerde zich een overzicht van de situatie te vormen. Een man in een roomwit pak was duidelijk de baas, de vechtjassen volgden zijn bevelen. Lara was buiten gevecht gesteld, maar zo op het oog niet in levensgevaar. De jongeman, die kennelijk hun voornaamste doelwit was, leek ten dode opgeschreven. De man in het pak stond nu voor hem en sloeg hem ritmisch in zijn gezicht tot hij bij bewustzijn kwam.

'Peter,' kreunde Lara.

Het ging dus om Peter, de man van wie Lara ooit gezegd had dat hij 'van haar' was. Langzaam vielen de puzzelstukjes voor Ibi op zijn plaats. Peter was behalve de broer van een vriendin van Lara ook iemand waar ze kennelijk mee begaan was.

De man die Lara wurgde leek goed getraind. Hij kon hem niet zomaar buiten gevecht stellen, zeker niet zolang hij het wurgtouw om Lara's hals had. De situatie zag er niet goed uit.

Maar dit was nog steeds zijn wijk. Hij kon dit niet over zijn kant laten gaan, nog los van het feit dat het om Lara ging. Met een groter vertoon van moed dan hij zelf voelde, stapte hij uit de groep omstanders naar voren. 'Hé, jij daar in je witte pak!'

Roozendaal keek geïntrigeerd naar hem om. Dit was onverwacht! 'Wat?'

Ibrahim stond wijdbeens, met zijn armen over elkaar. Met een hoofdbeweging wees hij naar Lara. 'Zij daar! Als haar iets overkomt, ben je dood.'

Roozendaal keek snel de straat rond en zag dat Ibi helemaal alleen was. 'Hou hem onder controle,' beval hij aan zijn mannen.

En terwijl twee mannen voor Ibi gingen staan, keerde hij zich weer tot Peter Vink. Na nog een reeks korte slagen opende deze wat lodderig zijn ogen. Het echte werk kon beginnen.

Peter voelde de klappen niet, maar zag de hand die hem sloeg steeds voorbijkomen. Het leek een losse hand, zonder lijf en zonder reden. Hij was elk besef van plaats en tijd verloren; hij wist niet waar hij was en had geen flauw idee wat er gebeurde. Alleen Lara. Hij zag haar staan, in een vreemde houding tegen een gemaskerde man geleund, met angstige ogen en een mond die leek te schuimen. Elke keer als de vreemde hand zijn gezicht raakte, spartelde Lara alsof haar pijn gedaan werd.

Hij merkte dat hij zijn mond niet meer bewegen kon, maar zijn oren functioen vreemd genoeg weer goed. Lara riep zijn naam, een beetje jankend en rochelig, maar toch.

De man voor hem, wist hij nu, was zijn grootste vijand. Hij kende hem zelfs bij naam: Arie Roozendaal, meervoudig moordenaar. En baas van de moordenaar met de groene ogen, de moordenaar van Geert Wennemars, de man die in Peters armen was heengegaan.

Maar die meid was er niet in geslaagd hemzelf te vermoorden, bedacht Peter met een glimlach. Ze stond een paar meter verderop, onzeker grijnzend, wetend dat haar baas met dit alles zat opgescheept omdat zij gefaald had...

Zijn benen leken niet meer van hemzelf te zijn. Maar hij viel niet om, dus daar had vast iemand iets op gevonden.

'Zo, dus jij bent Peter Vink,' zei de man. De hand was weg; hij werd niet meer geslagen. 'Heb je enig idee hoeveel geld ik door jou ben misgelopen? Miljarden! Miljarden euro's!'

De woorden galmden na, Peters hoofd was hol geworden, als een concertzaal of een kathedraal, maar dan veel groter.

'Weet jij hoeveel makkelijker het zou zijn geweest als jij me niet voor de voeten had gelopen?'

De politiehelikopter was hen bij de wegblokkade kwijtgeraakt; een fout die de piloot ongetwijfeld zijn baan zou kosten. Ze waren zo onder de indruk van het slagveld van omvergeworpen en neergeschoten motoren, dat ze de auto simpelweg vergeten waren. Niet lang – hooguit één minuut – maar toen was het al te laat.

De auto was uit het zicht verdwenen en de kans om hem in hartje Amsterdam weer terug te vinden was minimaal. Het was een rode auto, flink gedeukt, maar deuken zie je niet vanuit de lucht en rode auto's zijn niet zeldzaam. De piloot besloot alle auto's die langs grachten en straten waren geparkeerd te negeren en zijn aandacht in eerste instantie te richten op auto's waar nog beweging in zat.

Op opstootjes van mensen lette hij al helemaal niet.

Eén keer vloog hij over Peter heen, kennelijk met zijn blik op andere straten. Vruchteloos speurend verdween de helikopter weer uit het zicht.

Een aantal motorrijders was opgepakt, maar niemand wist waar Peter en Lara zich bevonden.

Dit was inderdaad de hel; er waren geen andere woorden voor.

Het wurgtouw werd steeds strakker om haar hals getrokken, de knie priemde stevig in haar rug. Ze kon niets doen.

Ze zag hoe Roozendaal met Peter speelde, als een kat met een zwaargewonde muis. Deze Roozendaal was één brok haat, dat straalde hij uit bij alles wat hij deed. Lara zag dat de man tegen Peter praatte, maar het gesuis in haar oren maakte dat ze hem moeilijk kon verstaan.

'... lang genoeg geduurd,' smaalde de man. 'Aan alles komt een eind, nietwaar? Zo'n slimme vent als jij moet dat toch begrijpen.' Lara zag hem vragend zijn hand naar een van zijn vechtersbazen uitstrekken. Deze begreep hem kennelijk meteen. Een groot mes werd aangereikt.

Roozendaal woog het mes, balanceerde het in zijn hand tot hij het stevig vast-had en ging weer wijdbeens voor Peter staan.

Lara kromp in een soort stuiptrekking samen en smeet haar benen in volle vaart zijn richting in. Haar hele gewicht hing nu samengebald aan het wurgtouw om haar hals, haar voeten zwiepten in de lucht, maar ze kwam niet eens in de buurt van de man met het mes.

Roozendaal zag haar spartelen. 'Kom er maar bij,' siste hij met een kort knikje naar de man die haar in bedwang hield.

Schuifelend, zonder de druk op haar rug en hals te verminderen, bracht de man haar naar Roozendaal en Peter toe. Twee andere mannen schoven aan, één liet zich op de grond zakken en sloeg zijn armen om haar benen heen, de tweede klemde haar polsen in een ijzeren greep, waardoor ze niets kon doen.

'Kijk, mooie meid, kijk maar eens goed hoe ik je vriend zal villen. Let goed op. Heeft je mama je niet geleerd wat er gebeurt als je verkeerde vrienden kiest?'

Traag, heel traag prikte hij het mes door Peters buikwand heen.

'Vaarwel, Peter Vink.'

Peter zag de blik van angst en afgrijzen van zijn vriendin. Ze gorgelde en wor-stelde, maar het leek hem of ze al in een andere wereld was. Achter glas of zo. In een vissenkom.

Hij voelde het mes niet komen... drie droge knallen dreunden in zijn oren...

Toen was het voorbij...

Nordin kwam te laat.

Hij was al vrij stoned toen het jochie hem kwam roepen, maar had naar om-standigheden toch snel gereageerd. Al rennend riep hij met zijn mobieltje zo veel mogelijk vrienden op. In één snelle sprint was hij de straat door gerend. Toen hij bij Lara's huis aankwam, trof hij er één groot bloedbad.

Twee, drie mannen in zwarte ninjapakken lagen op de grond. Twee van hen hadden een kogel in hun maag. Iets verderop lag Lara, kreunend en naar adem happend met haar handen om haar nek. In het midden, recht voor een auto die compleet in de kreukels lag, lagen twee mannen in een grote plas bloed. Eén man, in wat eerst een roomwit pak moest zijn geweest, was overduidelijk dood.

Hij had een gapend kogelgat in zijn schedel; zijn hersenen spoelden over straat. Een meisje in een motorpak boog zich huilend over zijn dode lichaam. Een ander, iemand die hij vaker had gezien, rolde als een dronkenman door de steeds groter wordende plas bloed. Achter de twee stond een vaal, morsig mannetje in een grijze jas, type handelsreiziger, met een nog rokend pistool in zijn hand. Drie Amerikaanse commando's, enkele huizen verderop, maakten zich zwijgend uit de voeten.

Nog nahijgend van het rennen, zag Nordin plots Ibrahim staan.

Ibrahim liep langzaam naar het lijk in het met bloed doordrenkte witte pak.

'Ik zei je toch, man,' zei Ibi voor iedereen verstaanbaar. 'Als je onze Lara iets aandoet, ben je dood.'

Dat vond Nordin wel stoer.

47

Johan glimlachte beleefd toen ze binnenkwamen.

Ondanks de roes van de kalmeringsmiddelen leek hij hen te herkennen. Hij zat in zijn pyjama op een bed in een witgeverfde, steriele kamer. Omdat er maar twee stoelen stonden, ging Peter op de vensterbank zitten. Lara en Job schoven de stoelen dichter bij het bed. Wat konden ze zeggen?

Johan was te duf om zich ongemakkelijk te voelen bij de langdurige stilte. Met zijn lange lichaam wat ineengezakt tegen een stapeltje kussens staarde hij met holle ogen voor zich uit.

'We hebben wat voor je meegebracht,' zei Peter. Hij reikte in de plastic zak die hij aan zijn voeten had gezet en tilde er een houten slakom uit die rijkelijk was gevuld met kruiden. 'Ik weet uit ervaring dat het ziekenhuiseten niet veel voorstelt. Het was nooit veel soeps, maar sinds de crisis...' Peter slikte de rest van zijn woorden in. 'We hebben alles zelf geplukt,' vervolgde hij zo luchtig mogelijk. 'Zoals jij dat voor ons gedaan hebt. Brandneteltoppen, vogelmuur, paardenbloemen... Er zit zelfs wat watermunt bij, uit de sloot.'

'Ik hoop dat je het lekker vind,' probeerde Lara.

Opnieuw die nietszeggende, beleefde glimlach. 'Dank jullie wel.'

'Zal ik het hier maar neerzetten?'

Johan gaf geen antwoord. De verpleging had hen al gewaarschuwd dat ze niet te veel van het bezoek moesten verwachten. Johan zat onder zware medicijnen. 'Als u het mij vraagt is het eigenlijk te vroeg om bij hem langs te gaan. Over een paar weken misschien...'

Maar ze waren toch gegaan; het was het eerste dat ze wilden doen. Al kon Peter zich nu niet goed meer voorstellen waarom. Het had inderdaad weinig zin. Johan, de Johan die hij kende, zat hier helemaal niet.

Pas toen een van de verpleegkundigen met koffie en thee langskwam, begon Johan aarzelend, bijna fluisterend te praten. 'Thee,' mompelde hij, 'daar is het mee begonnen.'

Peter, Job en Lara hadden geen idee waar hij het over had, maar ze waren blij dat hij tenminste sprak.

'Thee, warme thee.' Johan nam een kop thee van de verpleegkundige aan en goot een hele slok over zijn eigen been. De verpleegkundige schrok en schoot toe om het warme vocht met een doekje op te deppen.

'Het was jouw been, Peter, niet het mijne. Terwijl Wennemars met jou naar de toiletruimte liep, heb ik met mijn stomme kop Wendy gebeld. Gezellig. Alles heb ik haar verteld, hoe Wennemars jou de mond snoerde en hoe verdacht ik dat vond. Weet je dat nog, Peet?'

Peter knikte.

'En 's avonds kroop Wendy weer gewoon bij me in bed! Terwijl ze Wennemars nog diezelfde dag verraden had! Alsof een dode er niet toe doet. Bij mij in bed, Peter! En maar vragen wat er verder op mijn werk was besloten. En maar kibbelen. En me maar verwijten maken...'

Het was voor Johan een pijnlijke reconstructie. Hij sprak zachtjes en beheerst, maar de pijn werd er niet minder om. Daar konden zelfs de sterkste kalmeringsmiddelen niets aan doen. Zijn lange rug knakte ineen toen hij zijn hoofd in zijn handen liet vallen en met een droge snik zijn tranen probeerde te bedwingen.

'Ik ben zo stom geweest! Zo stom! Alles heb ik haar verteld. Het exportverbod... de bewaking... de virusremmers...'

Peter boog zich voorover en pakte voorzichtig het nog halfvolle theekopje bij Johan vandaan. Hij vroeg zich af hoe hij zelf zou reageren als hij getrouwd zou zijn geweest en zijn vrouw de bron van het kwaad bleek te zijn; de verraadster, het lek... hij moest er niet aan denken.

'Het gaat voorbij,' hoorde hij Job zeggen.

'Wendy kwam met het idee om Peter bij ons thuis uit te nodigen. Die klootzak van een Roozendaal had haar opgedragen uit te vissen wat Peter allemaal wist. Waarom hij opeens bij die professor Witkam was opgedoken en zo. En ik, stomme oen die ik ben, dacht dat het gewoon weer een keertje ouderwets gezellig zou worden!'

Job was naast Johan op bed gaan zitten en had een arm om hem heen geslagen. 'Het gaat echt voorbij, al kun je je dat nu niet voorstellen. Over een tijd voel je je weer beter. Het kan even duren, maar het gaat voorbij.'

Johan schudde traag zijn hoofd, alsof hij hier geen boodschap aan had.

'Weet je, ik heb het ook meegemaakt. Dat alles zwart is, bedoel ik. Schuld. Spijt. Schaamte. Pijn. Een diepere, ergere pijn dan je je kunt voorstellen. Het is alles wat je hebt. Het kent geen begin meer en geen einde... en toch gaat het voorbij. Ik dacht, ik wist zeker dat ik er levenslang aan vast zou zitten, maar in mijn geval was het opeens weg. In één klap. Drie droge schoten uit mijn revolver en alle spoken, alle demonen vluchtten uit mijn leven. Ik ben weer vrij, en op een dag zul jij dat ook weer zijn.'

Johan keek hem met intens trieste ogen aan. De emoties die even doorbraken, beklijfden niet; de deken van kalmeringsmiddelen was te sterk. Wat bleef was zijn nietsziende blik en een vreselijk correct 'dank je'.

Job zuchtte en ging weer op zijn stoel zitten. 'Ik kom terug,' beloofde hij. 'Nu is het nog te vroeg, maar later vertel ik alles nog een keer.'

Lara legde een troostende hand op Jobs schouder. Het is pijnlijk als iemand buiten het bereik is van je hulp, je aandacht en je vriendschap.

Peter viste een willekeurig blaadje uit zijn salade en begon daaraan te knabbelen. Hij had geen idee wat het was. Onkruid, niets meer en niets minder, maar wel eetbaar. *If you can't beat it, eat it.* Het was een beetje bitter, maar alles was beter dan honger.

'Wat is er gebeurd?' vroeg Johan opeens. Zijn stem was nog steeds dof en zijn hele lichaamstaal straalde uit dat niets hem meer kon schelen, maar kennelijk school er ergens diep in hem toch nog een sprankje leven. Hij toonde zowaar wat interesse!

Nu was het aan Peter om naast Johan op het bed te zitten. Het was geen gemakkelijk verhaal. 'Wendy is...' begon hij, maar met een hoekige zwaai van zijn rechterarm kapte Johan hem af.

'Nee. Dat niet.'

Vragend keek Peter zijn vriend aan.

'Met jullie, bedoel ik,' verduidelijkte Johan zich, terwijl hij vaagjes naar Lara's hals wees.

Lara had een mooie turkooizen sjaal om haar hals geknoopt, maar die was wat afgezakt. Een hele strook van dieppaarse striemen, korsten, bloedvlekken en littekens was daardoor zichtbaar.

'O, dat...'

Op zo neutraal mogelijke toon, om Johan niet onnodig op te winden, vertelde Peter wat ze hadden meegemaakt, van het paniekerige vertrek uit Johans huis tot aan de confrontatie met Arie Roozendaal bij Lara op de stoep.

'Job heeft ons gered. Als Job niet op tijd had ingegrepen, was ik dood geweest...'

'Ik was wat in de war, begrijp je,' mompelde hij er wat onbenullig achteraan.

'Job is onze held,' viel Lara hem bij. Ze gaf Job een plaagstootje in zijn zij. 'Je blijft een verstrooid, raar mannetje, maar je was er toen het nodig was. Je hebt ons leven gered, Job, en daar zal ik je altijd dankbaar voor blijven.'

'Ja,' beaamde Job beduusd, alsof hij het zelf bijna niet kon geloven. 'Ik was er toen het nodig was.'

ieders verbazing knikte Johan instemmend. 'Jullie hebben het goed ge-
~~daan~~, dwong deze zichzelf te zeggen. 'Zelfs met mijn Wendy, bedoel ik. En het
spijt me, Peter, echt, dat je door ons... door alles... door mij... niet naar Beijing
bent gegaan.'

Zwijgend zat Peter naast hem op het bed. Er was zoveel te zeggen. Voorbij de
woorden...

'Kom,' zei Lara tegen Job, 'we laten ze even samen.'

En dus bleven Johan en Peter nog een tijd zitten.

Ze waren helden. Het *NOS-Journaal* had zo ongeveer een halve uitzending aan
hun besteed, een beroemde misdaadverslaggever had hen voor zijn programma
uitgenodigd en diverse filmproducenten uit Hollywood hadden al naar de film-
rechten zitten hengelen.

Job had al die tijd achter de schermen gewerkt, maar daarvan kon nu geen
sprake meer zijn. Als je als een soort revolverheld midden in Amsterdam misdadigers gaat neerschieten, val je onherroepelijk op. Zijn smoel stond paginagroot
op de voorpagina van een van de landelijke dagbladen. Zijn carrière als geheim
agent was daarmee definitief beëindigd.

Het maakte hem niet uit. Zijn troostende woorden aan Johan waren niet gespeeld geweest. Het besef dat hij tijdig had ingegrepen en niet, zoals in Bagdad,
door de situatie was verlamd, had hem in één klap van alle demonen uit zijn
verleden bevrijd. 'De klootzakken,' gromde hij keer op keer. 'De godvergeten
klootzakken, ik ben blij dat ik ze heb omgelegd.'

Peter verbaasde zich over de moordzucht in Jobs ogen.

Hij was een van de weinigen die vraagtekens zette bij zijn eigen heldenrol.
Natuurlijk, mede door Lara, Job en hemzelf was de oorzaak van het virus gevonden en was het mogelijk geweest de Nederlandse tak van het Syndicaat op te
rollen. Dat was een simpele waarheid waar hij niets van af wilde doen. Maar alle
arrestaties die daar het gevolg van waren; de corrupte aandelenhandelaren, de
infiltranten, de hebzuchtige bankiers... Het was maar de vraag wat dat uitmaakte.

Tijdens de topconferentie hadden de wereldleiders gezamenlijk een indrukwekkend pakket van maatregelen afgekondigd. Maar liefst 2.500 extra Tamiflu-
fabrieken zouden uit de grond worden gestampt. En onbemande vliegtuigjes
zouden bij alle smeltende gletsjers naar vrijkomende kadavers speuren en deze
– als ze eenmaal waren gevonden – met een chemicaliëndouche ter plekke neu-
traliseren en vernietigen. Wereldwijd zouden akkers worden ingezaaid met een
mengsel van zaad van oude Afrikaanse en Aziatische graangewassen. En ook al
had iedereen nu nog honger, de heldere boodschap was geweest dat het rijke

Westen gerust kon zijn: het voorjaar was in aantocht. Groenten zouden weer groeien en het ergste leed zou zijn geleden.

Maar Peter besefte dat de honger niet ten einde was. De schappen in de winkels waren nog steeds leeg.

Nacht na nacht droomde hij over uitgestrekte graanvelden, met graanhalmen die wiegden in de wind en dan plots paars kleurden en verschrompelden. En over vreemde virussen die vervolgens alle vissen, alle kippen, alle groenten van de wereld troffen.

Het frustreerde Peter dat alle aandacht naar mooie woorden en spectaculaire acties ging, naar de spannende ontknopingen, de arrestaties. Soms leek het wel of de mensheid gewoon de concentratie niet kon opbrengen om zich met de echte problemen bezig te houden. Een pleister hier, een fabriekje daar, dat zou de wereld niet redden. Hij had er heel wat voor overgehad dat mensen minder aandacht zouden hebben voor zijn verhaal, en meer voor het leven zelf. Voor wat er echt toe deed...

Misschien zou de voortdurende honger, hoe erg ook, maken dat mensen meer en meer werden teruggeworpen op wat ze écht belangrijk vonden.

Hij had geprobeerd het hier met Lara over te hebben. Dat de honger, naast alle doden, alle pijn en ellende die hij had veroorzaakt, ook iets goeds teweeg had gebracht. Omdat overal waar honger is, de waarheid altijd in de buurt is. Net als bij dood en geboorte. 'Begrijp je een beetje wat ik bedoel?'

Maar ze keek hem aan alsof hij een vreemde was en Peter wist zich daar geen raad mee. Hij werd verlegen als ze zo keek, en begon gehaast uit te leggen wat hij precies bedoelde, wat belangrijk was, waar geen misverstand over moest bestaan. Dat als er weer wat meer eten zou komen, we veel minder vlees moeten eten, omdat daarmee het wereldwijde voedseltekort én het broeikaseffect in één klap zouden zijn opgelost. En de menselijke maat en urban agriculture. Eten uit je eigen streek en energiebesparing en die stomme, stomme hebzucht en vooral al die belachelijke...

'Niet doen,' zei ze. Ze zoende hem tot stilstand. 'Laat maar. Het is voorbij.'

Vanavond was speciaal ter ere van hen een feestelijke receptie in het stadhuis georganiseerd waar de minister-president, de burgemeester, het voltallige Nationaal Crisis Coördinatieteam en andere hoogwaardigheidsbekleders bij aanwezig zouden zijn en waar ze door de premier persoonlijk later op de avond een koninklijke onderscheiding zouden krijgen opgespeld.

Job, Peter en Lara werden opgehaald in een gigantische limousine, compleet met chauffeur in uniform en een feestelijke strik op de antenne. Het was hun eerste dag zonder beveiliging en dat alleen al maakte dat ze zich bijna herboren voelden. Er lag een loper en Klaas Bol stond hen buiten op te wachten.

Er werden vele handen geschud, er werden vriendelijke woorden uitgesproken en Bol waagde zich aan een voorzichtige grap.

Achter de schermen, en pas nadat hun president een glansrol op de topconferentie had vervuld, hadden de Amerikanen hun zonden aan hem opgebiecht. Ze waren diep voor hem door het stof gegaan.

'We hebben u van medeplichtigheid verdacht. En met u de hele Nederlandse AIVD. We hebben achter uw rug om gehandeld. We hebben gefaald.'

'Een tijd geleden,' had de Amerikaanse ambassadeur in Nederland met een ontwapenend vertoon van openheid verteld, 'een jaar geleden al, is een van onze medewerkers gewaarschuwd voor Arie Roozendaal. Door een gepensioneerde generaal nog wel. Maar dat hebben we toen niet serieus genomen. We hebben niet geluisterd en dat is, achteraf gezien, natuurlijk een vreselijke fout gebleken.'

Binnen dit warme bad van openheid en vertrouwen werd met geen woord gerept over de arrestatieteams, scherpschutters en Amerikaanse commando's die kort daarvoor op de Nederlandse daken hadden gelegen. Bol had dat laatste detail niet opgemerkt. Hij hield ervan als anderen hun ongelijk aan hem bekenden en had zich van zijn grootmoedigste kant getoond. Gedane zaken...

Nu was het feest. Door het raam kon Peter de andere gasten al zien. Mooie mensen in mooie kleren. Er was champagne en er waren ongetwijfeld hapjes, waarschijnlijk tulpenbollen en sprinkhanenpaté. Er klonk muziek, gelach, geklets...

Peter zag een zwetende minister-president sjansen met Truus Dankers, die dat goedmoedig toestond of misschien zelfs wel leuk vond. De ergste crisis was bezworen, dat was duidelijk. De topconferentie had iedereen weer in het gareel gebracht.

De mensen op het stadhuis straalden succes uit. Er liepen kunstenaars en journalisten, bestuurders en captains of industrie. De crème de la crème van de natie.

Klaas Bol zag dat Peter onder de indruk was, maar interpreteerde dat verkeerd. 'Kom nu maar mee. Jij bent de eregast.' Peter knikte wat afwezig en bleef staan. Ook Lara, pal naast hem, verzette geen stap. Job, die het bordes al op gelopen was en nu bijna op de drempel stond, keek verbaasd over zijn schouder en liep toen haastig terug.

'Wat is er?'

'Zou u ons even willen excuseren?' vroeg Lara met een beleefde glimlach naar Klaas Bol, die niet-begrijpend afstand nam.

Ze voelden zich alle drie niet goed bij deze show van succes, hoe goedbedoeld deze ook was. De lach was vals, de dans gemaakt en niet toereikend om eenieders angsten te verhullen. De beschaving was achterhaald, het laklaagje te dun en de onderscheidingen waren niet onderscheidend meer.

Zowel Peter als Lara geloofde in een toekomst zonder angst; nieuwe problemen zouden tot nieuwe oplossingen leiden en het was waarschijnlijk dat de wereld er alleen maar beter van zou worden. Maar niet dankzij een kleine bevoorrechte groep bobo's, niet dankzij een angstige feestvierende elite die krampachtig vast probeerde te houden aan voorrechten uit het verleden. Daarmee zou de honger nooit bezworen worden...

'Tsja,' zei Job.

'We hoeven niet naar binnen,' opperde Lara voorzichtig.

Er kwamen nog meer gasten aan en onder luid applaus nam een beroemde pianist 'spontaan' achter de piano plaats.

'Ik vroeg me af...' begon Peter.

Hij zag hoe de weduwe van Geert Wennemars zich, achter het raam, moedig staande hield in het feestgedruis.

'Ik vroeg me af of Ibi, Nordin en Karel nog wat drinken koud hebben staan. In hun garage.'

'Moeten zij vanavond niet op plundertocht?' vroeg Job.

Lara haalde haar schouders op.

Als in één beweging keerden ze alle drie tegelijk het feest de rug toe. Kletsend, zonder ook maar één keer om te kijken, liepen ze de straat uit.

Nawoord

In dit boek staat een citaat van directeur-generaal Jacques Diouf van de FAO, de Voedsel- en Landbouworganisatie van de Verenigde Naties, waarin deze spreekt van een dramatische wereldvoedselsituatie, waarbij keer op keer eerdere beloften om de honger in de wereld uit te roeien niet zijn ingelost.

De politiek toont zich vaak onbetrouwbaar. Beloften verdwijnen onder de mat en democratisch vastgestelde doelstellingen worden, als dat zo uitkomt, eenvoudig naar beneden bijgesteld. Ook bij het klimaatbeleid, dat sterk met de wereldvoedselsituatie samenhangt, is dit aan de orde van de dag.

Dit is zeker niet allemaal terug te voeren op onwil of gebrek aan politieke integriteit. Politici komen en gaan, de praktijk is weerbarstig, de macht van overheden is beperkt en al te veel impopulaire maatregelen brengen herverkiezing in gevaar. Enig begrip lijkt op zijn plaats, al is dit erg moeilijk uit te leggen aan de 1,02 miljard mensen die momenteel – volgens de meest recente gegevens van de FAO – honger lijden.

Het is echter de vraag of we van het klimaat veel begrip kunnen verwachten. Natuurwetten kennen geen gevoel. Het smeltpunt van poolijs laat zich niet door verkiezingen beïnvloeden.

Elke keer wanneer een klimaatdoelstelling niet of te laat wordt gehaald, stijgen de risico's die we als mensheid lopen. Het ecologisch evenwicht is kwetsbaar en het is zeker niet denkbeeldig dat de voedselketen echt een keer verbroken wordt.

Tijdens de research voor *Graan* heb ik niet alleen veel deskundigen gesproken, maar ook mensen die de hongerwinter, tijdens de Tweede Wereldoorlog, aan den lijve hebben meegemaakt. Ik heb tulpenbollen gegeten, sprinkhanen, aardappelschillen en één glibberige, versgevangen regenworm.

Dan komt de dreiging opeens heel dichtbij en verdiept zich het besef dat we uiteindelijk allemaal op onszelf zullen worden teruggeworpen.

Ruben van Dijk, Nijmegen 2009

Waar of niet waar? Op www.ecothriller.nl kunt u lezen welke feiten ten grondslag liggen aan *Graan*.

Jonathan Queen vloekte en sloeg keihard op zijn bureau. Die klungels! Alles wat er fout kon gaan was fout gegaan! Het opsporingsbericht was uit, dus hoe je het ook wendde of keerde, ellende zou er komen. (…) Alleen Bush of Cheney zelf beschikte misschien nog over mogelijkheden om het gat te dichten.

ISBN 978 90 229 9370 5

Ruben van Dijk
Het Kyoto-complot

Wanneer de Nijmeegse student Tim Peters door een beveiligingsbedrijf wordt gevraagd om informatie over de milieubeweging in zijn woonplaats te verzamelen, ziet hij daar geen kwaad in. Hij moet de identiteit achterhalen van de persoon die vanuit de Rotterdamse haven informatie over de olie-industrie lekt naar een groep radicale milieuactivisten die een aanslag voorbereiden. Maar is dit wel de waarheid?

In de Verenigde Staten is president George W. Bush door de internationale olie-industrie onder druk gezet om het Kyoto-verdrag niet te ondertekenen. Via een klokkenluider bij een Rotterdams oliebedrijf is journaliste Jacqueline Schuurman achter dit schandaal gekomen, en de betrokkenheid daarbij van een Nederlands bedrijf.

Algauw blijkt dat de machtige olie-industrie bereid is tot het uiterste te gaan om de zaak geheim te houden. Wanneer de klokkenluider wordt ontmaskerd en om het leven komt bij een auto-ongeluk, slaan Schuurman en Peters de handen ineen om de ware toedracht boven water te halen. Maar de waarheid over het Kyoto-complot zal zeer explosief blijken te zijn…

'Een ijzersterk debuut!' – EZZULIA.NL

Blijft u graag op de hoogte van de nieuwste
spannende boeken?

Kijk dan op

www.awbruna.nl

en geef u op voor de spanningsnieuwsbrief.

Op deze manier krijgt u steeds als eerste alle informatie
over nieuwe boeken en kunt u gebruikmaken van
aantrekkelijke kortingen en andere lezersacties.